Błękitne Sny

Katarzyna Michalak

Błękitne Sny

KRAKÓW 2017

Projekt okładki
Katarzyna Michalak

Opracowanie graficzne okładki
Magdalena Zawadzka

Fotografie na okładce
Klaudia Rataj-Sopyłło

Opracowanie tekstu i przygotowanie do druku
DreamTeam

ISBN 978-83-240-4664-5

Książki z dobrej strony: www.znak.com.pl
Więcej o naszych autorach i książkach: www.wydawnictwoznak.pl
Społeczny Instytut Wydawniczy Znak
ul. Kościuszki 37, 30-105 Kraków
Dział sprzedaży: tel. 12 61 99 569, e-mail: czytelnicy@znak.com.pl

Wydanie I, Kraków 2017
Druk: Abedik

ROZDZIAŁ I

Patryk siedział pod salą operacyjną zgięty wpół, z palcami wpi-
tymi we włosy. Nie było widać jego twarzy. Obok niego toczyło
się codzienne szpitalne życie, tymczasem on trwał w bezruchu,
nie zwracając uwagi na otoczenie, zupełnie jakby był gdzie
indziej. Po drugiej stronie szklanej szyby.

Dopiero dotyk dłoni na ramieniu i ciche słowa Wiktora: „Już
jestem. Co z Marcinem?", sprawiły, że zamrugał jak obudzony
z koszmarnego snu. Opuścił ręce. Uniósł na brata oczy.

– Jest dobrze. Parę minut temu pozwolono mi go zobaczyć.
Operacja się udała. Wyjdzie z tego.

Wiktor odetchnął głęboko. Przez całą drogę próbował się
do Patryka dodzwonić, ale pół godziny temu młodszy brat
wysłał mu esemesa, że z Marcinem wszystko w porządku,
i wyłączył telefon. Nie uspokoiło to Wiktora. Wręcz przeciwnie.

Dopiero teraz, słysząc te słowa, naprawdę odetchnął z ulgą. Nie wyobrażał sobie utraty któregoś z braci. To by go dobiło… Śmierci trzech osób: Marcina, Patryka i Gabrysi, po prostu by nie zniósł.

Opadł na krzesło obok, potarł twarz.

– Co z Majką? – rzucił, spodziewając się tej samej odpowiedzi.

– Nie wiem. Gdy ostatni raz ją widziałem, była konająca.

W pierwszym momencie nie dotarło to do Wiktora. W następnym… odebrało mu oddech.

– Co?!

– Powoli wykrwawiała się na śmierć. Lekarze zrobili, co mogli, tak mi przynajmniej powiedziano, ale krwotok nie ustawał. Trzymałem ją za rękę… – Głos się Patrykowi załamał. – Mówiła do mnie tak cicho… Potem coś się stało, aparatura oszalała, wokoło zaroiło się od lekarzy i pielęgniarek. Wyprowadzili mnie na korytarz. Chyba próbowali Majkę reanimować. Jakiś doktor przyniósł mi papiery do podpisania, nie pytaj jakie, nie czytałem. Mówił, że natychmiast muszą mieć zgodę na zabieg. Podpisałem wszystko, co mi podetknął. Od tamtej pory siedzę tutaj i czekam na jakiekolwiek wiadomości. Ale nie wiem nawet, gdzie mogę Majki szukać.

– Znajdę ją. – Wiktor wstał. – Ty pilnuj Marcina. Zaraz do ciebie wracam. Nie łam się, Patryk.

– Gdybyś ją widział… Ona naprawdę umierała…

– Umierała, ale nie umarła. Dopóki nie mamy potwierdzonej informacji, jest nadzieja, że nadal żyje.

„Musi żyć!" – krzyczał w duchu, kierując się ku rejestracji. „Marcin stracił dziecko, które pokochał, nie może stracić Majki!"

Ale parę minut później stracił tę pewność. Rejestratorka nie mogła odnaleźć pacjentki. Cały czas wyświetlał się jej numer sali OIOM-u, z której dziewczynę zabrano pół godziny temu. Dokąd? W systemie szpitala nie było jeszcze danych.

– Prawdopodobnie nadal trwa reanimacja – „uspokoiła" go. – Gdyby pańska bratowa nie żyła, byłaby wpisana godzina zgonu.

Genialnie! Tym ma pocieszyć brata?!

Wrócił do Patryka, powiedział kilka krzepiących słów i rozejrzał się za kimś, kto pomoże mu odnaleźć Majkę. Jego wzrok zatrzymał się na drzwiach pokoju lekarskiego. Gdzie jak gdzie, ale tam muszą wiedzieć, dokąd zabrano ich pacjentkę!

Zapukał, nacisnął klamkę i aż go odrzuciło ostre:

– Proszę czekać!

Już miał się cofnąć i zamknąć za sobą drzwi, gdy następne słowa sprawiły, że jednak się wstrzymał.

– Doktorze Grajewicz, nie pytam o przeszczep serca! Pytam, czy dało się coś zrobić z raną Marcina Prado!

Przez parę sekund trwała cisza.

– Komisarzu... – zaczął ktoś, zapewne lekarz – żaden szew, nawet kosmetyczny, nie zamaskuje rany postrzałowej. Dodam, że nałożyliśmy taki właśnie szew.

Zapadła cisza. Wiktor po drugiej stronie czuł, jak krew zastyga mu w żyłach. „Zamaskuje"?! Co to, do cholery, ma znaczyć?! Przecież wiedział, że Marcin został postrzelony, co oni chcą ukryć?!

– Doskonale pan wie, doktorze, że nie o to mi chodzi.

Wiktor wszedł do pokoju.

– Jeśli nie o to, to o co? – wycedził. – Tak, dobrze się domyślacie, jestem bratem Marcina Prado i daruj sobie, komisarzu, swoje „proszę czekać!". Czekam, owszem, ale na dwie informacje: co chcecie z a m a s k o w a ć u mojego brata i gdzie jest moja bratowa!

Dwóch mężczyzn patrzyło nań jak na ducha. Nie. Nie ducha, upiora. Oto jawą stawał się koszmar lekarzy i dowódców, zmuszonych do chronienia podwładnych: rodzina ofiary. Szczególnie taka rodzina jak stojący przed nimi mężczyzna: dobrze ubrany, pewny siebie i roztaczający bardzo subtelną, ale wyraźną aurę władzy.

– Nie może pan poczekać, aż dokończymy poufną rozmowę? – zaczął jeden z mężczyzn. Wiktor mógł się domyślać, że komisarz. Drugi miał na sobie lekarski fartuch.

– Nie mogę – uciął i zwrócił się do doktora, jakby obecność tego drugiego była mu obojętna. – Proszę w krótkich słowach wyjaśnić, z jakiego powodu mój brat znalazł się na stole operacyjnym i co się stało z Majką Trojanowską, jego narzeczoną.

Lekarz wytrzymał, chociaż z trudem, jego wilcze spojrzenie.

– Pana brat jest po operacji – zaczął kojącym, wyćwiczonym tonem. – Zaś pacjentka przechodzi skomplikowany zabieg chirurgiczny.

– Zabieg chirurgiczny? Serio? Myślałem, że oboje zdecydowali się powiększyć usta… Doktorze, bardzo proszę nie wciskać mi głodnych kawałków. Jeszcze rano Marcin i Majka byli parą zakochanych, dwojgiem szczęśliwych ludzi oczekujących dziecka. Co się, do kurwy nędzy, stało, że oboje walczą o życie?!

Lekarz skrzywił się teatralnie na tak mocne słowa. Tamten drugi – przeciwnie.

– Dobre pytanie. Może pan nam na nie odpowie? W co grał pański brat czy bratowa, a może oboje, że znaleźli się w tym mieszkaniu akurat podczas akcji antyterrorystycznej?

Wiktor spojrzał nań na wpół z wściekłością, na wpół z politowaniem:

– Sugeruje pan, że co najmniej jedno z nich było zamieszane w terroryzm? Mogę prosić o bardziej poważne zarzuty?

– To są poważne zarzuty.

Wiktor zmierzył mężczyznę spojrzeniem. Był w jego wieku. Wzrok miał ostry, drapieżny, tak jak on. Nosił czarny mundur bez dystynkcji i odznaczeń. I gotów był sprzątnąć każdego, kto stanął mu na drodze. Jednym słowem: trafił swój na swego.

– Komisarzu, czy kim pan tam jest, ani mój brat, ani tym bardziej jego narzeczona, spodziewająca się dziecka, nie byli wmieszani w żadne przestępstwo. Wiedziałbym, gdyby było inaczej.

– Jesteś pan taki pewien?

– Owszem.

– Jej także?

Wiktor już miał powtórzyć, gdy… zawahał się. O Majce wiedział niewiele. A już to, co wiedział, nie pozwalało ręczyć za nią głową.

9

– To, czy jestem pewien, nie ma znaczenia – uciął. – Jeżeli złamała prawo, odpowie przed sądem. Ja chcę tylko wiedzieć, gdzie ona jest. Co z nią, doktorze?

Lekarz bez słowa podniósł słuchawkę interkomu. Rzucił pytanie. Przez chwilę słuchał.

– Nadal walczą o jej życie – rzekł sucho.

– Zaraz, zaraz, sugeruje pan, że lekarze jednej z najlepszych klinik w Warszawie, a może i w Polsce, nie potrafią powstrzymać krwotoku po zwykłym poronieniu?!

W tym momencie lekarz uciekł wzrokiem. Jak większość prawych ludzi nie potrafił łgać.

– To nie było...

– Owszem – wpadł mu w słowo ten drugi – czasami tak się zdarza, że banalny przypadek prowadzi do śmierci. Wiedział pan, panie Prado, że ta kobieta ma problemy z krzepnięciem?

– Bardzo niski poziom płytek krwi...

– Czyli teraz nie próbujemy niczego maskować, bo wszystkiemu jest winien poziom płytek? – zapytał ironicznie Wiktor.

Gdyby chodziło o kogo innego, nie o Marcina i Majkę, bawiłaby go ta konwersacja. I przypieranie do ściany tych dwóch. Jednak to nie były szachy ani negocjowanie umowy, za tymi słowami kryły się dwie żywe, bliskie mu istoty.

– Co z Majką?! Gdzie ona jest?! – wybuchnął.

Wiedział, że Marcin prawdziwie kocha tę dziewczynę. Na przekór niemu, Wiktorowi, na przekór całemu światu ten facet kocha kogoś, kogo cały świat odrzucił. „Tania dziwka" – tak o Majce do niedawna mówili ci, co ją przelecieli, chociaż sami byli niewiele więcej warci.

Od kiedy jednak związała się z Marcinem, wszystko uległo zmianie. Wiktor będzie o nią walczył, tak jak o swoich braci! Zrobił krok w kierunku doktora. W oczach miał morderczą furię.

Lekarz cofnął się o pół kroku.

Wiktor poczuł na ramieniu ciężką dłoń.

– Zaraz, zaraz, człowieku. Nie tak ostro, bo...

Odwrócił się błyskawicznie niczym atakująca żmija.

– Bo co?

Stali przez chwilę nieruchomo. Twarzą w twarz. Tak samo niezłomni i równie pełni determinacji. Wiktor, by chronić rodzinę, komisarz Bracki – odpowiedzialny za podwładnych. I to komisarz musiał skapitulować, jeśli chciał, by ten, kto strzelał do Marcina Prado, nie poszedł siedzieć, podobnie jak ten drugi, który z całej siły wbił kolbę karabinu w brzuch ciężarnej kobiety.

Uspokoił oddech, wziął emocje na krótką smycz.

– Proszę posłuchać... – odezwał się tonem może nie tyle błagalnym, daleko mu było do tego, co polubownym. – Pana brat i przyszła bratowa znaleźli się w niewłaściwym miejscu o niewłaściwej porze. Wpadli w pułapkę. Jeśli nie była zastawiona na nich, to się okaże podczas śledztwa, już teraz proszę o wybaczenie. Jeżeli jednak złapaliśmy właściwe osoby, będę oczekiwał obszernych zeznań również od pana, panie Prado. – W jego głosie zabrzmiała groźba.

Jeśli myślał, że Wiktor się jej przestraszy, był w błędzie.

– Serio? Straszy mnie pan prokuratorem? A może ABW? – Podetknął mu pod oczy złączone w nadgarstkach ręce. – Proszę się nie krępować!

– Panie Prado – lekarz wszedł między nich – dlaczego pan wszystko utrudnia? Stało się nieszczęście…

– Właśnie. Chcę wiedzieć, co się właściwie wydarzyło.

Lekarz spojrzał nań bezradnie. „Też chciałbym to wiedzieć" – mówiło jego spojrzenie.

Komisarz wahał się przez chwilę. Chciałby wyznać prawdę. Ten facet, widać, że na serio wstrząśnięty, miał prawo domagać się wyjaśnień, o ile rzeczywiście dwoje młodych ludzi było niewinnych. Ale czy dowódca oddziału może ot tak sypnąć swoich podwładnych? W imię prawdy? Nigdy więcej mu nie zaufają! Policjanci podczas akcji nie mogą się wahać, rozważać, czy ich działania nie będą skutkowały postępowaniem sądowym, aresztem albo więzieniem. Muszą być zdecydowani i bezwzględni, bo ryzykują życiem swoim i swoich kolegów. Gdyby teraz wsypał Rafała i Grześka, mógłby od razu podać się do dymisji.

Podjął decyzję.

– Śledztwo wykaże, co się stało. Ja nie mam nic więcej do powiedzenia.

Wiktor rzucił przez zęby przekleństwem. Rozumiał tego gliniarza jako człowiek, ale nie rozumiał jako brat Marcina.

– Mój brat ma szczęście, że dostał kulę w pierś, a nie w potylicę – wycedził. – Niewygodnego świadka zwykło się dobijać na miejscu.

– Nie jesteśmy mordercami!!! – ryknął komisarz, zaciskając pięści z całych sił, gotów przywalić tamtemu w mordę.

– Poczekajmy na wynik drugiej operacji, bo może się okazać, iż jesteście – skwitował Wiktor zimno. – Jeżeli

Majka szczęśliwie ją przeżyje, wyślę panu kartkę z podzięko-
waniem.

– W dupę sobie wsadź tę kartkę! – warknął Bracki, wycho-
dząc z pokoju.

Wiktor odprowadził go wzrokiem, po czym zwrócił się do
lekarza.

– Komisarza mamy z głowy. Czy jest coś, o czym powinienem wiedzieć? Co pan ukrywa, doktorze?

Ten wahał się znacznie dłużej niż funkcjonariusz. Wreszcie
westchnął ciężko. I tak prawda wyjdzie na jaw.

– Pański brat został postrzelony w prawe płuco… – zaczął
i urwał. Jak delikatnie ubrać w słowa takie szambo?!

– Rozumiem. – Wiktor ponaglił go spojrzeniem.

– Operowałem go. Został przywieziony bardzo szybko, nie
stracił zbyt wiele krwi, jego stan jest dobry.

„I masz szczęście, człowieku! Ale co ukrywasz?!” – wykrzyczał w duchu Wiktor.

– Widzi pan, pański brat był zwrócony tyłem do strzelają-
cego. – Uff, powiedział to.

Wiktorowi odebrało mowę. Patrzył na doktora ogromnie-
jącymi oczami.

– Czy dobrze rozumiem…? – zaczął powoli, cedząc słowa
zgłoska po zgłosce. – Mój brat podczas policyjnej akcji dostał
kulę w plecy?

Lekarz przytaknął niechętnie. Od początku nie podobało
mu się to wszystko. Od chwili, gdy dostał telefon, że wiozą mu
mężczyznę z raną postrzałową. Nie byłoby może w tym nic
dziwnego, w Warszawie zdarzają się takie przypadki, gdyby nie

fakt, że do zdarzenia doszło na Złotej, w centrum miasta. Pod bokiem mieli szpital na Lindleya, mimo to wieźli rannego przez pół miasta, na Wołoską. Po co? Liczyli na to, że lekarze podlegający MSWiA złożą fałszywe zeznania, by chronić policję? Pacjent przeżył – na szczęście przeżył – za parę tygodni opowie ze szczegółami, co się wydarzyło. Komisarz niepotrzebnie się pogrążał...

– Tak, właśnie – odezwał się wreszcie, bo Wiktor Prado wbijał w niego to swoje wilcze spojrzenie. – Dostał kulę w plecy. Cudem minęła żebra. Byłoby o wiele gorzej, gdyby któreś strzaskała. Pana brat jest szczęściarzem.

– Jak cholera – prychnął Wiktor. – Rano siada do śniadania z przyszłą żoną i matką swego dziecka, w południe obrywa od gliniarzy kulę. W plecy. Mój prawnik obedrze ich ze skóry...

„Tego się obawiałem" – pomyślał Grajewicz.

– ...o ile uratujecie Majkę. Jeżeli ona nie przeżyje „interwencji", zrobię z nich miazgę.

Po wyjściu z pokoju lekarskiego Wiktor natknął się na komisarza. Mężczyzna stał oparty o ścianę, obracając w palcach telefon. Zmierzyli się mało przyjaznym spojrzeniem.

Policjant zrobił dwa kroki w jego kierunku.

– Już pan wie? Doktor panu powiedział?

– Kuli w plecach i tak nie dałoby się „zamaskować".

– To był wypadek. Mój człowiek zarzeka się, że nie nacisnął spustu. Broń jest obecnie badana przez biegłych. Jeśli potwierdzą, że nastąpił samostrzał...

– Cóż, będziecie niewinni. Kula w plecy, poronienie, śmierć dziecka, a winnych nie ma – w głosie Wiktora znów zabrzmiał gniew.

– Panie Prado, wiem, co pan czuje, też byłbym żądny krwi, gdyby coś takiego przydarzyło się moim bliskim, proszę jednak zrozumieć: podczas takiej akcji wszystko jest możliwe. O życiu i śmierci decydują ułamki sekund. Moi ludzie nie mogą się wahać.

– Akcja… Interwencja… – Wiktor lekko zmrużył oczy, przyglądając się tamtemu. – W co wyście wplątali mojego brata i jego narzeczoną?

– To pytanie do nich. W co oni się wplątali – odparł z naciskiem komisarz. – Muszę wracać do pracy, chciałem się z panem pożegnać. – Wyciągnął do Wiktora dłoń. – Proszę nie działać pochopnie. Wystarczy ofiar.

Wiktor z wahaniem tę dłoń uścisnął.

ROZDZIAŁ II

Szpitalne korytarze nie miały końca. Szczególnie gdy nadrabiało się drogi, by uniknąć spotkania z niepożądaną w tej chwili osobą. Wiktorem Prado. On również mógł dostać wiadomość – Majka Trojanowska przeżyła operację – chociaż obiecano komisarzowi, że poinformują go jako pierwszego.

Teraz spieszył na drugie piętro okrężną drogą, zamiast po prostu wsiąść do windy na parterze, i układał w myślach plan działania. Lekarz, który operował dziewczynę, był… jak by to powiedzieć… spolegliwy. Łyknął bajeczkę, że Trojanowska została zdjęta podczas obławy na narkodilerów, i od razu jego stosunek do pacjentki uległ zmianie. Starszy człowiek stanowczo potępiał wszystkich, którzy sprowadzają młodzież na złą drogę. Gdy więc Bracki poprosił go – głosem nieznoszącym sprzeciwu, oczywiście – by zadzwonił, gdy tylko skończą operować – doktor zgodził się bez wahania.

Błękitne Sny

– W jakim jest stanie? – to było pierwsze, o co zapytał komisarz.

– Biorąc pod uwagę okoliczności… – Chirurg zawiesił głos. – Trafiła na stół w ostatniej chwili. Parę minut później i wzywałbym pana do kostnicy. – Tu komisarz skrzywił się lekko, chociaż… to rozwiązanie byłoby mu całkiem na rękę. – Jest na sali pooperacyjnej. Będziemy ją wybudzać. Anestezjolog twierdzi, że za dziesięć minut, góra kwadrans, powinna odzyskać przytomność. Zbadamy ją i dopiero…

– Chcę przy tym być – wpadł mu w słowo Bracki.

– To sala pooperacyjna – zauważył z naciskiem lekarz.

– Wyszoruję ręce, nałożę jałowy fartuch i maseczkę, co tam sobie chcecie. Muszę porozmawiać z tą dziewczyną…

– Będzie zaintubowana! Jak pan chce z nią rozmawiać?!

– Wystarczy, że dwa razy kiwnie głową. Nawet nie dwa. Raz.

– Ale…

– Doktorze – komisarz przytrzymał go za łokieć – to poważna sprawa, w której nie ma miejsca na żadne „ale”. Muszę zadać dziewczynie jedno pytanie, zanim zbiegnie się tutaj jej rodzina czy, nie daj Boże, dziennikarskie sępy. Ona była w miejscu, w którym uczciwi obywatele nie powinni się znajdować. W przerzutowym lokalu mafii narkotykowej. Wkładała do sejfu torbę pełną forsy. Naprawdę jedno krótkie pytanie jej nie zaszkodzi, a może pomóc.

Lekarz uniósł ręce w geście kapitulacji.

– Zamienię parę słów z anestezjologiem. Jeżeli on nie będzie miał nic przeciwko temu, może pan zadać to jedno bezcenne pytanie.

„Żebyś wiedział, konowale, że bezcenne" – pomyślał ironicznie komisarz. „Masz szczęście, że idziesz na współpracę, bo i na ciebie znaleźlibyśmy haczyk".

– Czy udało się zrobić to, o czym napomknąłem? – zapytał na głos.

Lekarz, w milczeniu myjący ręce, podniósł nań wzrok.

– Bardzo panu zależało, więc zrobiłem, co trzeba. Siniec na brzuchu zniknął pod linią szwów, dodam, że trochę mu w tym pomogłem. Czego się nie robi dla dobra sprawy – westchnął. – Nie będzie śladu po spartolonej przez was robocie, jeśli ten, kto wbił kolbę w brzuch ciężarnej kobiety, nie przyzna się do tego i jeżeli ona sama nie piśnie na ten temat słowa. Gdybyś miał pan chody tam na górze, Trojanowska doznałaby amnezji pourazowej.

Na to komisarz nie mógł liczyć. Kiedyś sprawa byłaby prosta: jedno słowo tu, jedno tam i anestezjolog zafundowałby Trojanowskiej taką amnezję, że zapomniałaby, jak się nazywa. Dziś lekarze byli ostrożniejsi.

– Chodźmy do naszej niegrzecznej dziewczynki. – Lekarz wytarł ręce papierowym ręcznikiem i ruszył przodem.

„Niegrzeczna dziewczynka?" – komisarz uniósł brwi. „Też mi określenie dla trzydziestoparoletniej kobiety. Ten konował nie będzie się chyba do niej dobierał? Tego by tylko brakowało…"

Nie miał czasu dłużej się nad tym zastanawiać, bo wchodzili do ciemnej, cichej sali z dwoma łóżkami. Jedno z nich było puste. Na drugim leżała drobna postać, otoczona przez pracującą miarowo aparaturę.

Bracki zatrzymał się przy stojaku z kroplówkami. Spojrzał na bladą jak prześcieradło, którym była okryta, dziewczynę. Miała piękną twarz o łagodnych rysach, ładne usta, wcześniej zapewne karminowe, teraz równie blade co policzki, i czarne, gęste włosy, okiełznane przez szpitalny czepek. Powieki drżały jej lekko. Po policzku zaczęła spływać łza. Pochylił się odruchowo i starł ją delikatnie wierzchem dłoni. Ależ zimną miała skórę. Na pewno zdołali zatamować krwotok?

– Nie wygląda najlepiej – mruknął półgłosem ni to do siebie, ni do lekarza.

– Straciła sporo krwi. Naprawdę była jedną nogą na tamtym świecie. Będzie miała co opowiadać.

„Opowiadać?" – rzucił lekarzowi kose spojrzenie.

– O życiu po życiu – wyjaśnił tamten.

Dowcipniś.

Do sali wszedł anestezjolog. Beznamiętnie skinął głową Brackiemu.

– Kiedy będzie ją pan wybudzał?

– Już to zrobiłem. Powinna lada chwila odzyskać przytomność. O, właśnie do nas wraca.

Dziewczyna uniosła powieki może na milimetr.

– Słyszy nas? – Policjant mimo wszystko zniżył głos do szeptu.

Lekarze specjalnie się nie krępowali, mówili normalnie, co jemu w tej cichej sali wydało się niestosowne.

Anestezjolog pochylił się nad pacjentką.

– Pani Trojanowska, pani Majeczko, budzimy się! Słyszy mnie pani?

Drgnięcie powiek można było wziąć za odpowiedź. Po policzku Majki znów zaczęła spływać łza. Bracki poczuł mimowolne współczucie. Jeżeli ta dziewczyna, jak sugerował Prado, jest niewinna…

– Skąd te łzy? Boli coś? – pytał lekarz bez cienia zainteresowania w głosie. – Zaraz wszystkiemu zaradzimy. Teraz proszę leżeć spokojnie. Przygotuję dla pani coś specjalnego.

Odwrócił się do policjanta i rzucił sucho:

– Pół minuty. Z zegarkiem w ręku. Pilnuj, Tadeusz, czasu – to było do chirurga.

Ten ostentacyjnie spojrzał na zegar.

Komisarz pochylił się ku dziewczynie. Miał mało czasu, a pytanie było ważne.

– Słyszysz mnie?

Majka uniosła powieki milimetr wyżej.

– Pamiętasz, co się stało? W mieszkaniu twoich starych?

Naraz dziewczyna otworzyła szeroko oczy. Błysnęło w nich rozpoznanie. I panika.

– Spokojnie. Nic ci nie grozi. – Rzucił szybkie spojrzenie lekarzowi, który po drugiej stronie szklanej tafli ze znudzoną miną przeglądał jakieś papiery. – Posłuchaj uważnie: nie będziesz mówiła, co się stało, a nikomu nie stanie się krzywda. Rozumiesz? – Pochylił się jeszcze niżej i powtórzył jeszcze ciszej: – Zapomnisz, co się wydarzyło na Złotej, a wszyscy będą szczęśliwi. Jeżeli zaczniesz sypać, Marcinowi przydarzy się wypadek. Zrozumiałaś?

Czuł się podle, szantażując dziewczynę, która właśnie przeszła operację, a jeśli wierzyć lekarzowi, otarła się o śmierć pośrednio z jego winy, ale w tym zawodzie nie było zlituj się. Wrażliwi i współczujący nie mieli czego szukać w oddziałach interwencyjnych. Albo on zastraszy ją w tej chwili, albo ona odegra się za parę tygodni.

– Pytam, czy pojęłaś, czego chcę – syknął.

Dziewczyna skinęła głową. Ten nagły ruch wydusił z jej krtani cichy jęk. Bracki poczuł się jak ostatnie bydlę. Odwrócił się i bez pożegnania, nie zamieniając nawet słowa z lekarzem, wyszedł.

Stanął pośrodku korytarza. Przez parę chwil uspokajał oddech. Był pewien, że dziewczyna nie piśnie słowa. Ale cenę za tę pewność on zapłaci w piekle...

Wsiadł do nieoznakowanego radiowozu. Nie musiał mówić kierowcy, dokąd się udają. „Zamach na Złotej", jak media zaczęły nazywać głośną akcję sprzed południa, przyciągnął uwagę jego zwierzchników. Gdy tylko dorwą go w swoje szpony, zaczną zadawać pytania, niewygodne pytania, na które trzeba będzie udzielać odpowiedzi.

Musi pogadać z Grześkiem. Powie mu, że siniec po ciosie „znikł". Ślady zatarto. Jedynie tych dwoje: funkcjonariusz i dziewczyna, wie, co się naprawdę wydarzyło. Słowo zamieszanej w przemyt narkotyków przeciwko słowu policjanta o nienagannym przebiegu służby? Bez szans...

Komisarz wpatrzony w okno samochodu nie podziwiał widoków Warszawy. Miał nad czym myśleć. Jeżeli zdjęli nie tych, co trzeba – ona nie miała nic wspólnego z biznesem prowadzonym przez starych, a facet po prostu jej towarzyszył – będzie naprawdę kiepsko. Oboje zostali ranni. Ona omal nie pożegnała się z życiem. I to z jakiego powodu!? Potraktowana kolbą karabinu, straciła dziecko. Chryste, media pożrą ich żywcem! Bez względu na to, czy Majka należała do mafii czy nie! Nawet jeżeli będzie trzymała język za zębami, to sam fakt, że w wyniku siłowego zatrzymania doszło u młodej kobiety do poronienia, wystarczy, by mieszać policję z błotem przez ładnych kilka dni, aż temat się znudzi albo hieny rzucą się na inny łup.

Media będą miały używanie. Wiktor Prado również. Wyglądał na ostrego zawodnika, chociaż… nie sprawiał wrażenia skurwiela, który niszczy ludziom życie, bo lubi. Jak on sam, Mariusz Bracki, był po prostu twardym facetem chroniącym tych, których kocha. Jego brat, Marcin, nie widział zajścia w łazience. Z tego, co Bracki się orientował, najpierw padł strzał, potem Grzesiek potraktował dziewczynę kolbą. Jej facet nie mógł ani widzieć, ani słyszeć, co jej zrobiono, bo sam tracił przytomność z bólu i szoku. Kurwa, kula w plecy! A Darek pierdoli, że spluwa sama wystrzeliła! Zdarza się i to… Oby… Jeżeli biegli potwierdzą, że doszło do samostrzału, tu nie będzie punktów zaczepienia. A Majka Trojanowska… zamknął jej usta, nim zdążyła je otworzyć. Etyczne ani uczciwe to nie było, ale pieprzyć uczciwość i etykę, gdy chodzi o dobro oddziału. Był odpowiedzialny za podkomendnych. Jego ludzie nie mogą się wahać! Następnym razem mogą mieć do czynienia z bezwzględnymi bandziorami, a wtedy poleje się krew. I będzie to krew jego chłopaków, bo tamci wahać się nie będą.

Samochód zatrzymał się pod wieżowcem. Mężczyzna westchnął ciężko. Lubił życie na adrenalinie, ale nie cierpiał „sprzątania" po akcji. Takie wpadki niezbyt dobrze wpływały na morale policjantów. Do tego prokurator i inspektor z ABW… Dzień zaczął się parszywie i nie ma nadziei, by skończył się inaczej.

Wiktor także musiał wyjść na zewnątrz, złapać parę haustów świeżego powietrza. Nienawidził szpitali. Od czasu, gdy po raz pierwszy, pobity do nieprzytomności, trafił na izbę przyjęć. Nawet te przeznaczone dla VIP-ów, amerykańskie ekskluzywne kliniki, które przypominały raczej kurort niż szpitalną rzeczywistość, budziły w nim odrazę. I strach, do którego on, ten twardziel, nigdy by się nie przyznał.

Komórka rozdzwoniła się w jego kieszeni. Odebrał natychmiast.

– Przywieźli Majkę! – wykrzyczał Patryk. – Jest po operacji, żyje! Wracaj natychmiast!

– Dzięki Bogu… – szepnął do siebie Wiktor.

Do tej chwili nie zdawał sobie sprawy, w jak wielkim napięciu czekał na takie słowa. Ciążyło mu poczucie winy wobec kobiety, którą przez ostatnie miesiące traktował gorzej niż podle. Żal mu było nienarodzonego dziecka, mniejsza o to, kto był jego ojcem. Marcin tak bardzo cieszył się na synka albo córeczkę. Gdyby Majka zmarła, jego brat chybaby się nie podźwignął po takiej stracie, a Gabriela i Julia…

W tym momencie jego telefon ćwierknął, sygnalizując przyjście wiadomości.

No właśnie, Gabriela…

„Co z Marcinem??" – to od niej był esemes.

Miała prawo się niepokoić. Wybiegł z domu, nie mówiąc właściwie nic. Marcin został ranny. Jak ciężko? W jaki sposób? Co się wydarzyło? Gabriela i Julia nie miały pojęcia. Na szczęście o tym, że Majka walczy o życie, również nie wiedziały. Odchodziłyby od zmysłów ze strachu o przyjaciółkę. Tego im Wiktor oszczędził. Czekał, aż będzie mógł przekazać dobre wieści. Wierzył w to. Teraz więc, czując, jak ogromny ciężar spada mu z serca, zatrzymał się, wybrał telefon Gabrieli i nacisnął zieloną słuchawkę.

– Kochana moja – zaczął zaraz po tym, jak Gabrysia powtórzyła pełne niepokoju pytanie – z Marcinem wszystko okej. Z Majką także…

– Z Majką? Dlaczego wspominasz o Majce?! – W jej głosie rozbrzmiały po kolei: zaskoczenie, niedowierzanie, na koniec zgroza. – Ona tam była?! Była z Marcinem, gdy to się stało?! Co się właściwie wydarzyło?! Wiktor!!!

– Gabi, spokojnie… Dlatego właśnie ci nie powiedziałem, że tak, owszem, Majka i Marcin razem wplątali się w tę aferę. Jeszcze się nie orientuję, o co w tym wszystkim chodzi, ale wiem jedno: oboje są bezpieczni. Przywieziono ich na Wołoską, byli operowani, ale wszystko jest już w porządku. Przyjedź z Julią. Majka ucieszy się, gdy was zobaczy.

Każde słowo było kłamstwem, lecz czasem trzeba skłamać, by nie ranić tych, których kochamy. Co by przyszło Gabrieli ze świadomości, że skurwysyny z policji omal nie zabiły jej przyjaciółki? Zwariowałaby ze strachu o Majkę. Wystarczy, że oni – Wiktor z Patrykiem – przeżyli ten strach. Afera... To słowo na określenie akcji antyterrorystycznej było doprawdy sporym niedomówieniem. Ale o tym Gabrysia również nie musiała wiedzieć.

Rzucił jeszcze parę uspokajających słów, pożegnał się i ruszył szybkim krokiem w kierunku głównego wejścia. Parę minut później był przy Patryku, który nie mogąc usiedzieć w miejscu, krążył po szpitalnym korytarzu niczym lew po pustej klatce.

– Przed chwilą wróciła! – Patryk w paru krokach znalazł się przy bracie. Jego przygaszone oczy rozjaśnił blask. – Doktor powiedział, że najgorsze minęło. Uratowali ją! Pozwolili mi przy niej posiedzieć parę minut. Idę...

– Nigdzie nie idziesz – wpadł mu w słowo Wiktor. – Prosiłem, żebyś czuwał nad Marcinem. Ja posiedzę przy Majce. Jak się was spuści ze smyczy, ty się zapominasz, oni trafiają na OIOM...

I już miał skierować się w głąb korytarza, gdy zatrzymała go dłoń brata. Obrócił się ku niemu zaskoczony siłą, z jaką Patryk zaciskał palce na jego ramieniu.

– Na smyczy trzyma się psy, a nie braci – wycedził Patryk. Przypominanie mu w tej chwili o tym, co zrobił Majce, było po prostu podłe. – A może nie uważasz nas za braci? Może od zawsze byliśmy dwoma pętakami, których musiałeś za sobą ciągnąć?

Wiktor zacisnął palce na jego dłoni.

– Puść, Patryk. I nie waż się nawet tak myśleć. Byliście dla mnie najważniejsi. Jesteście wszystkim, co mam. Nie niszcz tego, bracie, słowami, których będziesz żałował. Odpowiedzialność...

– Właśnie: odpowiedzialność. Gdy trzymasz kogoś na smyczy, jesteś za niego odpowiedzialny. Sprawdziłeś Majkę?

– Co?

– Czy sprawdziłeś Majkę?! Zleciłeś któremuś z zaprzyjaźnionych detektywów, by ją prześwietlił?

Wiktor wolno pokręcił głową.

– Sprawdzasz każdego kontrahenta, a nie zrobiłeś tego w przypadku narzeczonej brata? Co z tobą, Wiktor? A jeśli ona jest zamieszana w handel narkotykami? Jeśli rzeczywiście przerzucała brudną forsę? Poręczysz za nią głową? Bo ja nie!

– Mogłeś sam ją sprawdzić. Masz wszystkie kontakty, masz forsę...

– Byłem pewien, że ty to zrobiłeś! Właśnie dlatego, że wszystkie smycze trzymałeś w ręce! Miałeś niepodzielną władzę, owszem, ale wraz z nią odpowiedzialność. I nagle oznajmiasz, że jakiś czas temu nas z tych smyczy spuściłeś? To ma być odpowiedzialność?!

– Nie zrzucaj na mnie winy za to, co się stało z Majką i Marcinem!

– Jeżeli Majka „robi" w narkotykach, to, co się stało z Marcinem, będzie twoją winą, Wiktor. – Patryk patrzył bratu prosto w oczy. Surowo, bez odrobiny współczucia. – Na szczęście on z tego wyjdzie, ale nigdy więcej nie pozwolę, byś brał na siebie odpowiedzialność. Zrobiłeś dla nas wystarczająco wiele. Może czas, żebyś odpoczął...

Teraz Wiktor pobladł.

– Mam to rozumieć jako pożegnanie? Przestałem być potrzebny, więc rzucisz „dzięki za wszystko" i...?

– Nie, Wiktor, jesteśmy rodziną. Jesteś moim bratem tak jak Marcin. Nikt ani nic nie stanie między nami. Nie po tym, co przeszliśmy. Ale pora, byś zrozumiał, że nie mam pięciu lat. W ciągu ostatnich kilku dni zaliczyłem przyspieszony kurs dorastania. Pora skończyć ze smyczami, rozkazami: „Zostań tu, siedź przy Marcinie". Jestem wolnym człowiekiem i, owszem, kocham cię i szanuję, ale od dziś będę postępował tak, jak dyktują mi rozum i serce. Ja teraz pójdę do Majki, tak jak postanowiłem, bo przy mnie parę godzin wcześniej umierała. Chcę widzieć, jak budzi się do życia. Ty czuwaj nad naszym bratem. Mam nadzieję, że uszanujesz moją decyzję.

Oczy Patryka były poważne. Bardzo poważne.

Wiktor powoli skinął głową.

– Masz rację – odezwał się. – Pora z tym skończyć.

Potem patrzył, jak jego młodszy brat – nie pięcioletni dzieciak, a dorosły, mądry, godny szacunku mężczyzna – znika za drzwiami sali na końcu korytarza.

Jeszcze nie wiedział, jak ułożą się między nimi stosunki. Czy bardziej podoba mu się władza absolutna, jaką roztaczał nad braćmi, czy ich wolność. Jednego był pewien: coś się zmieniło. Nadchodzą nowe czasy. Może nadeszła pora zrzucić jarzmo odpowiedzialności za najbliższych? Pozwolić im popełniać własne błędy i ponosić tych błędów konsekwencje? Przez niemal czterdzieści lat chronił braci przed całym złem tego świata. Teraz ich kolej, by stać się opoką dla tych, których pokochali. Julia i Majka będą potrzebować silnych, zdecydowanych, nieugiętych mężczyzn, a nie dwóch mięczaków – o ile ktokolwiek śmiałby powiedzieć tak o Marcinie i Patryku – których wiecznie ratuje z opresji starszy brat. A czyni to tylko dlatego, że nie pozwolił im ani razu, by radzili sobie sami.

„Masz rację, Patryk, już pora…" – myślał, wchodząc do cichej sali. „Ciebie też, Marcin, przyszedł czas uwolnić". – Odgarnął z czoła brata kosmyk sklejonych potem włosów. „Będzie mi ciężko, bo obu was kocham, ale właśnie w imię tego…"

Poczuł łzy pod powiekami, gdy tak wpatrywał się w nieruchomą twarz młodszego brata.

„Teraz rozumiem Gabrysię… Zamiast zamienić jedną niewolę na drugą, pragnęła zakosztować wolności. A ja? Ja poczułem się urażony. Oto chcę ofiarować jej miłość, wsparcie, Leśną Polanę, rodzinę, a ona, ta niewdzięcznica, gardzi moim gestem. Odrzuca mnie. Jakim byłem egoistą. Kontrola. Nad wszystkimi i wszystkim. Dawała mi poczucie bezpieczeństwa. Nie musiałem się bać, że ich stracę. Ale życie jest życiem i bez względu na moje chcę czy nie chcę, uderza tam, gdzie chce, i w tych, co chce. Tak pilnowałem braci, że jeden z nich został postrzelony. Pragnąłem strzec mojej miłości, a Gabrielę i tak porwano. Grożono jej gwałtem i śmiercią. Z mojego powodu…"

Może czynił sobie zbyt gorzkie wymówki. On przecież, tak samo jak jego bracia i ukochana kobieta, był ofiarą zwyrodnialca. Lecz w tej czarnej godzinie, gdy siedział przy łóżku nieprzytomnego Marcina, takie słowa były oczyszczeniem. Majka i Marcin przeżyli. Gabrysia była bezpieczna. Los dał mu powtórną szansę na nowe, może wreszcie spokojne i szczęśliwe życie. O ile on sam, Wiktor, sobie na to pozwoli.

Odetchnął.

Zacisnął palce na nieruchomej dłoni Marcina i zaczął cicho modlić się do Boga, którego dawno temu przegnał z przepełnionego rozpaczą i nienawiścią serca.

Świadomość wracała powoli.

Majka próbowała zebrać zmącone przez narkozę myśli, ale pierzchały raz po raz. Ktoś! To wspomnienie sprawiło, że wstrzymała oddech, nie otwierając oczu. Leż nieruchomo, ani drgnij, może już sobie poszedł! Ten… ktoś, kto przeraził ją… wtedy… poprzednio. Pochylił się ku niej, gdy tylko uniosła powieki, i wyszeptał tonem, który zmroził ją do głębi: „Nic nie mów, a Marcinowi nie stanie się krzywda".

Będzie więc milczeć.

Zabolało. Z jej gardła wydarło się cichutkie jęknięcie.

Czyjeś palce, które trzymały jej dłoń, zacisnęły się mocniej i usłyszała miękki, kochany głos kogoś, kogo znała. I też kochała.

– Boli, Majeczka? Wezwę lekarza.

Jego dłoń pogłaskała ją po policzku. Uniosła ciężkie powieki.

– Patryk… – szepnęła tak słabo i cicho, że zabrzmiało to jak westchnienie. Pochylił się ku niej z troską w oczach. – Nie odchodź. Nie zostawiaj mnie.

– Nie odejdę, kochana. Będę przy tobie. Panie doktorze – spojrzał prosząco na anestezjologa, który pełnił dyżur.

Doktor obrzucił jednym spojrzeniem ekrany monitorów, kroplówkę z krwią i dwie inne, wypełnione przezroczystymi płynami, po czym zwrócił się do pacjentki:

– Jest pani na oddziale intensywnej opieki pooperacyjnej. Pamięta pani, jak się tu znalazła?

„Zapomnij, co się stało na Złotej…"

– Nie.

– Doszło do wypadku. Straciła pani dużo krwi. Zdążyliśmy w ostatniej chwili.

Mieszkanie rodziców, pieniądze, sejf, huk pękających szyb, drzwi roztrzaskujące się o ściany, a potem straszny ból, rozdzierający ją na pół. I krzyk Marcina.

– Marcin? – spojrzała błagalnie na Patryka.

– Wszystko z nim w porządku – zapewnił ją.

Uwierzyła. Gdyby coś się stało jego bratu, nie potrafiłby skłamać.

– Dziecko?

Uciekł spojrzeniem. Zrozumiała. Powinna poczuć ból po tej stracie, ale nie czuła nic. Tylko ulgę, że Marcin żyje. Marcin… on będzie rozpaczał. Chciał tego dziecka, nie wiedząc, że…

Patryk, jakby wiedział o czym ona myśli, uniósł jej dłoń i ucałował lekko.

– Nie martw się teraz niczym. Po prostu odpoczywaj. Jestem przy tobie.

Zamknęła oczy z cichym westchnieniem ulgi. Jeżeli zapomni, co się wydarzyło na Złotej, wszystko będzie dobrze. Nikomu nie stanie się krzywda…

Przyszedł w nocy. Gdy usłyszała jego głos, dobiegający zza uchylonych drzwi, próbowała się skulić, zniknąć, ale była tak słaba, że nie mogła nawet unieść ręki.

– Spokojnie, Majeczka, jestem przy tobie – usłyszała głos Gabrieli i poczuła jej chłodną dłoń, odgarniającą z rozpalonego czoła kosmyk zlepionych potem włosów.

Uciekaj! – chciała krzyknąć, ale krtań nie przepuściła ani słowa.

Ten straszny człowiek wszedł do sali. Słyszała, jak się zbliża. Gdy stanął obok łóżka, wbiła weń oszalałe ze strachu spojrzenie.

– Jak się pani czuje? – zapytał cicho, tonem zupełnie innym niż poprzednio, ale ona nie dała się nabrać na pełne troski słowa.

Pomóż mi! – błagała Gabrysię wzrokiem. Przyjaciółka pogładziła ją po policzku, zupełnie nie zdając sobie sprawy z zagrożenia.

– Mogę coś dla pani zrobić? Boli?

Nie odpowiedziała. Nie była w stanie wykrztusić choć słowa. Z trudem przychodziło jej łapać oddech.

Patrzył na nią przez chwilę. Widział przerażenie rannej kobiety, znał jego przyczynę i czuł się podle, lecz jednocześnie był pewien, że postąpił słusznie. Majka Trojanowska z czasem zapomni, strach minie, a nikt więcej nie ucierpi z powodu tej nieszczęsnej interwencji.

Wstępne śledztwo wykazało, że oboje – ona i Marcin Prado – nie mieli nic wspólnego z narkobiznesem. Dział rozpoznania namierzył dziewczynę, gdy kilka tygodni temu przyszła na Złotą i wyjęła z sejfu pieniądze. Dzisiaj przed południem wróciła, by je oddać, zwabiona w zasadzkę przez własnego ojca. Czy wiedział, że mieszkanie jest pod obserwacją? Tego śledczy nie byli pewni. Mieli nadzieję, że spotka się w nim z córką. Ale cała operacja okazała się fiaskiem. Majka Trojanowska i Marcin Prado, Bogu ducha winni, omal nie przypłacili tego życiem, a ci, których ścigano po całym świecie, zapadli się pod ziemię. Na to komisarz Bracki nie miał wpływu. Zrobił, co do niego należało. Fatalnie, że tych dwoje zapłaciło nie za swoje winy, ale tak się zdarza. Tak się czasami w tej parszywej robocie zdarza.

Telefonu, z którego Trojanowski dzwonił do córki, nie udało się namierzyć. Jej obie przyjaciółki, zagadnięte przez komisarza, zgodnie twierdziły, że nigdy nie spotkały rodziców Majki. Nie słyszały też, żeby ona się z matką albo ojcem kiedykolwiek spotkała. To samo powtórzyli Wiktor i Patryk Prado. Z Marcinem, który był nadal zaintubowany po postrzale płuca, nie mógł jeszcze rozmawiać, ale jego małe prywatne śledztwo rozwiało wątpliwości: Majka i Marcin byli przypadkowymi ofiarami. Szkoda, że nie mógł tego powiedzieć przerażonej dziewczynie. Przeciwnie: musi utwierdzać ją w strachu dotąd, aż śledztwo zostanie zamknięte i wszyscy zapomną.

– Proszę odpoczywać. Wszystko będzie dobrze – odezwał się. – Gdyby czegokolwiek państwo potrzebowali – zwrócił się do Gabrieli – proszę dzwonić. – Podał jej wizytówkę. – O każdej porze dnia i nocy.

Ujęła kartonik w dwa palce.

– Dziękuję – powiedziała bez krzty wdzięczności.

„Możesz już iść?" – pytały jej oczy. Skinął jej głową, nie patrząc więcej na Majkę, i wyszedł. Długi dzień dobiegł wreszcie końca. Komisarz Bracki mógł wrócić do pustego domu, strzelić niewinny kieliszek koniaku, paść na łóżko i zasnąć snem bez snów. Jak co dzień, co wieczór, co noc...

ROZDZIAŁ III

Śnił koszmarny sen, pełen pękających w drobny mak szyb, roztrzaskiwanych o ściany drzwi, odzianych w czarne mundury zamaskowanych postaci, które wbijają mu w plecy nóż, a wreszcie Majki, jego Majeczki, która krzyczy i krzyczy. Ten krzyk cichł powoli, aż wreszcie ustał. Chciał się poderwać do biegu, odnaleźć ukochaną, rzucić się do gardła tym, którzy ją skrzywdzili, ale nie mógł się poruszyć. Jego piersią wstrząsnął bolesny szloch. Wtedy sen zmienił się w rzeczywistość. Odzyskał przytomność.

– Spokojnie, bracie – usłyszał głos Wiktora i poczuł na ramieniu jego dłoń, która delikatnie przytrzymała go w łóżku, bo nie zdając sobie z tego sprawy, zaczął się podnosić.

Otworzył oczy, w których był strach o ukochaną kobietę.

– Spokojnie – powtórzył Wiktor i nagle… zrobił coś, czego nigdy przedtem nie uczynił. Ujął dłoń Marcina, nie zważając na wkłuty w żyłę wenflon, przytulił do policzka, a potem przycisnął do czoła, zginając się wpół. Jego plecy drżały lekko, twarzy, ściągniętej rozpaczą i ulgą jednocześnie, nie było widać.

Marcin zebrał całą siłę woli, uniósł rękę i położył ją na głowie brata. Nie rozumiał, co się stało. Nie wiedział, dlaczego Wiktor… płacze?… Może tak mu się tylko zdaje, Wiktor przecież nigdy nie płakał. Jeżeli to z jego, Marcina, powodu… Próbował pogładzić brata po czarnych, lekko wijących się włosach, ale tego było dla wycieńczonego organizmu zbyt wiele. Dłoń opadła bezwładnie.

Wiktor uniósł załzawione oczy i próbował się uśmiechnąć, lecz Marcin błagał wzrokiem o coś więcej niż pocieszenie.

Jego palec nakreślił we wnętrzu dłoni brata znak zapytania. Wiktor wiedział, o co pyta.

– Zostałeś ciężko ranny podczas akcji policyjnej.

Marcin na chwilę przymknął powieki. To stąd sny o czarno odzianych, uzbrojonych postaciach, wrzeszczących: „Na ziemię! Na ziemię, mówię!", i mimo że zrobił, co kazali, wbijających mu w plecy nóż tak długi i ostry, że przeszedł na wylot.

Drugie pytanie: powoli kreślona na dłoni Wiktora litera M.

– Z Majką wszystko w porządku. Z tobą też. Oboje z tego wyjdziecie, ale teraz leż nieruchomo i odpoczywaj. Nabieraj sił. Dobrze, braciszku? – Głos Wiktora, mimo że kojący, drżał lekko. Bał się następnego pytania. Błagał Boga, by ono nie padło. Jeszcze nie teraz… On nie był gotów, by powiedzieć prawdę, a Marcin nie miał sił, by tę prawdę usłyszeć. A jednak palec wskazujący i kciuk jego dłoni zbliżyły się do siebie, jakby pokazywały coś małego. Maleńkiego.

I co teraz, Wiktor? Powiesz bratu, że stracił to coś, czy skłamiesz, że z dzieckiem również jest wszystko dobrze?

Była jeszcze trzecia możliwość. Wiktor sięgnął po przycisk wzywający pomoc. Pielęgniarka, siedząca po drugiej stronie szyby, poderwała głowę. Wstała i szybkim krokiem przeszła do sali.

– Jak się ma nasz pacjent? – zapytała miłym, kojącym głosem. – Odzyskał przytomność? Coś boli? Wiem, wiem, na pewno przeszkadza rurka intubacyjna. Nie możemy jej jeszcze wyjąć. Może rano. Zwilżę panu usta, to przyniesie trochę ulgi.

Zniknęła z powrotem za szklaną taflą.

Marcin zamknął oczy. Nie miał siły na więcej pytań…

Ale jutro zapyta o to samo, a drugi z jego braci nie będzie mógł skłamać. Marcin dowie się, że stracił dziecko, które tak bardzo pragnął mieć, i nie mogąc krzyczeć, zacznie cicho jęczeć, z łamiącym serce bólem, a spod zaciśniętych powiek popłyną mu łzy.

Wiktor siedział na tym samym krześle co wcześniej Patryk, odchylił głowę, oparł potylicę o ścianę, zamknął oczy i trwał tak, próbując nie słyszeć dobiegającej zza drzwi rozpaczy brata. Gdyby mógł, zatkałby uszy dłońmi i uciekł z tego miejsca. Jak najdalej od szpitalnych korytarzy i ciemnych pokojów, gdzie cierpią najbliżsi, a on nie może im w żaden sposób pomóc. Nie przywróci życia małemu istnieniu, którego tak nie cierpiał. Teraz oddałby pół swojego życia, byle to małe przyszło na świat, ale było za późno na targowanie się z Bogiem. W jego krtani też wzbierał jęk, a pod powiekami łzy wstydu i nienawiści do samego siebie, lecz zdusił i jedno, i drugie. Nie miał prawa do cierpienia. Życzył Majce i temu dziecku wszystkiego, co najgorsze. Jego życzenie zostało spełnione. Teraz przyszedł czas zapłaty.

Dotyk dłoni na ramieniu, mimo że delikatny jak muśnięcie motylich skrzydeł, wstrząsnął nim do głębi. Wzdrygnął się, otworzył oczy i wyprostował ramiona.

– To tylko ja. – Julia cofnęła dłoń i próbowała się uśmiechnąć.

Po jej wymizerowanej twarzy i podkrążonych oczach też było znać nieprzespaną noc. Usiadła na krześle obok. Zapatrzyła się przed siebie.

– Jak się czuje Majka? – odezwał się chropawym od niewypłakanych łez głosem.

– Jest bardzo słaba, ale krwawienie ustało, wszystko powinno być dobrze.

– Już wie o dziecku? – Powinien spytać o to Patryka, który był przy Majce przez parę godzin, ale młodszy brat, gdy tylko zmieniła go Gabriela, zamienił z Wiktorem kilka zdawkowych słów, upewnił się, że Marcinowi nic nie grozi, i poszedł do najbliższej restauracji zjeść śniadanie i odetchnąć od szpitala chociaż na kilka minut. Miał wrócić lada chwila, zająć miejsce Wiktora przy bracie.

– Patryk jej powiedział – odparła Julia zmęczonym tonem. – Ale nie mam pojęcia, czy to do niej dotarło. Zasypia, budzi się i znów zasypia. Pyta tylko o Marcina. Dobrze... dobrze... że on z tego wyjdzie. Boże jedyny, za co nas wszystkich to spotyka? – Podniosła na Wiktora piękne, błękitne jak letnie niebo oczy, teraz pełne łez. – Oboje tyle przeszli, tak wiele wycierpieli. Dlaczego nie mogą być wreszcie szczęśliwi?

– Jeszcze będą – odparł cicho Wiktor. – Majka urodzi Marcinowi tuzin dzieci.

Julia spojrzała nań ze smutkiem.

– To wcale nie jest takie pewne. Lekarze nie chcą mówić, jakie miała obrażenia i co musieli zrobić czy usunąć, żeby powstrzymać ten krwotok. A jeżeli... wiesz... jeśli nie będzie już mogła mieć dziecka?

Wiktor poczuł jakby ktoś z całej siły rąbnął go pięścią w splot słoneczny. Odebrało mu oddech. Przez chwilę siedział jak ogłuszony, po czym zacisnął pięści i wycedził z odbierającą rozum nienawiścią:

– Zapłacą za to. Zapłacą, skurwiele...

– Daj spokój – w głosie Julii było tylko znużenie. – Żadne pieniądze nie zwrócą ani Majce, ani Marcinowi tego, co stracili. A dziecko... Dziecko można adoptować. Tyle jest niechcianych... niekochanych... – dokończyła ledwo słyszalnie, lecz Wiktor słyszał jej szept doskonale.

I nagle przypomniał sobie jej wczorajsze słowa, z jakimi przybiegła do Gabrieli. Cała nienawiść, która teraz nim targała, i wściekłość, odbierająca zdrowy rozsądek, uderzyły w tę dziewczynę:

– A twoje jakie będzie? Chciane i kochane? – rzucił, ledwo hamując się od wybuchu. – Bo to, że nie mojego brata, już wiem.

Spojrzała nań zaskoczona. O czym on...?

– Z kim ty się skundliłaś, robiąc przez niemal pół roku słodkie oczy do Patryka? – w głosie mężczyzny brzmiała czysta nienawiść. I pogarda. Świadomość, że być może Patryk będzie przechodził przez to, czego los oszczędził Marcinowi, po prostu odbierała Wiktorowi resztki samokontroli.

– O czym ty mówisz? – zapytała Julia z nieudawanym zdziwieniem. – Co moje? I co nie twojego brata?!

Wtem zbladła. A potem poderwała się na równe nogi, przykładając do ust obie dłonie.

– Rany boskie, dziecko! – krzyknęła stłumionym głosem. – Zapomniałam o dziecku!!!

Nim Wiktor zdążył ją chwycić za rękę i zatrzymać, rzuciła się biegiem w stronę wyjścia. Odruchowo ruszył za nią. Dopadł ją na schodach, z całej siły zacisnął palce na ramieniu i szarpnął ku sobie. Wpadła nań z zaskoczonym okrzykiem.

– O co ci chodzi?! Puszczaj! – Szarpnęła się, ale wbił palce jeszcze mocniej. – To boli!

– Zasłużyłaś – syknął. – Dlaczego? Wytłumacz mi, dlaczego musiałaś się puścić z kimś innym? Patryk ci nie wystarczył?

– Co ty pieprzysz?! Z nikim się nie puściłam! Z Patrykiem też nie, jeśli chcesz wiedzieć, bo on mnie nie chce! A to dziecko nie jest moje! Teraz pozwolisz mi odejść?!

W pierwszej chwili nie zrozumiał. W następnej chwycił ją za drugie ramię, wbił plecami w ścianę i zaczął:

– Powiedziałaś wczoraj, że będziesz miała dziecko. I nie jest ono Patryka. Możesz to wyjaśnić w kilku prostych słowach?

Musiała się uśmiechnąć, choć doprawdy ani jej, ani mężczyźnie, który trzymał ją za ramiona i wprasowywał w ścianę klatki schodowej, nie było do śmiechu.

– Wiktor, przepraszam – zaczęła łagodnie. – Byłam wczoraj w takim samym szoku, w jakim ty byłeś przed chwilą, i nie zdążyłam wyjaśnić. Rano zadzwoniła do mnie jakaś kobieta, numer się nie wyświetlił, upewniła się, że rozmawia z Julią Raszyńską, a potem powiedziała, że jest niańką mojego dziecka. Rozumiesz, m o j e g o dziecka, i jeśli natychmiast nie wrócę i się nim nie zajmę, to ona dzwoni na policję. Podała adres na Żelaznej i się rozłączyła. Tylko ja nigdy nie miałam dziecka! Nie wiem, skąd ono się wzięło! Gdyby było moje, przecież bym o tym wiedziała, no nie? Wpadłam w popłoch, przyjechałam do Gabrysi, żeby razem ze mną pojechała wyjaśnić tę sprawę, a potem tyle się wydarzyło, że zapomniałam o dziecku.

Słuchał jej w milczeniu. Majkę podejrzewałby o wciskanie kolejnej bajeczki, ale Julia była zbyt szczera, żeby można było ją posądzać o tak nieprawdopodobną historię.

Ona mówiła dalej:

– Po prostu wyleciało mi to z głowy w momencie, gdy zadzwonili do ciebie, że coś się stało z Marcinem. Potem miałyśmy ten wypadek…

– Jaki wypadek?! – Oczy mu zogromniały.

– Och… Gabrysia nic ci nie powiedziała? – Julia umilkła na chwilę. – Widocznie nie chciała dodawać ci zmartwień. Zaraz po twoim wyjściu wsiadłyśmy do samochodu, żeby jechać na Wołoską. Wiesz, Gabrysia chciała być przy tobie. Było bardzo ślisko. I… nasze auto zarzuciło w pewnej chwili na sąsiedni pas. Całe życie przeleciało mi przed oczami, gdy uderzył nas samochód z naprzeciwka. Na szczęście nic się nikomu nie stało. Tylko fiesta Gabrieli jest poobijana – dokończyła. – No i Gabrysia ma parę szwów na głowie.

Wiktor puścił ją i sam oparł się plecami o ścianę. Boże jedyny, niech to wszystko się wreszcie skończy! Albo nas wszystkich powybijaj, albo zlituj się nad nami!...

– Nie wiedziałem... Przyjechałbym natychmiast, rzuciłbym wszystko i przyjechał... – Zamknął oczy. Jak kwadrans wcześniej odchylił głowę i dotknął potylicą chłodnej ściany.

– Tutaj byłeś bardziej potrzebny – rzekła łagodnie Julia. – Nie martw się – dotknęła jego ramienia delikatnie, ze współczuciem – ja wyściskałam Gabrysię za nas wszystkich, gdy wyszła z gabinetu zabiegowego jedynie z kilkoma szwami. I tak ich nie widać, bo włosy zasłaniają. A dziecko nie jest Patryka, ale moje również nie. Ciekawe, kto mnie w to wrabia. Muszę jechać na Żelazną. – Westchnęła. Ramiona jej opadły. – Jezu... dziecko! Ja i dziecko!

– Pojechać z tobą? – Usłyszała głos Wiktora i uśmiechnęła się z wdzięcznością.

Bardzo potrzebowała czyjegoś wsparcia, a Gabrieli, czuwającej przy Majce, nie mogła przecież o taki drobiazg prosić.

– Jeżeli nie masz nic ważniejszego do roboty...

– Dziecko jest ważne – uciął sucho. Mniejsza z tym czyje. Julia nie była w ciąży z jakimś palantem i Patryk nie będzie przechodził takiego koszmaru, jakiego o mało co Majka nie zafundowała Marcinowi. Na radość może za wcześnie, ale jakieś pocieszenie to jest.

Oboje mieli za sobą nieprzespaną noc, obojgu czuwanie nad tymi, których kochali, bardzo, całym sercem, a którzy otarli się o śmierć, dało się we znaki – strach, bezsilność, pytania bez odpowiedzi – to wszystko naprawdę wykańczało, mimo to i Julia, i Wiktor gotowi byli sprostać kolejnemu wyzwaniu, czy raczej następnej przeszkodzie, którą stawiał przed nimi łaskawy los.

Już mieli ruszyć w kierunku wyjścia, gdy drzwi sali, w której leżała Majka, otworzyły się i wypadła z nich Gabriela.

– Jula! – jej ściszony krzyk sprawił, że dziewczyna zatrzymała się w pół kroku, zaniepokojona. Coś z Majką?

O to zapytała, gdy tylko Gabrysia do nich podbiegła.

– Maja śpi – uspokoiła ją przyjaciółka i... spojrzała niepewnie na Wiktora. – Mówiłaś... – zwróciła się z powrotem do Julii. – Przed tym wszystkim przyjechałaś do mnie pekaesem i wspomniałaś... – Trudno było jej o to pytać. Julia zdążyła powiedzieć dwa zdania: Będzie miała dziecko, a to dziecko nie jest Patryka.

– Właśnie to mamy zamiar wyjaśnić – odezwał się Wiktor. Gabriela spojrzała nań pytająco.

– Czyje to dziecko – dodał. – Julia dostała wiadomość, że czeka na nią dziecko.

– Na pewno nie moje – dorzuciła dziewczyna. – Własnej ciąży raczej bym nie przeoczyła. To jakaś kretyńska pomyłka! Może w Warszawie mieszka inna Julia Raszyńska, która porzuca swoje dzieci, ale na pewno nie jestem nią ja, bo sama zostałam porzucona!

– Ten ktoś zapewne o tym wie i tym łatwiej mu tobą manipulować – skwitował Wiktor i nie patrząc na nią, podszedł do Gabrieli. Odgarnął włosy z jej skroni, zatrzymał opuszek palca tuż nad zszytą parę godzin temu raną.

– To nic takiego – rzekła półgłosem, unosząc nań pociemniałe spojrzenie.

Po tym, co ostatnio przeszli, była równie wyczerpana jak wszyscy, ale dotyk tego mężczyzny sprawiał, że zaczynała go pragnąć. W tej chwili tak jak nigdy dotąd. Uniosła dłoń, by dotknąć jego policzka.

Objął ją, musnął wargami ranę na skroni, potem ciepłe, miękkie usta ukochanej kobiety i szepnął:

– Twojej śmierci bym nie zniósł. Proszę, Gabrysiu, uważaj na siebie.

Skinęła głową, czując pod powiekami łzy, dobre łzy. Znów była kochana, upragniona, potrzebna komuś więcej niż tylko schorowanemu ojcu.

– Pamiętaj, że kocham ciebie tak jak ty mnie – odszepnęła. – Gdy tobie coś się stanie, pójdę za tobą.

Przez chwilę stali objęci, spoglądając we wnętrze swoich dusz. Wreszcie on wypuścił Gabrielę z objęć.

– Wrócę. Wyjaśnię, co z tym dzieckiem, i wrócę, żeby zadać ci pytanie, na które do tej pory odpowiadałaś „nie".

Uśmiechnęła się leciutko.

– Tym razem odpowiem „tak".

Nie mógł się powstrzymać, by jej nie pocałować. Już nie delikatnie, a z całym żarem i namiętnością, jakie nim owładnęły. Ona przywarła doń niemal z rozpaczą, tak samo zatracając się w tym pocałunku. Trzeba było tylu dramatycznych przeżyć, żeby odważyła się na powrót pokochać tego mężczyznę, pozwolić na miłość sobie i jemu, ponownie zaufać, otworzyć przed nim swoje serce. I ich wspólny dom.

– Tak, Wiktor – szepnęła, gdy odzyskała głos. – Pragnę zostać twoją żoną, jeśli to pytanie miałeś na myśli.

Oniemiał. Lecz zanim doszedł do siebie po tym nieoczekiwanym, a tak upragnionym wyzwaniu, ona zaśmiała się, cicho, lekko, radośnie i dodała:

– O ślubie porozmawiamy, gdy tylko wrócisz z dzieckiem Julii. – Spojrzała na przyjaciółkę, która do tej pory omijała wzrokiem parę, całującą się namiętnie pośrodku szpitalnego korytarza. – Na pewno nie masz niczego na sumieniu?

– Znasz mnie od pięciu lat! – oburzyła się Jula. – I przez cały ten czas obie z Majką mendziłyście, że jestem za chuda. Ciąży raczej byście nie przeoczyły! Zresztą… przed wami nie mam żadnych tajemnic.

– W takim razie skąd to dziecko?

– Dowiemy się – uciął Wiktor.

Raz jeszcze ją objął i pocałował. Raz jeszcze z trudem wypuścił z rąk. Idąc za Julią ku wyjściu, obejrzał się. Gabriela stała pośrodku korytarza i patrzyła nań z taką samą tęsknotą w oczach. I obietnicą.

– Ja naprawdę nie wiem, co to za dziecko – mówiła Julia, wsiadając do srebrnego volvo. – Gdyby było moje, przyznałabym się Patrykowi.

– Wierzę ci – mruknął Wiktor, przekręcając kluczyk w stacyjce.

– Bardzo mi na nim zależy – wyznała.

– Na dziecku?

– Na twoim bracie!

– Wiem, Jula, wiem. – Uśmiechnął się ciepło do dziewczyny.

Polubił ją bardziej, niż chciał się do tego przyznać. Mniejsza o jej przeszłość, o której wiedział doprawdy niewiele. Śliczna, urocza, spokojna i… przygaszona, byłaby idealną żoną dla równie uroczego, spokojnego i przygaszonego Patryka. Gdyby nie owa niespodzianka. Dziecko, którego ojcem Patryk na pewno nie był.

– Może ktoś z twojej rodziny chciał się pozbyć kłopotu? – rzucił, wyjeżdżając z przyszpitalnego parkingu.

– Nie znam nikogo z mojej rodziny. Nikt się nigdy do mnie nie przyznał – odrzekła z goryczą.

– Co nie znaczy, że nie przypomniał sobie o twoim istnieniu, gdy przyszło na świat równie jak ty niechciane dziecko. – Brutalne to były słowa, ale prawdziwe.

– Myślisz…

Przerwał jej dźwięk telefonu.

– Tak, bracie? – rzucił Wiktor, widząc na wyświetlaczu imię Patryka.

– Gdzie jesteś?

– Jadę… załatwić pewną sprawę.

– Wiktor, bez owijania w bawełnę! – W głosie Patryka zabrzmiały nuty, których jego brat do tej pory nie słyszał. – Wracaj do szpitala. Natychmiast.

– Co się…?

– Z Marcinem i Majką wszystko w porządku. To my dwaj musimy porozmawiać.

Nie czekając na odpowiedź, Patryk rozłączył się, a jego starszy brat najpierw z niedowierzaniem spojrzał na iPhone'a – to rzeczywiście dzwonił jego młodszy braciszek? – potem chciał zlekceważyć rozkaz i jechać dalej, bo miał teraz na głowie sprawę ważniejszą niż rozmowa z bratem, ale w końcu zawrócił na najbliższym skrzyżowaniu.

– Moje dziecko! – jęknęła Julia, widząc, że kierują się z powrotem w stronę szpitala.

– Jeszcze zdążysz się nim nacieszyć – mruknął.

Znów podążali szpitalnym korytarzem, który oboje zdążyli znienawidzić. Patryk czekał na nich pod salą, w której leżał Marcin. Splótł ramiona na piersi i wbijał spojrzenie w Wiktora i Julię, jakby chciał przejrzeć ich dusze na wylot.

– Macie mi coś do powiedzenia? – zaczął, gdy tylko doń podeszli.

– Patryk... przepraszam... tyle się działo... – zaczęła Julia tonem zbitego psa.

Natychmiast zapragnął ją przytulić, wyszeptać, że rozumie, przecież przeszedł to samo... ale ominął ją wzrokiem i spojrzał na Wiktora. Ten swoim zwyczajem zmrużył czarne oczy i rzekł:

– A co chcesz wiedzieć?

– Wiktor, nie pogrywaj ze mną.

Oooo, takiego tonu jeszcze u Patryka nie słyszał. Z jednej strony był szczęśliwy, że młodszy brat po wydarzeniach ostatnich dni rzeczywiście wydoroślał, z drugiej nie był pewien, czy potrafi wypuścić go spod swych opiekuńczych skrzydeł. Spróbujemy?

– Julia będzie miała dziecko – wypalił i przyglądał się, jaki jego słowa wywrą efekt na młodszym bracie. – Mam ci gratulować czy wręcz przeciwnie?

Patryk, który nie pozwolił sobie wobec tej dziewczyny na nic więcej niż pocałunek – o czym Wiktor doskonale wiedział – zacisnął zęby.

– To nie jest dziecko Patryka! – jęknęła Julia.

– A więc wypada złożyć wyrazy współczucia – Wiktor kpił z brata całkiem otwarcie.

– Dawno oberwałeś z pięści? –odpowiedział Patryk pytaniem. – Sprawia ci przyjemność urąganie mi i Julii? Rozczaruję cię. Gabriela zdążyła mnie we wszystko wtajemniczyć.

Wiktor uniósł kącik ust w uśmiechu.

– Szkoda. Lubię się z tobą droczyć.

– Teraz? Gdy Marcin i Majka leżą na OIOM-ie? – Patryk pokręcił głową, a Wiktor nagle spoważniał.

– Po co wezwałeś mnie z powrotem? Właśnie byliśmy w drodze po tę niespodziankę.

– Owa niespodzianka to sprawa między mną a Julią – odparł zimno Patryk. – Wypadało zapytać, czy chciałbym ci towarzyszyć zamiast Wiktora – zwrócił się do bliskiej łez dziewczyny.

– Sorry, Pat, ale masz do tego nie większe prawo niż ja – odezwał się zamiast niej Wiktor. – Bo łączą was li tylko trzymanie się za rączki, przytulanki i całuski. Ja wprawdzie do tego się nie posunąłem, ale żeby wyjaśnić sprawę dziecka, które spadło z księżyca, nie trzeba przytulanek.

Patryk przyskoczył doń. Chwycił brata, jak całkiem niedawno, za koszulę. Julia krzyknęła z bólem:

– Proszę! Bardzo was proszę! Pojadę sama, tylko dajcie spokój!

Wiktor uśmiechnął się kpiąco. Patryk puścił go, powoli wygładził koszulę na jego piersi i równie powoli powiedział:

– Ty, Wiktor, zostań przy Marcinie. Ja pojadę z Julią po to dziecko. O ile ona zechce, bym jej towarzyszył. – Tu spojrzał przelotnie na dziewczynę.

– Może jednak pozostawisz to mnie? – odezwał się zamiast niej Wiktor. – Nie wiesz, co was czeka na Żelaznej. Nie masz doświadczenia w takich sprawach.

– Litości!… – Patryk spojrzał na brata, kręcąc głową. – Ty naprawdę zatrzymałeś się mentalnie gdzieś w okolicach speluny na Mokotowie i szesnastu lat! Ja mam obecnie trzydzieści dwa, potrafię sam sobie radzić i o sobie decydować. O tym, co ty powinieneś teraz zrobić, również. A powinieneś wrócić do pooperacyjnej i być przy Marcinie. Jasne?

Taki Patryk bardzo się Wiktorowi spodobał. Uniósł dłonie w geście poddania i ustąpił mu z drogi.

Julia, coraz bardziej zagubiona i nieszczęśliwa – nie chciała, by z jej powodu dwaj kochający się bracia skakali sobie do oczu!, nie chciała tracić przychylności Wiktora, czy tym bardziej tego, co czuł do niej Patryk, nawet jeśli to była li tylko przyjaźń! – bezwolnie pozwoliła się ująć Patrykowi za łokieć i poprowadzić w stronę wyjścia.

— Patryk, tylko jedź ostrożnie! Jest ślisko! — zawołał za nimi Wiktor.

— Załóż mi jeszcze kontrolę rodzicielską — odkrzyknął i popukał się wymownie w głowę.

Jego brat nie wytrzymał i roześmiał się. Julia spojrzała na Patryka. On również z trudem powstrzymywał uśmiech. Jak dobrze było wiedzieć, że bracia Prado, mimo wszystkiego, czym doświadcza ich los, a może właśnie dlatego, nadal pozostają najlepszymi przyjaciółmi. Kochała ich obu. I Patryka, i Wiktora, chociaż tego drugiego jak młodsza siostra oczywiście.

ROZDZIAŁ IV

Przez pierwszych kilka minut w samochodzie panowało milczenie. Na ulicach Warszawy rzeczywiście było ślisko i Patryk skupił się na prowadzeniu. Dopiero Julia przerwała ciążącą jej ciszę:

– Wierzysz mi? – W jej głosie było błaganie.

– Wierzę, Jula. – Nie odrywając wzroku od drogi, odnalazł dłoń dziewczyny, podniósł do ust i ucałował.

– Nie chciałabym cię stracić – mówiła z coraz większą rozpaczą.

– Dlaczego przyszło ci to na myśl?

– Ty… mnie tylko lubisz. Nigdy nie dałeś mi cienia nadziei, że czujesz do mnie coś więcej niż przyjaźń.

Słuchał tych słów w milczeniu.

– A teraz jeszcze… to dziecko. Który facet będzie chciał dziewczynę z dzieckiem? I to nie jej? – Poczuła, że zaraz się rozpłacze, więc umilkła.

Patryk dał kierunkowskaz i zjechał na pobocze. Przekręcił kluczyk. Silnik zgasł. Zapanowała cisza. Chwilę jeszcze patrzył przed siebie, po czym zwrócił pociemniałe źrenice na dziewczynę, siedzącą obok ze zwieszoną głową i skulonymi ramionami. Ujął jej twarz pod brodę i zmusił, by nań spojrzała.

– Jula... – zaczął miękko, a to słowo zabrzmiało jak wyznanie miłości. – Do dziś nie mogliśmy być razem. Nie pytaj, proszę, dlaczego. To nie moja tajemnica, a muszę jej dochować. Setki razy pragnąłem wyznać, jak bardzo jesteś mi droga, jak cię pragnę, jak kocham i chciałbym się z tobą kochać. Zmuszony byłem jednak milczeć.

Patrzyła na jasnowłosego mężczyznę szeroko otwartymi oczami pełnymi łez, ale teraz były to łzy niedowierzania, rozkwitającej nadziei i nieukrywanej miłości.

– Dziś mogę powiedzieć: kocham cię, Julio Raszyńska, chcę, jeżeli ty chcesz, zacząć wszystko od nowa. Pragnę zamieszkać z tobą, dzielić z tobą życie i nie tylko – tu musiał się uśmiechnąć – a gdy utwierdzimy się, że ta miłość może trwać, poproszę cię o rękę i będę oczekiwał twojego „tak". Chciałbym uczynić to już teraz, ale... dużo przeszedłem, ty również, muszę na nowo nauczyć się żyć jak normalny człowiek. Nigdy nie ufałem nikomu innemu, jedynie moim braciom. Tego też muszę się nauczyć: wiary, że mnie nie zdradzisz, nie opuścisz, gdy zupełnie bezbronny złożę serce w twoich dłoniach.

– Patryk, ja...

Pochylił się i zamknął jej usta pocałunkiem.

– Nic teraz nie mów, kochana. Nie przyrzekaj. Nie zaręczaj, że jesteś tego zaufania godna. Ja to wiem. Ale moje serce jeszcze nie. Daj mu czas. Daj mi czas.

Patrzyła nań długą chwilę. Nie, nie z rozczarowaniem, że oto ona wyznaje mu miłość, a on potrzebuje czasu. Każdy inny po takim wyznaniu podjechałby pod pierwszy lepszy hotel i przeleciałby chętną, zakochaną Julię raz, drugi, trzeci. Już to przerabiała. Ale Patryk był uczciwy do bólu. I wobec niej, i wobec siebie.

– Pragnę cię, Julia, i kocham jak żadną kobietę przed tobą. I właśnie dlatego proszę: zacznijmy od nowa. Teraz, gdy jestem wolnym człowiekiem i nie wiąże mnie czyjaś tajemnica, mogę pomyśleć o sobie. I tobie.

– I dziecku – wtrąciła, od razu tracąc blask w oczach. Patryk, widać, zapomniał o szczególe, iż być może zaczną wszystko od nowa nie we dwoje, a we troje. – Ono nie jest moje! Nie chcę cię przez nie stracić! Jeżeli będę musiała wybierać, wybiorę ciebie!

Patryk wypuścił jej dłoń, co biedna dziewczyna zrozumiała jak odrzucenie. Znów pochyliła głowę, łykając łzy, ramiona ponownie jej opadły. Ale on nie myślał skreślać Julii z tego powodu. Przeciwnie. Myślał w tej chwili, że Bóg taką właśnie zsyła nań pokutę za inne dziecko, którego Patryk nienawidził i które już się nie urodzi.

– Pokochałem ciebie, pokocham i to małe – odezwał się. – Wiesz chociaż, czy to chłopiec, czy dziewczynka? Ile ma lat?

– Nic nie wiem. Ta kobieta na mnie wrzeszczała. Bałam się pytać. Po prostu kazała mi je zabrać.

– Ciekawe… – mruknął, uruchamiając silnik i włączając się do ruchu. – Może nie była to niańka, a matka podrzutka. Jej głos kogoś ci przypominał?

– Mój własny – odparła Julia ponuro. – Tylko ja tak nie wrzeszczę.

– Mówiłaś, że nie znasz swojej rodziny. Nikt się nigdy z tobą nie kontaktował?

– Nikt, nigdy.

– Dziwne…

Za parę minut oboje mieli się zdziwić jeszcze bardziej.

– To tutaj. – Julia zatrzymała się niepewnie przed obskurnym, obdrapanym budynkiem, pamiętającym czasy wojny.

Brama, z której wchodziło się na klatkę schodową, wyglądała jeszcze gorzej. Gdyby nie miała obok Patryka, który nic sobie nie robił z ciemnych korytarzy, skrzypiących, wytartych do gołego drewna schodów i zwisającej na kablu żarówki, ledwo rozpraszającej mrok, zawróciłaby na pięcie i uciekła w popłochu.

Wreszcie dotarli na najwyższe piętro. Stanęli przed drzwiami, z których płatami odłaziła zgniłozielona farba. Gdzieś ze środka dochodziło cichutkie kwilenie.

Patryk zdecydowanie nacisnął dzwonek. Rozbrzmiał w nienaturalnej ciszy tak głośno, że Julia z trudem powstrzymała krzyk. Drzwi, przed którymi stali, ani drgnęły, za to drugie, naprzeciw, nagle otworzyły się na całą szerokość, stanęła w nich gruba, niechlujna kobieta o nalanej twarzy i wrzasnęła:

– A, jesteś, lafiryndo! Ladacznico jedna. Dziwko, co własne dziecko porzuca!

Julia, bo do niej kierowane były te słowa, oniemiała.

Tamta wyszła na korytarz i... nagle padło ostre: „D o s y ć!", Patryka. Takie „dosyć", które każe zatrzymać się w pół kroku i zamilknąć.

– Jak pani śmie zwracać się tymi słowami do mojej narzeczonej? – wycedził, stając między Julią a babsztylem. – Kim pani w ogóle jest, żeby obrażać i ją, i mnie?

– Kim?! Sąsiadką, która przez tydzień zajmowała się bękartem tej twojej narzeczonej, lalusiu! Też sobie wybrałeś... Dziwka! – Splunęła tym słowem w stronę pobladłej z szoku Julii. – Gdyby nie ja, twój bękart dawno zdechłby z głodu! Oddawaj pieniądze za czynsz, płać za żarcie dla gówniary, zabieraj ją i żebym cię tu więcej nie widziała! Bo policję wezwę!

Julia, po raz drugi w ciągu czterdziestu ośmiu godzin straszona policją, nieomal się rozpłakała. Co tu się dzieje?! Czego ta straszna kobieta od niej chce?! Dlaczego ją wyzywa?! Przecież nigdy tu nie była! Nie mieszkała w obskurnej kamienicy z dzieckiem ani bez dziecka! Spojrzała na Patryka oczami pełnymi łez. „Ratuj mnie!" – błagała bez słów.

On wyciągnął portfel.

– Ile się należy? – zapytał lodowatym tonem.

– Pińcet za mieszkanie i pińcet za opiekę nad bękartem.

Odliczył dziesięć banknotów, tamta wyciągnęła chciwe ręce, ale pokręcił głową.

– Najpierw klucze.

Sięgnęła do kieszeni brudnego fartucha i podała mu to, czego zażądał. Włożył klucz do zamka, przekręcił, a gdy drzwi mieszkania naprzeciwko, z którego jeszcze przed chwilą dobiegał płacz dziecka, stanęły otworem, wcisnął pieniądze do rąk kobiety i warknął:

– Znikaj. Bo ja wezwę nie gliny, ale kogoś znacznie mniej przyjemnego.

Babsztyl aż się cofnął.

– No tak... no tak... chyba za dużo powiedziałam... mam niewyparzoną gębę... – mamrocząc przeprosiny, zniknęła w swojej norze.

Patryk z Julią mogli wejść do środka.

Spodziewali się chlewu, tak przynajmniej wynikało ze słów uroczej sąsiadki, i – owszem – w mieszkaniu panował nieład, ale widać było, że ktoś mimo wszystko próbował o nie dbać. O kuchnię, niewielki pokój, którego okno wychodziło na ścianę sąsiedniej kamienicy, a wreszcie o małą ciemną sypialnię, w której mieściły się jedynie tapczan i dziecięce łóżeczko.

W nim właśnie stała, trzymając się szczebelków, maleńka, może czteroletnia dziewczynka. Chudziutka i blada, jakby nigdy nie widziała słońca, w brudnych śpioszkach. W szczupłej, wynędzniałej twarzyczce tego kłębka rozpaczy błyszczały od łez wielkie, niebieskie jak płatki niezapominajki oczy.

Patrzyli na to dziecko wstrząśnięci. Ono patrzyło na nich.

Ktoś się wreszcie musiał odezwać i uczyniła to właśnie dziewczynka:

– Mama? – szepnęła z nadzieją i wyciągnęła do Julii brudne rączki.

Julia uniosła tylko brwi, niezdolna do uczynienia żadnego gestu. Patryk spojrzał na dziewczynę, spojrzał na dziecko i rzekł:

– Taaak... Gdybym nie wierzył ci na słowo, dałbym sobie głowę uciąć, że ta mała to twoja córka. Jesteście podobne jak...

– Błagam, nie żartuj sobie ze mnie. Nie w tej chwili – jęknęła Julia. – Co ja mam zrobić?

– Mamuś? – powtórzyło dziecko, ale już bez tej nadziei, która przed chwilą rozjaśniała jego oczy jak niezapominajki.

Patryk podszedł zdecydowanym krokiem do łóżeczka, ujął dziewczynkę pod pachy, wcisnął ją Julii w ramiona i stwierdził:

– Mama nie mama, zabieramy cię stąd, kruszynko. Jak masz na imię?

Dziecko zwróciło nań swoje niezwykłe oczy.

– Hania. – Wskazało na siebie.

– Hania... Dobrze wiedzieć. – Uśmiechnął się do małej, a ona odpowiedziała uśmiechem. Musiała często widywać obcych, bo nie wydawała się speszona. Patryk – po tym jak sąsiadka zwyzywała Julię – wolał się nie domyślać, co ci obcy robili w tym mieszkaniu z prawdziwą matką dziewczynki.

– Poszukam jakichś dokumentów... – Przeszedł do sąsiedniego pokoju.

Julia, trzymająca dziewczynkę tak nieporadnie, jakby to była porcelanowa lalka, ruszyła pospiesznie za nim. Był jedynym stałym punktem w jej wszechświecie, tym wszechświecie, który nagle się rozsypał.

Otworzył wszystkie szuflady, zajrzał do szafek w kuchni i w cuchnącej łazience, ale mieszkanie wyczyszczono do cna, tak jakby ta, co zostawiła dziecko, nie życzyła sobie być odnaleziona.

– Cóż, Julio Raszyńska – stanął wreszcie przed dziewczyną, do której tuliła się zabiedzona dziewczynka – właśnie zostałaś matką. A ja, jeśli wszystko dobrze pójdzie, ojcem – dodał i... roześmiał się serdecznie.

– Idiota – prychnęła dziewczyna. – Tu nie ma się z czego śmiać! Tu trzeba zgłosić na policję porzucenie tego dziecka!

– Naprawdę chcesz to zrobić? Chcesz jej to zrobić? – Przechylił głowę, mrużąc oczy. – Ty? Porzucona być może w taki sam sposób? Może dalibyśmy szansę na normalny dom przynajmniej tej kruszynie, skoro oboje mieliśmy przechlapane dzieciństwo?

Julia znów poczuła łzy w oczach.

– Naprawdę byś to zrobił? Dla obcego dziecka? – wyszeptała, patrząc na Patryka z mieszaniną niedowierzania i takiej... miłości, że aż bolało.

– Spotykałaś na swojej drodze bestie, Jula. – Mówiąc to, odgarnął czułym gestem kosmyk włosów z czoła dziewczynki. – Tak się głupio składa, że ja jestem człowiekiem. Potrzebuję domu i szczęśliwej rodziny nie mniej niż ty i ta mała.

Julia kiwnęła tylko głową. Dziecko zaciskało rączki na jej szyi, jakby już nigdy nie chciało wypuścić matki z objęć.

– Jedziemy do mnie – zadecydował. – Wykąpiemy Hanię, nakarmimy (właściwie co jedzą takie dzieci?), po drodze kupimy jakieś ubranka... Zabawa w dom właśnie się zaczęła.

Lepszego sprawdzianu dla naszych uczuć nie mogłem sobie wymarzyć. – Zaśmiał się ponownie i przepuścił je przodem.

Zamknął drzwi na klucz i włożył go do kieszeni.

„Jeżeli myślisz, że pozbyłaś się kłopotu – pomyślał pod adresem prawdziwej matki dziecka – to jesteś w błędzie. Znajdę cię, zadam parę pytań, a potem zmuszę, byś zrzekła się praw rodzicielskich. Chyba że nie żyjesz. Wtedy również cię odnajdę, choćby po to, byś wiedziała, że twoja córeczka będzie szczęśliwsza niż ty i twoja siostra. Bo Julia jest twoją siostrą, o której poniewczasie sobie przypomniałaś, no nie?"

Julia z dziewczynką, wciąż uczepioną jej szyi, wsunęła się na tylne siedzenie czarnego porsche. Patryk surowo nakazał przypiąć się pasami, po czym wstukał w nawigację najbliższy sklep z artykułami dla dzieci i tam się właśnie skierował.

– Będziesz musiał oddać samochód do myjni – odezwała się Julia. – To dziecko naprawdę strasznie… pachnie.

Spojrzał na nią przez wsteczne lusterko i uśmiechnął się tylko.

– Ciebie ta cała sytuacja zdaje się bawić. – W głosie dziewczyny nie było za grosz wesołości. Przerażało ją to, co się wydarzyło. To, co trzymała na kolanach, także.

– Jula, za mną najgorsze dwadzieścia cztery godziny w życiu. Na moich oczach umierała Majka, którą pokochał mój brat. Trzymałem ją za rękę, płacząc. Tak, wyobraź sobie, że nie potrafiłem powstrzymać łez, błagałem, by walczyła o życie, potem wbrew jej woli podpisałem zgodę na operację, która w ostatniej chwili Majkę ocaliła. Ale nie uratowała dziecka, tak bardzo upragnionego przez Marcina. Gdybyś wiedziała, jak się cieszył na to maleństwo... Jak planował urządzenie dziecięcego pokoju... Nie myślałem, że mój postrzelony brat, wieczny kawaler, playboy i imprezowicz tak tęskni za rodziną. On również wczoraj omal nie zginął. Nadal podłączony jest do respiratora, wiesz przecież o tym. I nagle, w tej cholernej niekończącej się masakrze pojawia się promyk słońca: mała, opuszczona dziewczynka, która potrzebuje nas tak, jak my jej. Nie martw się, Julia, mówiąc „my", niekoniecznie mam na myśli ciebie i siebie. Jeżeli tego nie udźwigniesz, myślę, że Marcin z Majką będą szczęśliwi, mogąc zająć się tym dzieckiem. A i Gabriela też nie będzie miała nic przeciwko temu. Ona, jak wiesz, nigdy własnego mieć nie będzie – dokończył zupełnie innym tonem, niż zaczął. Rozbawienie znikło, pozostał smutek. – Decyzja będzie należeć do ciebie.

Zatrzymał samochód pod sklepem.

– Poczekajcie na mnie. Lepiej, żeby ekspedientki nie widziały Hani tak zaniedbanej, bo gotowe wezwać opiekę społeczną. Zaraz wracam.

To „zaraz" trwało od dobrych dwudziestu minut.

Dziewczynka siedziała na kolanach Julii zupełnie nieruchomo. Poważnymi oczami patrzyła na ludzi przechodzących obok, na psy biegające po trawniku, jadące ulicą samochody. Sprawiała wrażenie tak zadziwionej otaczającym ją światem, jakby nigdy przedtem tego świata nie widziała. Może zresztą tak było.

„Boże, nic nie wiem o tym dziecku i nie mam kogo o nie zapytać. Niech cię szlag, kimkolwiek jesteś!" – pomyślała, ostatnie zdanie kierując do tej, albo tych, którzy ją niechcianą niespodzianką uraczyli.

Na widok Patryka, wychodzącego ze sklepu w towarzystwie rozpływającej się w uśmiechach ekspedientki, odetchnęła z ulgą. I poczuła zazdrość.

– Przesiadaj się, mała – odezwał się, stawiając na tylnym siedzeniu fotelik. – Ta dobra kobieta pomogła mi skompletować wyprawkę. – Wskazał na ekspedientkę.

– Och, to ta sierotka? Co za śliczności! – Dziewczyna z nieudawanym zachwytem pochyliła się ku dziecku. – Mam dla ciebie lizaczka, o ile twoja nowa mamusia pozwoli. – Spojrzała pytająco na Julię, która oszołomiona, zdobyła się jedynie na skinięcie głową. – Proszę mnie źle nie zrozumieć, ale Hanusi potrzebny jest szampon dla dzieci przeciw... niepożądanym gościom. – Dotknęła lekko włosków małej.

Dziewczynka patrzyła na obcą kobietę poważnym, niepasującym do dziecięcej buzi spojrzeniem.

– Co musiałaś przejść, kochanie... – wzruszyła się szczerze ekspedientka. – Dobrzy z państwa ludzie, że ją przygarnęliście. Porozmawiam z szefową o rabacie.

Wróciła do sklepu po resztę zakupów. Patryk tymczasem przymocował fotelik i wyciągnął ręce po dziewczynkę. Ta przylgnęła ciasno do Julii.

– Wytłumacz Hani, że musi jechać w foteliku. Ja zaraz wracam – odezwał się tym nowym, nieznoszącym sprzeciwu tonem, zarezerwowanym do tej pory dla Wiktora.

– Nie spiesz się – prychnęła Julia, nagle, nie wiedzieć czemu, zła. – Ta ekspedientka jest taka pomocna. Na pewno wciśnie ci połowę towaru ze sobą włącznie.

– Ty i zazdrość? – zdumiał się zupełnie na serio. – Jula, ja już dokonałem wyboru. Od dziś istniejecie dla mnie tylko wy dwie.

– Ja i panna sklepowa?

– Ty i panna Haneczka.

Pochylił się i ucałował dziewczynkę w czubek głowy, nie bacząc na brudne, skołtunione włoski, w których – jeśli wierzyć tamtej – pomieszkiwały wszy. I wtedy… dziewczynka, do tej pory uczepiona Julii, zarzuciła chude ramionka na szyję Patryka i przytuliła się do niego. Zaskoczony, objął dziecko. Słuchał parę sekund trzepotu małego serduszka. Czy w tej chwili pokochał dziewczynkę? Może tak, może jeszcze nie. Ale na pewno zrozumiał jedno: Bóg bywa okrutny, odbiera, nie licząc się z twoim cierpieniem, lecz jego miłosierdzie i hojność są bezgraniczne. Oto obdarował dwie spragnione miłości istoty: Patryka i małą Hanię. Znów można było wierzyć w Jego nieskończoną dobroć. Świat jeszcze nie do końca przepełnia zło, a słoneczny promień w końcu przebija się przez mrok.

– Nie oddamy jej, prawda? – wyszeptał, patrząc Julii prosto w oczy.

„Za dużo ode mnie wymagasz!" – zakrzyczała w duchu, ale na głos odrzekła to, co chciał usłyszeć:

– Oczywiście, że nie.

Mieszkanie Patryka mieściło się na pierwszym piętrze zabytkowej kamienicy, niedaleko Rynku Starego Miasta. Julię za każdym razem zachwycały wysokie pokoje z wielkimi szprosowymi oknami, wychodzącymi na cichy, zielony dziedziniec, i piękne antyczne meble, pamiętające czasy secesji. Nie było tu miejsca na Ikeę czy tanie podróbki, bo Patryk, wzorem Wiktora, nie zadowalał się byle czym. Wystarczy, że przez całe dzieciństwo cierpiał z braćmi biedę. Dziś nie epatował bogactwem, nie rozbijał się po mieście furą za parę milionów, zamiast tego otaczał się pięknymi przedmiotami z duszą, które miały wartość ponadczasową.

Otworzył drzwi, przepuszczając Julię z dzieckiem przodem, jak na dżentelmena przystało – to również była cecha świadcząca o jego klasie – po czym ruszył do łazienki przygotować kąpiel.

Dziewczyna stała w progu salonu, spoglądała na świeżo pastowany parkiet, białe ściany, kanapę obitą adamaszkiem, dobrane do wystroju zasłony, lekkie jak mgła firanki i... zastanawiała się, jak to sobie Patryk wyobraża. Dziecko we wnętrzu prosto z katalogu dla bogaczy? Odciski brudnych łapek na ścianach i meblach? Zabawki w każdym kącie? Ciuszki i buciki rzucone gdzie popadło, dopóki ktoś z dorosłych ich nie podniesie?

Hania spoglądała wielkimi oczami na jasny pokój, większy niż jakikolwiek, w którym się znalazła, i gdyby miała trochę więcej lat, zamiast zachwytu miałaby w tych oczach takie samo niedowierzanie, zmieszane ze zwątpieniem, co Julia.

– Chodźcie, dziewczyny… – rozległ się za ich plecami głos Patryka. – Co was tak wmurowało w progu? Kąpiel gotowa. Nie boisz się, Hanusiu, wody? – Wyciągnął do małej ręce, ale ona tym razem przylgnęła do Julii, nie wiadomo, czy dlatego, że wody się bała, czy też wydarzenia ostatnich godzin wreszcie i temu dziecko dały się we znaki.

Mężczyzna, kryjąc niemiłe zaskoczenie, wskazał Julii łazienkę.

– Doprowadź dziecko do porządku. Ja znajdę czyste rzeczy w stercie toreb, które przyniosłem ze sklepu. Zaraz też przywiozą łóżeczko.

– Kazałeś tutaj przywieźć łóżeczko?! – wykrzyknęła Julia.

– A gdzie? – szczerze się zdziwił. – Chyba nie do mieszkanka na Bielanach, które zajmujesz dzięki dobrej woli Gabrieli. Nie zapytałaś jej nawet, czy możesz tam mieszkać z dzieckiem.

– Za to ty nie zapytałeś mnie, czy chcę z tym dzieckiem zamieszkać tutaj!

Oniemiał. Wydało mu się jasne, że skoro mają stworzyć rodzinę, ich domem będzie apartament na Starówce, należący do niego, a nie maleńkie mieszkanko Gabrieli.

– Nie protestowałaś, gdy was tu wiozłem – zaczął ostrożnie.

– Tak! By wykąpać dziecko, przebrać je, nakarmić, zastanowić się, co dalej. Ale nie było mowy o zamieszkaniu na stałe!

– Co ci nie odpowiada w tym miejscu? A może raczej kto? – zaczynał wzbierać w nim gniew.

Miał dobre intencje, cieszył się, że będzie wracał do domu, gdzie ktoś na niego czeka. Wydawało mu się, że Julia marzy o tym samym, nie wspominając już o porzuconej dziewczynce, tymczasem...

Zanim Julia zdążyła zebrać myśli i dać logiczną odpowiedź, bo prawdę mówiąc, sama nie wiedziała, o co jej chodzi, cisnął na stół klucze.

– Zostawiam mieszkanie do twojej dyspozycji i wracam do hotelu. Daj znać, gdybyś czegoś potrzebowała.

Wyszedł, zatrzaskując drzwi nieco głośniej, niż zwykł to czynić.

Julia została w pięknym apartamencie sama, jeśli nie liczyć cichej, przestraszonej dziewczynki.

ROZDZIAŁ V

Do hotelu Bristol było blisko, ale hoteli na razie miał dosyć. Mieszkanie Marcina i Majki znajdowało się tuż za rogiem, lecz do ich miłosnego gniazdka również nie miał chęci się wprowadzać, chociaż oboje leżeli w szpitalu i na pewno nie mieliby nic przeciwko temu. Było za bardzo naznaczone obecnością kobiety. Czułby się intruzem w czyimś domu.

Pozostał apartament Wiktora, w którym na Patryka zawsze czekała jedna z trzech gościnnych sypialni. Tam właśnie skierował kroki, zostawiając porsche na parkingu pod swoim domem. Spacer ulicami Starówki zawsze dobrze robił na zmęczony, pełen sprzecznych uczuć umysł.

Nie rozumiał Julii. Po raz pierwszy, od kiedy się poznali, nie pojmował jej zachowania. Dawał dziewczynie i dziecku, które ktoś jej bezceremonialnie podrzucił, dach nad głową, pieniądze i poczucie bezpieczeństwa. Przecież nie zmuszał jej od razu do ślubu, rezygnacji z pracy i stania się kurą domową, która wieczorami będzie witać męża na progu, przynosząc mu kapcie. Nie chciał od dziewczyny nic! Po prostu zaoferował jej gościnę!

Gdyby zapytał Julii o zdanie, być może odpowiedziałaby najzwyczajniej w świecie:

– Nie chodzi o to, co zrobiłeś, lecz w jaki sposób. Ty po prostu zadysponowałeś, a my miałyśmy się do twoich dyspozycji zastosować.

Lecz gdyby chciała być szczera sama ze sobą, musiałaby przyznać, że nie jest gotowa na matkowanie dziewczynce. Na ślub z Patrykiem owszem. Kiedy tylko on zechce, ale dziecko?! Tak właśnie myślała Julia, obmywając chude ciałko dziewczynki ciepłą wodą.

Patryk pomyślał o wszystkim. Na półce stała butelka płynu do kąpieli dla dzieci, którym można było również umyć splątane włoski Hanusi. Ta, zachwycona, nabierała w obie rączki pachnącą pianę i spoglądając raz po raz na opiekunkę, niepewna, czy wolno się jej tak bawić, dmuchała na biały puch.

Julia przysiadła na brzegu wanny, przyglądając się zabawie dziecka. I nagle… poczuła palący wstyd i wściekłość na samą siebie.

Nie miałaś nic przeciwko temu, by obleśne misie-pysie rozstawiały cię po kątach! Byłaś na każde skinienie, gotując obiadki, robiąc za sprzątaczkę i dając dupy za każdy razem, gdy przyszła im ochota na seks. Dziś otworzył przed tobą drzwi do swojego życia ktoś, kto nie chce nic więcej, niż kochać i być kochanym, a ty… strzelasz focha, bo po miesiącach trzymania cię za rączkę wreszcie zachował się jak mężczyzna! Gdyby to był

Tomuś, potulnie wykąpałabyś dziecko i poszłabyś do kuchni pichcić obiad, napominając małą, by bawiła się cicho w kącie...

„Mała? W kącie?!" – prychnęła w duchu. „Tomuś wykopałby cię z dzieckiem szybciej, niż zdołałabyś mu o nim opowiedzieć!" Patryk rzekł krótko: „Jedziemy po nie". Tak samo jak Wiktor. I jeszcze: „Dziecko jest najważniejsze". Ty idiotko... Cenisz tylko skurwieli, którzy tobą pomiatają... Przed Patrykiem nie musiałabyś uciekać przez balkon i widocznie tego ci brakuje!

Sięgnęła do kieszeni dżinsów po telefon. Wybrała numer Patryka, ale nie odebrał. Czując, jak gardło zaciska jej się ze strachu, posłała uśmiech przyglądającej się jej dziewczynce i wyszeptała:

– Nie straciłyśmy go, prawda? Pozwoli się przeprosić? To przecież Patryk...

Telefon Patryka milczał nie dlatego, że właściciel się obraził – nie był dzieckiem z piaskownicy, które rzuca wiaderkiem i łopatką, bo ktoś powiedział mu parę przykrych słów – lecz dlatego, że zostawił komórkę w mieszkaniu Wiktora, ale nie bacząc na to, biegiem wracał do samochodu.

– Patryk, przyjeżdżaj natychmiast – usłyszał chwilę wcześniej głos brata, w którym pobrzmiewała panika. – Gabrysia zemdlała.

– Co jej się stało?!

– Nie wiem. Pielęgniarka, która zaglądała co jakiś czas do pokoju Majki, znalazła Gabrielę obok łóżka. Nieprzytomną.

– Chryste!

– Lekarze się nią zajęli… – ciągnął dalej Wiktor beznamiętnym głosem, ale Patryk wiedział, że tylko dzięki temu jego brat się trzyma. – Chcę być przy niej, gdy odzyska przytomność. Muszę wiedzieć, co się stało. A przecież Marcin i Majka też nas potrzebują.

– Jasne, wsiadam w samochód i zaraz będę. – Rozłączył się, wypadł z mieszkania i zaczął zbiegać po schodach.

„To na pewno zmęczenie. Tylko zmęczenie" – powtarzał w duchu. „Wszyscy jesteśmy śmiertelnie wyczerpani. Ja nie opuszczałem szpitala od wczoraj, Wiktor, Gabriela i Julia również. Żadne z nas nie zmrużyło oka przez całą noc, bo jak tu spać, gdy obok leży Marcin z raną postrzałową, a na drugim końcu korytarza Majka, która otarła się o śmierć?"

Oboje bardzo ich potrzebowali. Majka za każdym razem, gdy budziła się z letargu, przerażonym spojrzeniem omiatała pokój, a gdy jej oczy napotykały zatroskany wzrok przyjaciółki czy Patryka, zaczynała bezgłośnie płakać. Płynące po jej zapadniętych policzkach łzy łamały serce. Mogli tylko głaskać ją po dłoni i szeptać truizmy, że wszystko będzie dobrze. Wyzdrowieje ona, wyzdrowieje Marcin i razem spróbują skleić swoje potrzaskane szczęście. Majka słuchała tylko, nie odzywając się ani słowem, choć przecież mogła mówić. Łzy powoli przestawały płynąć. Powieki opadały, a ona z powrotem zapadała w ciemną otchłań narkotycznego snu. Ale jej przyjaciele zasnąć nie mogli.

„To wyczerpanie, na pewno!" – powtarzał, przebijając się przez zakorkowane Śródmieście. „Jak więc zmęczona musi być Julia?"

Wyjął z wewnętrznej kieszeni marynarki drugi telefon, ten, z którym nigdy się nie rozstawał, i zadzwonił do dziewczyny.

Odebrała natychmiast.

– Patryk, ja...

– Jula... – zaczęli równocześnie.

– Przepraszam. Przepraszam za wszystko, co bezmyślnie palnęłam. – W głosie dziewczyny brzmiało błaganie. – Jesteś taki wielkoduszny, przyjmujesz mnie z podrzu... z Hanią... pod swój dach, a ja...

– Posłuchaj, kochana, oboje jesteśmy po prostu zmęczeni – przerwał jej łagodnie. – Mi też coś odbiło, nie miałem prawa być tak apodyktyczny. Masz własne życie i...

– Ty jesteś moim życiem, Patryk – wyznała z głębi duszy.

Poczuł, jak gardło zaciska mu się ze wzruszenia, a serce wreszcie odzyskuje swój rytm.

– Kocham cię, Jula – odparł po prostu. – Nie mogę teraz rozmawiać. Prowadzę. Powiedz tylko, jak tam nasza mała znajdka.

– Jest bardzo cicha i bardzo grzeczna. – Julia uśmiechnęła się w tym momencie do dziewczynki, która siedziała na jej kolanach i bez słowa skargi pozwalała opiekunce rozczesywać skołtunione włoski. Otulona w puszysty biały ręcznik, czysta i pachnąca malinowym płynem do kąpieli, nie wyglądała już jak półtora nieszczęścia, lecz jak nieco wychudzona, ale śliczna mała księżniczka.

– Pytała o ciebie – dodała Julia.

– Ucałuj Hanusię ode mnie i powiedz jej, że niedługo wrócę. Muszę kończyć, Jula. Spróbuj się zdrzemnąć, gdy dziecko pójdzie spać. Musisz mieć teraz dużo sił.

„Nie tylko na wychowanie dziecka, którym ktoś cię bez twojej wiedzy i zgody obdarował" – dodał w myślach. „Teraz potrzebuje cię nie tylko Majka, ale i Gabriela. Że o sobie nie wspomnę".

Westchnął z głębi ducha, przypomniał sobie jej piękne słowa: „Ty jesteś moim życiem, Patryk", i wjechał na szpitalny parking.

Idąc spiesznie niekończącymi się korytarzami, pomyślał, że ostatnio spędza tu więcej czasu niż we własnym domu.

Pielęgniarka na jego widok uśmiechnęła się. Nie miałaby nic przeciwko flirtowi z tym przystojnym młodym mężczyzną, gdyby nie fakt, że on takim flirtem zupełnie nie był zainteresowany. Owszem, odpowiedział uśmiechem, ale ten uśmiech równie dobrze mógł być skierowany do kubka herbaty, który trzymała w ręce.

– Pana rodzina powoli zaczyna przejmować nasz szpital – zażartowała.

Jemu daleko było do żartów. Może innym razem, gdyby nie był tak wykończony, doceniłby próbę pocieszenia przez sympatyczną skądinąd dziewczynę, ale nie dziś. Nie po drugiej dobie bez snu.

– Szukam Wiktora i Gabrieli Leszeńskiej – odparł chłodnym tonem.

Słodki uśmiech pielęgniarki zgasł.

– Pokoje na tym oddziale są zarezerwowane dla nagłych przypadków. Omdlenie do takich nie należy – uświadomiła go służbiście. – Proszę pytać na oddziale internistycznym.

Poczuł wzbierający gniew.

– Pani wie, dokąd ją zabrano, a mimo to nie może pani po prostu powiedzieć: piętro takie, pokój numer x?

– Nie jestem od udzielania informacji. Proszę pytać rejestratorki.

Zmrużył oczy, już nie błękitne, a granatowe jak burzowe niebo, i wycedził:

– Lepiej zapytam komisarza Brackiego, któremu zawdzięczamy pobyt w tym miejscu, albo lekarza, który omal nie wyekspediował mojej bratowej na tamten świat.

Pielęgniarka od razu spokorniała. Personel szpitala na Wołoskiej, w którym leczono rządowe szychy, miał o sobie wysokie mniemanie. Zupełnie jakby spływał na niego splendor pacjentów. Przywieziona wczoraj dziewczyna nie była córką senatora, a jej facet synem ministra. Zaś ci, co przy nich siedzieli dzień i noc: czarnowłosy przystojniak, jego młodszy brat i dwie kobiety, znaczyli tyle co nic. Jednak stanem rannych interesował się sam komendant śródmiejskiej policji. Może więc nie byli to zwykli zjadacze chleba?

– Mam lepszy pomysł – przerwał jej rozmyślania Patryk. – Poproszę o pomoc konsula amerykańskiego. Bądź co bądź mamy obywatelstwo tego kraju.

Słowo „amerykański" na całym świecie działa, nie wiedzieć czemu, jak magiczne zaklęcie.

– Piętro drugie, sala dwieście dwadzieścia. Naprawdę nie ma po co zawracać głowy konsulowi. Oczywiście pana bratowa dostała pokój jednoosobowy. – Pielęgniarka rozpłynęła się w uśmiechu, ale Patryk miał to w głębokim poważaniu.

Gabriela dostała osobny pokój, bo Wiktor za niego zapłacił – pomyślał, jadąc windą na drugie piętro.

Po chwili wchodził do jasnej sali, przez której duże okna wpadały potoki popołudniowego słońca. W łóżku spała blada i wymizerowana Gabriela, na krześle obok siedział Wiktor. Spojrzał na brata podkrążonymi oczami. To wszystko zdawało się przerastać i jego.

– Już jestem – szepnął Patryk, kładąc mu rękę na ramieniu. – Odzyskała przytomność? Lekarze wiedzą, co się z nią dzieje?

– Twierdzą, że to przemęczenie – odparł mężczyzna, pocierając powieki. – Gabi powiedziała to samo. Po prostu zrobiło się jej słabo, gdy siedziała przy Majce, wstała, żeby napić się wody, i upadła, ale… Wiesz, że obie z Julią miały wczoraj wypadek?

– Jaki wypadek?! Nie mówiła mi o tym! Co się stało?!

– Fiesta wpadła w poślizg i zderzyła się z samochodem z naprzeciwka. Nic się nikomu na szczęście nie stało, tylko Gabriela miała niegroźnie rozciętą głowę. Nałożyli jej kilka szwów i wypuścili ze szpitala – odparł Wiktor tonem pozbawionym emocji, bo na ich okazywanie po prostu nie miał już siły.

Patryk za to był poruszony do głębi.

– Przecież Gabi może mieć wstrząśnienie mózgu! Obrażenia wewnętrzne! Zrobili jej jakąś tomografię? Rezonans?

– Tam, gdzie ją opatrywali, nie. Tutaj kazali czekać.

Patryk milczał przez chwilę, zbierając myśli, po czym przykucnął obok brata, zacisnął palce na jego dłoni i rzekł:

— Gabriela jest po urazie głowy. Parę kwadransów temu straciła przytomność. Nie wolno czekać, aż znajdą dla niej czas. Ja dzwonię do doktora Braniewskiego, ty... ty musisz, powtarzam, m u s i s z się przespać choć kilka godzin. Sorry, bracie, ale wyglądasz strasznie. Gorzej niż biedny Marcin z postrzałem płuca.

Rzeczywiście Wiktor po raz pierwszy w życiu przypominał niedogolonego lumpa w wygniecionej koszuli, z poszarzałą twarzą i oczami przekrwionymi, jakby pił przez całą noc prosto z gwinta. Patrykowi przemknęło przez myśl, że nie tyle wydarzenia ostatnich dni tak nań wpłynęły, co kompletny brak kontroli nad tym wszystkim. Wiktor, swoim zdaniem, żył po to, by chronić tych, których kochał. Po raz pierwszy temu nie sprostał. Zawiódł.

— Zabieram cię stąd — zdecydował nagle Patryk. — Musisz odetchnąć od tego przeklętego miejsca. Na Puławskiej jest przyjemny hotel. Idziemy.

Wiktor już otworzył usta, by zaprotestować, ale Patryk po prostu wziął go za ramię, postawił do pionu i pociągnął za sobą. Skąd on sam brał na to siły, będąc na nogach nieprzerwanie od ponad trzydziestu godzin, pozostawało dla niego zagadką. Ktoś jednak musiał przejąć kontrolę nad chaosem, padło na Patryka.

Wiktor, o dziwo, dał się wyprowadzić z pokoju, upewniwszy się jeszcze w progu, że Gabriela śpi spokojnie. Potem jakimś trafem znalazł się w windzie jadącej na parter. Następnie, zupełnie nie rejestrując tego otępiałym umysłem, wsiadł do taksówki. Patryk podał adres hotelu. Gdy dojechali na miejsce, potrząsnął bratem za ramię, bo ten zdawał się spać z otwartymi oczami.

Zaprowadził go do cichego pokoju, zasłonił story i odwrócił się, by nakazać Wiktorowi szybki prysznic i długi sen, ale on jak padł na łóżko, tak zasnął natychmiast. W ubraniu, butach, wygniecionej marynarce. W pierwszym momencie Patryk chciał mu zdjąć chociaż te buty, ale w następnym wycofał się cicho i wyszedł, wieszając na klamce tabliczkę „Nie przeszkadzać".

Oparł się o drzwi, wziął głęboki oddech, pomyślał, że jemu też przydałaby się choć krótka drzemka, po czym sięgnął po telefon i wybrał znajomy numer. Bardziej od chwili wytchnienia potrzebował teraz przyjaciela, który nigdy nie zawiódł.

— Przywieź ją natychmiast! — usłyszał słowa, których w głębi duszy się spodziewał. — Tu, pod moim okiem, Gabriela będzie bezpieczna. — Głos doktora Braniewskiego, bo to do niego Patryk zadzwonił zaraz po odstawieniu Wiktora do hotelu, był z tych „nieznoszących sprzeciwu".

— Mam Gabrysię ot tak zabrać ze szpitala, wsadzić do taksówki i przewieźć na Bielany? — musiał się jednak upewnić.

— Rzeczywiście… — zafrasował się doktor. — Kiepsko by to wyglądało… Daj mi chwilę. Ogarnę się, bo sam przed chwilą wstałem, przyjadę na Wołoską, pogadam z lekarzami i zdecydujemy, co dalej. Wiktor…

— Wiktor padł. Był na nogach trzydzieści godzin. Właśnie go zmusiłem do odpoczynku. Jestem tylko ja.

– Może to i lepiej… Poczekaj na mnie, Patryk. Zbadam Gabrielę i jeżeli transport do Szpitala Bielańskiego nie będzie dla niej zagrożeniem, zabiorę ją ze sobą. Coś jeszcze się wydarzyło od naszej ostatniej rozmowy?

„Tak!" – chciał krzyknąć Patryk. „Julia ma dziecko, Majka dziecko straciła. Poza tym wszystko okej!", ale… nie miał siły na wypowiedzenie tylu słów naraz. Gdy doktor Braniewski przyjedzie, może poda mu jakiś cudowny eliksir na otrzeźwienie. Teraz nawet kawa z cukrem już nie działała.

– Marcin nadal w śpiączce farmakologicznej, Majka też – wymamrotał w odpowiedzi.

– To dobrze. Sen, nawet wspomagany, leczy – usłyszał głos doktora. – Czekaj na mnie.

ROZDZIAŁ VI

Jak znalazł się z powrotem na Wołoskiej? Nie miał pojęcia. Rozejrzał się półprzytomnie po znajomym do bólu korytarzu, chciał iść do pokoju Marcina, ale przypomniał sobie, że czeka... na kogoś. Ach, na doktora Braniewskiego. Usiadł więc na krześle. Ręka z komórką opadła na kolana. Oparł głowę o chłodną ścianę. Zamknął oczy. Ledwie to uczynił, rozdzwonił mu się telefon – przynajmniej tak się Patrykowi, który zasnął na siedząco, zdawało. „Julia" widniało na wyświetlaczu.

– Patryk, ta mała chce do mamy! Płacze! Nie potrafię jej uspokoić! – usłyszał spanikowany głos dziewczyny.

Rzeczywistość, od której udało mu się uciec na kilka minut, wróciła i uderzyła w otumaniony umysł. „Jaka mała? Do czyjej mamy? Kto płacze?" – pomyślał w pierwszej chwili, w następnej odpowiadał spokojnie:

– Przytul dziewczynkę – Boże, zapomniał jej imienia – ukołysz, daj coś słodkiego i zabierz na spacer. Na placyk zabaw albo chociaż na rynek. Pobiega za gołębiami i na chwilę zapomni o matce. Ja spróbuję dowiedzieć się o niej czegokolwiek. O… właśnie nadchodzi odpowiednia osoba. – Rozłączył się i lekko mrużąc oczy, co bardzo upodabniało go w tej chwili do Wiktora, uśmiechnął się. – Kogo ja widzę, komisarz Bracki. Przyszedł pan dobić niewygodnych świadków?

– A pan wie, mecenasie, że za takie słowa mogę pana aresztować? – odgryzł się policjant.

– Tylko więcej by pan sobie nagrabił. – Patryk uśmiechnął się jeszcze szerzej. Potrzebny był mu w tej chwili ktoś, na kim mógł wyładować gniew, frustrację i zmęczenie.

Mężczyzna po cywilnemu, w wieku Wiktora, więc kilka lat od Patryka starszy, przystanął naprzeciw niego.

– Jak się czują pani Trojanowska i pana brat? – zapytał po prostu, chociaż miał szczere chęci przywalić temu niebieskookiemu blondynowi z pięści, zetrzeć z jego ust kpiący uśmieszek. Jeszcze nie znał braci Prado na tyle, by wiedzieć, że rzadko się uśmiechają.

– Będą żyć – uciął Patryk.

Komisarz podszedł do automatu, wrzucił dwa złote, odebrał kubek z kawą i usiadł nieproszony obok Patryka.

– Nie wygra pan tej sprawy – zaczął, patrząc przed siebie. – Pana brat zaatakował policjanta na służbie…

Patryk spojrzał nań z politowaniem.

– I dlatego dostał kulę w plecy?

– Będzie słowo podejrzanego przeciwko słowom funkcjonariuszy, w tym moim – odrzekł spokojnie Bracki, upijając łyk kawy.

– Ją, Majkę, czym załatwiliście? Kopem w brzuch? Ciśnięciem o podłogę? Bo nie wmówi mi pan, że zaczęła krwawić na sam wasz widok?

– Dlaczego nie? – odmruknął komisarz. – To była akcja antyterrorystyczna. Myśli pan, że pukamy przed wejściem i wchodzimy po usłyszeniu uprzejmego „proszę"?

Patryk zwrócił lekko głowę w jego kierunku. Nadal opierał się o ścianę, ale teraz patrzył komisarzowi w oczy.

– Aresztowaliście, niemal zabijając, dwoje niewinnych ludzi. Dlaczego? Od wczoraj zdążyliście sprawdzić Marcina, Majkę, Wiktora i mnie. Doskonale więc pan wie, że żadne z nas nie jest i nigdy nie było zamieszane w działalność przestępczą. Kartotekę mamy krystalicznie czystą.

– Oprócz incydentu z sierpnia, kiedy to pan i pana brat zostaliście zatrzymani za pobicie… – policjant zawiesił głos. – Na wasze szczęście pobity pośmiertnie wycofał zarzuty. I powiesił się w parku, na wprost wycelowanej w siebie kamery. Samobójstwo bez udziału osób trzecich, czyli swoich pasierbów.

Patryk… roześmiał się. Niespodziewanie nawet dla samego siebie.

– Rzeczywiście, szczęściarze z nas jak cholera – rzekł, pokręcił głową i rozejrzał się, jakby jego mózg nagle zaczął dopytywać: „Co ja tu właściwie robię?".

– O pana ojczymie też trochę poczytałem – mruknął Bracki. – Wyjątkowa gnida. Dzięki Bogu, że w tamtą noc trząchnęły nim w końcu wyrzuty sumienia, bo nie śmiałby się pan teraz tak beztrosko.

– To nie jest beztroska, szanowny panie komisarzu – odparł Patryk, czując powracające zmęczenie. Przymknął powieki. – Po prostu nie pojmuję, dlaczego mój brat jest na intensywnej terapii postrzelony nie przez ojczyma, który go nienawidził, a przez policję, zaś moja bratowa... – Machnął ręką. – Spotkamy się w sądzie i wtedy o to zapytam.

Zapadło ciężkie milczenie. Komisarz wpatrywał się w kubek z kawą, prowadząc ze sobą wewnętrzną walkę.

– Powinniście być nam wdzięczni – odezwał się wreszcie. – Oboje pakowali się prosto w pułapkę mafii.

Patryk oprzytomniał gwałtownie.

– To miało być rutynowe zatrzymanie – ciągnął komisarz. – Nawet AT nie fatygowali. Posłali mnie z oddziałem interwencyjnym i dopiero po drodze, będąc niemal na miejscu, dostaliśmy cynk, że w środku może być kocioł. Mafia poluje na kogoś, kto nie zwrócił pożyczonej forsy. Zrobiło się gorąco, bo co innego wejść do mieszkania zaskoczonych starszych ludzi, co innego pakować się w wojnę z gangsterami. Moi podkomendni postąpili prawidłowo. Nie mam im nic do zarzucenia. A Marcina Prado i Majkę Trojanowską ocaliło to, że byliśmy pierwsi. Bandyci strzelaliby tak, żeby zabić, ale najpierw nad obojgiem by się jeszcze poznęcali. Strzał w kolano, łamanie metalowym prętem rąk i nóg, przypalanie, zbiorowy gwałt, takie tam...

Umilkł. Patryk patrzył nań bez słowa przez długą chwilę.

Kilka klocków układanki, ale jeszcze nie wszystkie, wskoczyło na swoje miejsce. Majka pożyczyła pieniądze... okazuje się, że od mafii… na co? Na kaucję za Wiktora. Który to Wiktor siedział w areszcie z zarzutem ciężkiego pobicia za kogo? Za niego, Patryka. Przez kogo? Przez przeklętego Adolfa Kuchtę. Ta bestia nawet zza grobu potrafiła zadawać ból.

Poczuł łzy w oczach. Odwrócił głowę i zacisnął powieki, by siedzący obok policjant ani tych łez nie zauważył, ani się ich nie domyślił.

– Nigdy bym nie przypuszczał, że Majka ma jakieś kontakty z mafią. Gdybym wiedział… choćbym się domyślał… – zaczął łamiącym się głosem.

– Nie ona – przerwał mu policjant. – Jej rodzice. To ich poszukujemy razem z Interpolem od dłuższego czasu. Dwie urocze starsze osoby, zmieniające tożsamości i wygląd jak kameleony. Dwoje dilerów najgorszego narkotykowego szajsu… Majka Trojanowska wpadła do obserwowanego od miesięcy apartamentu, wzięła z sejfu pieniądze i mieliśmy nadzieję, że doprowadzi nas do swoich rodziców. A skończyło się… jak się skończyło. – Wzruszył ramionami i wstał. – Naprawdę mi przykro z powodu takiego obrotu sprawy. Zajrzę do pańskiej bratowej.

– Beze mnie do nikogo pan nie zajrzy. – Patryk również się podniósł. – Majka jest pod moją opieką i proszę trzymać się od niej z daleka.

– Jeśli dostanę nakaz zatrzymania…

– Wtedy również poczeka pan, aż lekarz ją wypisze.

– Chodźmy więc.

Ruszyli korytarzem, ale Patryk zatrzymał się nagle, jakby coś sobie przypomniał. Komisarz spojrzał na niego pytająco.

– Marcin ma na nadgarstkach otarcia po kajdankach. Sku-
liście go, zanim dostał kulę czy potem, gdy wykrwawiał się na
podłodze? – Głos Patryka był spokojny. Lodowato spokojny.

Bracki, ku jego zdziwieniu, uśmiechnął się lekko i odpowiedział pytaniem:

– Po czym pan wnioskuje, że od naszych kajdanek ma te
otarcia? Może przed wyjściem bawili się z panią Trojanowską
w sado-maso?

Gdyby w następnej chwili nie uniósł odruchowo ramienia,
dostałby pięścią w twarz. Chwycił półprzytomnego z wściekłości Patryka za nadgarstek i trzymał.

– Masz szczęście, policyjna gnido, że powiedziałeś to do
mnie, nie do Wiktora – wychrypiał Patryk. – On po prostu
by cię za takie słowa zabił.

– Obaj mamy więc szczęście, bo zaraz po tym gnilby w wię-
zieniu – odparł Bracki. – Przepraszam. To było rzeczywiście... nieprzemyślane z mojej strony. Chciałem jednak panu
unaocznić, mecenasie, że stoicie na przegranej pozycji. Majka
Trojanowska jest córką dwójki dilerów i przyniosła do trefnego
mieszkania trefne pieniądze. Jeżeli zacznie pan mącić, będę
musiał bronić siebie i swoich ludzi. Prokurator postawi jej zarzuty. Pana bratu także. Trafią do aresztu na czas wyjaśnienia
sprawy. Po co to im? Po co wam wszystkim? Przeszliście piekło.
Nie wystarczy?

– Masz w dupie to, przez co przeszliśmy – wycedził w odpowiedzi Patryk, wyszarpując rękę. – Spartoliłeś robotę i już
teraz próbujesz się wybronić, a robisz to w wyjątkowo parszywy
sposób, gnido.

Komisarz, zamiast się wkurzyć, pomyślał o tym, jak szantażował wczoraj Majkę, ledwie ta odzyskała przytomność. Ten facet miał rację. Postępował podle, ale po prostu nie widział innego wyjścia.

– Niczego pan nie rozumie... – pokręcił głową, bo przecież nie mógł mu przyznać racji.

Patryk tylko prychnął z pogardą i ruszył ku drzwiom sali pooperacyjnej.

– Jest mi równie przykro jak panu, że tak się to potoczyło – usłyszał słowa policjanta.

– A dlaczego mnie miałoby być przykro? – warknął i... musiał się zatrzymać, bo świadomość tego, co zrobił, niemal zwaliła go z nóg. Gdyby wtedy u Kuchty nad sobą panował, gdyby nie strzelił Tamtego pejczem w twarz, Wiktor nie poszedłby siedzieć, Majka nie pożyczałaby od mafii pieniędzy na kaucję. Nie byłoby „interwencji", Marcin nie leżałby po drugiej stronie korytarza na intensywnej terapii, Majka tutaj, dziecko by żyło...

Poczuł się tak, jakby to on pociągnął za spust. Jakby własnymi rękami zabił to małe. Oparł się o ścianę, czując, że robi mu się słabo.

– Co się dzieje? – Zaniepokojony policjant chwycił go za ramię i przytrzymał w pionie. – Przynieść wody?

Zaprzeczył.

– Nie. Dziękuję. To zmęczenie – zdobył się li tylko na szept.

– Usiądźmy na chwilę. – Komisarz pociągnął go na najbliższe krzesło. – Jest pan strasznie blady.

– Nic mi nie będzie – odparł, ledwie wydobywając głos ze spazmatycznie zaciśniętego gardła.

„To twoja wina!" – Szept w mózgu Patryka narastał do krzyku. „Jeszcze tylko zacznij się stawiać i Majka z Marcinem rzeczywiście wylądują w areszcie!"

– Ma pan rację, komisarzu. – Wyprostował się nagle, podejmując decyzję za nich wszystkich. – Pozwanie was do niczego nie prowadzi. Wygrałbym, bo obaj znamy prawdę, ale koszt wygranej byłby niewspółmierny do strat. Ile dostaliby odszkodowania? Parę tysięcy? Żadne pieniądze nie zwrócą dziecku życia, a Majki i Marcina na areszt narażać nie będę. Z mojej strony sprawa jest zamknięta, a pan zrobi wszystko, by jak najszybciej zamknąć ją z waszej. – Patrzył teraz komisarzowi prosto w twarz. Po chwili słabości nie było ani śladu w spokojnym, zdecydowanym spojrzeniu Patryka Prado.

– Pana starszy brat, Wiktor, może mieć inne zdanie – odparł powoli Bracki.

– Biorę to na siebie – uciął Patryk i zaciskając zęby z odrazy do samego siebie, wyciągnął dłoń.

Policjant uścisnął ją. Mocno. Jakby chciał wypalić na niej piętno.

– Żebyśmy byli kwita, zrobi pan coś dla mnie – mówił dalej Patryk. – Nie żeby pan był mi coś winien...

– Bo nie jestem.

– Oczywiście. Lecz przez wzgląd na naszą dopiero co zawartą przyjaźń...?

– Przyjaciołom przysługi nie odmawiam.

– Ja również. Potrzebuję pomocy w odnalezieniu pewnej osoby.

– Nie jestem z sekcji zaginięć.

Patryk rzucił mu spojrzenie, tak przypominając w tej chwili Wiktora… Brackiemu nie były straszne takie spojrzenia, mógł wstać i odejść, ale wbrew samemu sobie chciał zostać i pomóc temu facetowi. Nie tylko przez poczucie winy, któremu zaprzeczał i zaprzeczać będzie. W obu braciach Prado, w Patryku i Wiktorze, było coś, co cenił. Przed chwilą usłyszał słowo „przyjaźń" i aż zakłuło go w sercu, gdy uprzytomnił sobie, jak bardzo jest samotny. On nie miał przyjaciół. Miał kumpli, których przyjaciółmi by nie nazwał. I oto los stawiał mu na drodze ludzi, dla których przyjaźń, miłość i rodzina były najwyższymi wartościami. Oddałby wszystko, by o niego ktoś walczył tak jak Patryk o Marcina, by przy nim ktoś trwał, jak Wiktor przy Gabrieli, Gabriela zaś przy Majce. Jeśli jest jakaś szansa, nawet znikoma, by przynajmniej nie mieć wrogów w tej szóstce oddanych sobie ludzi, nie wolno jej zmarnować.

Coś ścisnęło go za gardło. Musiał wziąć głęboki oddech. Dopiero gdy był pewien, że głos go nie zawiedzie, rzekł:

– Zrobię, co będę mógł. Co to za osoba?

Patryk, który na tych kilka długich chwil z powrotem zapadł w odrętwienie, wyprostował się, zamrugał. Ach, przecież prosił gliniarza o pomoc w odnalezieniu matki dziewczynki…

– Wczoraj rano moja narzeczona dostała dziwny telefon. Jakaś kobieta nakazała jej dość obcesowo, by Julia zajęła się swoim dzieckiem. Natychmiast.

– To chyba nic dziwnego? Jest matką, ma więc obowiązek…

– Julia nie jest matką tego dziecka.

– Może to pan nie jest ojcem?

Patryk mimowolnie parsknął śmiechem.

– Źle mnie pan zrozumiał: oboje nie mamy z tą dziewczynką... – urwał gwałtownie.

Zwierzenie się gliniarzowi z faktu, że ktoś powierzył Julii opiekę nad dzieckiem, nieważne kto i w jakim celu, to dla małej Hani prosta droga do sierocińca.

– Proszę kontynuować. Wciągnęła mnie ta opowieść – ponaglił go z lekką kpiną Bracki.

Patryk spuścił wzrok.

– Może ma pan rację. Powinienem wypytać Julię, czy aby na pewno nie ukryła przede mną błędów młodości – odmruknął.

– Nie umie pan kłamać, co? A przecież jest pan prawnikiem... – Komisarz sięgnął do kieszeni na piersi i opuścił dłoń. – Szkoda, że tu nie można palić, a ja próbuję zerwać z nałogiem. Ile razy przydałyby mi się fajki... – Westchnął z głębi serca. – Jeżeli przez wzgląd na naszą przyjaźń dam słowo, że zachowam to, co pan powie, dla siebie, o ile oczywiście nie łamie pan z narzeczoną prawa, dokończy pan tę historię?

Patryk wiedział, iż zabranie z pustego domu zaniedbanego, głodnego dziecka, dziecka, które ktoś powierzył Julii, złamaniem prawa jeszcze nie było, niezgłoszenie tego policji już pod jakieś paragrafy podlegało, ale... ten facet obok miał wobec nich wszystkich cholerny dług i może była szansa, by ten dług został spłacony.

– Moja narzeczona dostała telefon, że ma natychmiast przyjechać po dziecko – zaczął. – Poszliśmy tam razem. Sąsiadka od razu na nią naskoczyła, jak na najgorszą dziwkę, co zostawia bachora samego, a ja ręczę głową, że Julia nie ma dziecka. I nie jest dziwką. W środku, w pustym mieszkaniu, znaleźliśmy małą, zabiedzoną dziewczynkę. W pierwszej chwili powiedziała do Julii „mama", Julia musi być więc podobna do jej matki. Zabraliśmy małą do... bezpiecznego miejsca, jest wykąpana, przebrana, nakarmiona, zadbaliśmy o wszystko. Teraz trzeba odnaleźć jej prawdziwą matkę i zapytać, co ona sobie, do kurwy nędzy, wyobraża!

Takiego wybuchu na koniec dość spokojnej opowieści komisarz się po tym młodym, zrównoważonym człowieku nie spodziewał. Przechodząca korytarzem pielęgniarka syknęła zdegustowana.

Patryk zwiesił głowę. Nie ze wstydu, że w szpitalu rzucił ordynarnym przekleństwem, on, który nie przeklina. Z bezsilności. Telefon od paru chwil wibrował mu w ręce. Julia. „Ona ciągle płacze!!! Co mam robić?!" A on nie miał sił ani pomysłów, co odpowiedzieć, jak jej pomóc. I jak, do cholery, ogarnąć tę apokalipsę w pojedynkę? Marcin, Majka, Gabriela, Wiktor, na koniec Julia i mała dziewczynka. I on sam, który musi nad nimi wszystkimi czuwać, a ledwo trzyma głowę w pionie.

Poczuł na ramionach uścisk silnych dłoni.

Chciał je zrzucić, nie potrzebował litości gliniarza, który był sprawcą przynajmniej części tego wszystkiego.

– Już jestem, Patryk – usłyszał głos doktora Braniewskiego i poczuł taką ulgę, jakby to Wiktor był przy nim.

Uniósł oczy na dobrą, troskliwą twarz starszego człowieka.

– Na początek zajmę się Gabrielą. Potem sprawdzę, co z Marcinem i Majką. Ty sobie tutaj odpocznij. Jola też zaraz będzie.

Zdobył się tylko na kiwnięcie głową.

– Odsiecz? – zapytał komisarz, odprowadzając wzrokiem doktora, zmierzającego pewnym, zdecydowanym krokiem w stronę wind.

– Przyjaciel – odwarknął Patryk.

– Ma pan przy sobie zdjęcie narzeczonej?

– A co ona ma do tego?

– Skoro i dziecko, i sąsiadka wzięły ją za matkę, będę szukał podobnej kobiety.

Ach… o to chodzi… w chwili słabości Patryk powierzył temu gliniarzowi ich mały sekret. Który dzięki temu skończy być może w sierocińcu, a wcześniej w pogotowiu opiekuńczym… Szlag!

Bracki, który czytał w zmęczonej twarzy młodego człowieka jak w otwartej księdze, rzekł krótko:

– Dałem słowo: na razie pozostanie to między nami. Tej dziewczynce lepiej będzie u krewnej niż w bidulu. Jak ona ma na imię?

– Hania.

– A pana narzeczona?

– Julia Raszyńska.

– Skąd pochodzi?

– Właśnie z miejsca, które pan wymienił: z bidula. Została porzucona. Nie pamięta rodziców. Nikt nigdy się nią nie zainteresował.

– Dopóki nie zaczęła być potrzebna… – mruknął policjant, wyjmując notes. – Gdzie znaleźliście dziecko?

– Na Żelaznej 23.

– Od kogo dostaliście wiadomość?

– Nie wiem. Mogę zapytać Julii, ale dzwoniono pewnie z numeru zastrzeżonego.

– Albo z jednorazówki na kartę. – Policjant wstał. Patryk podniósł się również. – Da mi pan swoją wizytówkę? Zadzwonię, gdy tylko się czegoś dowiem…

– Tak, oczywiście. – Patryk sięgnął do portfela i po chwili podawał komisarzowi elegancki prostokącik z tłoczoną złotymi literami nazwą firmy i wszystkimi potrzebnymi informacjami. Bracki schował wizytówkę między kartki notesu i zatrzasnął go stanowczym gestem.

Patryk wahał się znacznie dłużej niż parę minut temu, po czym ponownie wyciągnął do policjanta rękę.

– Dziękuję.

– Ja też dziękuję – odrzekł krótko Bracki.

Obaj mówili to szczerze.

– Zajrzymy do pana bratowej?

– Proszę mi mówić po imieniu.

Policjant zmieszał się.

– Dopóki postępowanie wyjaśniające nie zostanie zamknięte… – zaczął.

– Będę się zwracał do pana jak dotychczas. – Patryk wpadł mu w słowo. – A pan do mnie. To zrozumiałe.

– Tak. To zrozumiałe. Zajrzymy więc do Majki?

Telefon, który Patryk zaciskał w dłoni, zasygnalizował nadejście kolejnej wiadomości od spanikowanej Julii: „Ona nadal płacze!!!".

Z trudem powstrzymał się, by nie zadzwonić natychmiast. Zamiast tego przeniósł spojrzenie z wyświetlacza na Brackiego.

– Jesteśmy przyjaciółmi. Ufam ci. Możesz odwiedzać Majkę, kiedy chcesz. Ja zajrzę do niej za parę minut. Teraz muszę zapobiec kolejnej katastrofie.

Gdyby wiedział, że tymi słowami właśnie się do katastrofy przyczynia, wyrzuciłby telefon i nie odstępował Majki na krok...

Julia odebrała natychmiast. Zupełnie jakby przez cały ten czas, zamiast zajmować się dzieckiem, trzymała telefon w dłoni.

– Patryk, ona ciągle płacze! – wykrzyknęła, sama ledwo powstrzymując się od łez. – Ja już nie mogę! Oddajmy to dziecko tam, skąd je wzięliśmy!

– To znaczy gdzie? Do zawszonego pokoju, w którym od tygodnia była sama? Julka, czy ty siebie słyszysz?

– Nie słyszę! Ogłuchłam od zawodzenia tego dziecka! – Dziewczyna rozpłakała się. – To się zaczęło po kąpieli! Chciałam ją nakarmić zupką ze słoiczka, nakupowałeś całe mnóstwo, a ona mówi: „Mamuś, ja chcę chrupki". „Jakie chrupki, Haniu?", pytam, bo skąd ja mam wiedzieć, co to dziecko jadało? A ona odpowiada: „Wiesz, mamuś, chrupki kółeczka".

Julia umilkła, gdzieś przy niej ciągle zawodziła dziewczynka.

Patryk słyszał, jak powtarza:

– Ja chcę do mamy! Gdzie moja mama?!

– No i? Kupiłaś jej te chrupki?

– Nie zdążyłam. Zaczęła płakać. Nie pójdę do sklepu z dzieckiem wyjącym i pytającym, gdzie jego mama, bo mnie aresztują!

– Przecież mówiła „mama" na ciebie.

– Ale odpowiedziałam, że nie jestem jej mamą, więc musi mi powiedzieć, jakie chrupki...

– Julia – wpadł jej w słowo – po co mówisz porzuconemu dziecku, że nie jesteś jego mamą?

– Bo nie jestem!

– I akurat teraz musisz małą uświadamiać? Czyś ty zgłupiała? Najpierw trzeba znaleźć jej matkę, potem oddać jej dziecko, a jeśli nie będzie to możliwe, to przed nami reszta życia, by Hania poznała prawdę, ale nie dzisiaj, do cholery! Chce cię nazywać matką, to niech cię tak nazywa, najwyżej was potem podmienimy...

– Kogo?!

– Ciebie z jej matką! – Patryk nagle się zorientował, że na szpitalnym korytarzu krzyczy do telefonu o podmianie matek. Już samo to, że podniósł na kogoś głos, było zdumiewające...

Opanował się, posyłając przepraszający uśmiech pacjentowi i jego rodzinie, odszedł i ściszonym głosem mówił dalej:

– Jula, ja zacząłem już poszukiwania, ty postaraj się dotrwać. Jeśli Hania mówi do ciebie „mamo", jeśli w to wierzy, nie zabraniaj jej tego. Przez to czuje się porzucona po raz drugi, a może sto drugi. Spróbujesz się przemóc, weźmiesz ją na ręce, przytulisz i zapewnisz, że jesteś jej mamą? Możesz to zrobić, jeśli nie dla Hani, to dla mnie?

Po drugiej stronie przez chwilę panowała cisza, przerywana łkaniem dziewczynki.

– Nie chcę okłamywać małego dziecka – odezwała się wreszcie Julia.

– Nie chcesz tego dziecka, bądźmy szczerzy. – Patryk zmusił się, by mówić spokojnie. – Ale ono ma na razie tylko ciebie. I mnie. Dopóki nie znajdziemy…

– Jest jeszcze inne wyjście.

– Nie oddamy Hani do sierocińca – uciął.

Coraz mniej podobała mu się ta rozmowa.

Jak Julia mogła poddać się po kilku zaledwie godzinach? Dziecko zaczęło płakać, więc je oddajemy? I mówi to dziewczyna, którą porzucono? Boga w sercu nie ma czy co?! Z tej strony Julii nie znał. Chyba w ogóle jej nie znał.

– Julia, jakoś dotrwamy do chwili, gdy dzieckiem będzie się mogła zająć Gabriela, okej? Ona na pewno sobie poradzi. Na razie mała musi odzyskać mamę. A skoro jesteś do niej bliźniaczo podobna i tobie Hanię powierzono, to tą mamą będziesz, czy tego chcesz czy nie.

– Nie możesz mi tego nakazać!

Patryk zacisnął palce na telefonie. No, teraz, człowieku, musisz wymyślić coś arcymądrego. Inaczej ją stracisz.

Mógł dać Julii wybór: albo zrobi to, co on jej każe, albo może oddać dziecko do sierocińca i już nie wracać, ale… nim zacznie dziewczynę szantażować, musi zrozumieć, dlaczego Julia, ta dobra, współczująca Julia, chce się tego dziecka pozbyć.

Być może nie była z Patrykiem do końca szczera, jeśli chodzi
o swoją rodzinę. Może wie, kto jej Hanię podrzucił, i po prostu
sobie tego nie życzy – to Patryk z trudem, ale by zrozumiał.
Wprawdzie jego wychował Wiktor, z którym nie łączyły Patryka żadne więzy krwi, ale Julię starałby się zrozumieć. Muszą
jednak spokojnie porozmawiać. Teraz nie jest to dobry czas na
rozmowy, Patryk musi być w szpitalu, gdzie leżą już nie dwie,
a trzy bliskie mu osoby, Julia jest potrzebna dziewczynce.

– Zrobisz, co uważasz za stosowne – odezwał się, nie wierząc, że to powiedział.

Płacz dziecka umilkł przed chwilą.

– Julia?

– Jestem, jestem – usłyszał szept dziewczyny. – Zasnęła.

Odetchnął. Przez moment myślał, że Julia zrobiła krzywdę
małej.

„Jak w ogóle mogłeś tak pomyśleć?! Oszalałeś?!" – wściekł
się na samego siebie. „Jeżeli nie masz do niej zaufania, nie ma
mowy o rodzinie, miłości, wspólnym życiu! Co się z tobą stało,
Patryku Prado?!"

– Jula… – zaczął miękko – przepraszam. Nie mam prawa
niczego ci nakazywać. Postaram się przyjechać do domu, gdy
tylko będzie wiadomo, co z Gabrielą. Dasz sobie radę do tego
czasu, prawda?

– Boże, zapomniałam o Gabrysi! Tak się przejęłam moim
nieszczęściem, że o całym świecie zapomniałam. O Majce,
o Marcinie…

– Jakim nieszczęściem, Jula? Ta dziewczynka może stać się
naszą największą radością. Daj jej szansę. Daj n a m szansę.

– No właśnie. Mam wrażenie, że tobie bardziej zależy na rodzinie, jakiejkolwiek, z kimkolwiek, niż na mnie. I jeszcze jedno, Patryk: mnie nikt takiej szansy nie dał.

Rozłączyła się, nim zdążył zebrać myśli i odpowiedzieć coś sensownego. Gdy odzyskał głos i zadzwonił, nie odebrała. Przysłała tylko esemesa: „Przepraszam. Palnęłam to bezmyślnie. Wstyd mi za własne słowa", ale Patryk wiedział, że powiedziała dokładnie to, co czuła i co myślała.

Poznał Julię na tyle, by wiedzieć, że jest szczera, prawdziwa. Nie kręci, nie bawi się w słowne gierki, nie mówi półprawd czy wygodnych kłamstw. A to znaczyło, że zazdrości małemu dziecku tego, czego sama nie dostała: domu, matki, ojca… Chociaż Patrykowi, zdaniem Julii, zależało nie tyle na niej i na Hani, co na rodzinie. Jakiejkolwiek.

„Jula, gdyby mi było wszystko jedno, miałbym żonę i dzieci od ładnych paru lat. Czekałem na Ciebie. I na Hanię. Nie odbieraj mi Was. Proszę" – odpisał i wysłał natychmiast, żeby się nie rozmyślić. Nigdy nie żebrał o miłość.

„Nie jestem warta ani Ciebie, ani Majki, ani Gabrieli" – przyszła odpowiedź.

Gdybyś wiedziała, że Majka wczoraj, umierając, powiedziała to samo – pomyślał. – Gdybyś wiedziała, ile ja razy czułem się niewart miłości Wiktora…

„Kocham Cię. Jeżeli Ty też mnie kochasz, nie odbieraj nam tej szansy" – poprosił raz jeszcze.

„Gdy Hania się obudzi, przytulę ją i powiem, że jestem jej mamą. Jeżeli nadal nas chcesz, będziemy rodziną, najszczęśliwszą na świecie" – piękniejszej odpowiedzi nie mógł sobie wymarzyć.

Uśmiechnął się, wysłał płynące z głębi serca: „Kocham Cię", i czując, jak wracają mu chęci do życia, ruszył ku sali, gdzie leżała Gabrysia. Braniewski właśnie stamtąd wychodził.

ROZDZIAŁ VII

Doktor obrzucił Patryka uważnym spojrzeniem. Młodszy z braci Prado wyglądał na jeszcze bardziej wykończonego niż kwadrans temu. I to nie brak snu odcisnął na jego twarzy piętno – Patryk miał trzydzieści dwa lata i niejedną noc pewnie zarwał – lecz przeżycia ostatniej doby. Brat bliźniak w stanie krytycznym, jego narzeczona bliska śmierci, Gabriela po wypadku tracąca przytomność i Wiktor, którego to wszystko w końcu złamało. Zbyt wiele… zbyt wiele jak na jednego człowieka, choćby tak ciężko przez los traktowanego jak ten młody mężczyzna.

– Usiądź, Patryś, ledwo trzymasz się na nogach. – Braniewski lekko pchnął młodego mężczyznę na krzesło i sam zajął drugie. – Kiedy będziesz mógł odpocząć?

Patryk wzruszył ramionami.

– Ważniejszy jest w tej chwili Wiktor. Nie ukradnę mu nawet minuty snu. Nie ma mowy. Wytrzymam.

– Tak. Masz rację. Wiktora trzeba oszczędzać, bo życie go nie oszczędzało – odparł cicho doktor. – Zbadałem Gabrysię, porozmawiałem z nią chwilę, przejrzałem wyniki badań i zleciłem na cito jeszcze jedno, dosyć proste. Surowicę w laboratorium mają, więc zajmie im to parę minut. Zaraz się tam przejdę.

– A tomografia? Wczoraj miała wypadek, może mieć... pan, doktorze, wie lepiej, co mogło spowodować utratę przytomności.

– Tak, mam pewne podejrzenie. Bądź cierpliwy, synku. Jeżeli się ono potwierdzi, zabiorę Gabrielę na Bielany, do mojego szpitala. Ciebie niedługo zmieni Jola. Przysłała esemesa, że utknęła w korku na Puławskiej, lecz lada moment powinna być.

Patryk odetchnął z głębi duszy. Bez słów uścisnął dłoń Braniewskiego.

– Nie wiem, co byśmy bez pana zrobili. Jeżeli mogę się jakoś odwdzięczyć...

– Chłopcze, wyjaśnialiśmy to sobie nie raz: uratowaliście życie Joli, a więc i moje, bo nie potrafiłbym bez niej żyć. To ja jestem dłużnikiem twoim i twoich braci, nie odwrotnie.

– Doktorze, to tylko pieniądze...

– „Tylko pieniądze”? To wasza praca, wyrzeczenia, zdrowie. Nie spadła wam ta forsa z nieba. Ciężko na nią harowaliście.

– Wiktor harował. Ja z Marcinem...

– Nigdy nie umniejszaj swojej roli. Dokonań Marcina także nie – przerwał mu surowo Braniewski. – Wiktor dawno by się poddał, gdyby nie wy. Uciekłby, trafił wcześniej czy później do sierocińca albo Kuchta zakatowałby go na śmierć. Byliście jedyną ostoją Wiktora. Teraz ma swoją Gabrielę, więc może przestanie kwoczyć wam i zajmie się nią.

– Pan też zauważył, że mój starszy brat jest nieco apodyktyczny? – Patryk musiał się uśmiechnąć.

– „Nieco"? To kawał dyktatora! Powinien urodzić się w czasach feudalnych, miałby kogo gnębić. Nie powtórzysz mu tego, mam nadzieję? Oczywiście żartuję!

Patryk pokręcił głową, nadal się uśmiechając. Wyobraził sobie Wiktora w roli pana, który szpicrutą smaga niepokornych chłopów i... chyba jednak zapożyczy żart od doktora Braniewskiego i uraczy brata tym porównaniem przy najbliższej sposobności. Ale się Wiktor wkurzy! W następnej chwili zacznie się dopytywać, czy rzeczywiście tak go odbierają. Ciemięzca. Dyktator. Super!

– Widzę, że wróciła ci chęć do życia. Skoro tak, to chodźmy do laboratorium. – Doktor klepnął Patryka w kolano i wstał.

Parę minut później odebrał wynik, rzucił okiem na szereg liczb i spojrzał na przyglądającego się kartce Patryka rozjaśnionymi oczami.

– Nie wiesz, co to jest? – zapytał. Patryk pokręcił głową. – To beta hCG, zwany także wskaźnikiem ciążowym. Tak, Patryś, twój starszy brat za jakieś siedem miesięcy zostanie ojcem! – Chwycił oniemiałego Patryka za ramiona. – Czyż to nie wspaniała wiadomość?! Mam nadzieję, że oboje, Wiktor i Gabriela, się z niej ucieszą – zaniepokoił się nagle.

– Ale… ale przecież… Gabrysia nie może mieć dzieci – wyjąkał Patryk. – Dostała dwie kule w brzuch, zabito jej synka.

– Och, macica bez problemu się zregenerowała. To bardzo rozciągliwy mięsień i dwie kule nie wyrządziły znaczących szkód. Nie wiem, skąd to przeświadczenie, że Gabriela nie może mieć więcej dzieci. Jak widać, może! I jestem pewien, że omdlenie spowodowała ciąża, a nie uszkodzenie mózgu. Będziemy musieli, wszyscy!, bardzo, ale to bardzo o Gabrielę teraz dbać – spoważniał.

– Przecież to zrozumiałe!

– Ma niemal czterdzieści lat.

– Ciąża może jej zagrażać? Oczywiście, że tak – odpowiedział sobie Patryk. – Znając Wiktora, natychmiast zapakuje Gabrysię do łóżka i nie pozwoli jej wstać aż do rozwiązania. Będzie ją karmił, poił, kąpał i przewi… nosił na rękach. Biedna kobieta!

Braniewski roześmiał się. Wiktor oszaleje ze szczęścia! Był tego pewien! O ile jest to jego dziecko…

– Jego, jego – odparł Patryk, gdy tylko wypowiedział tę wątpliwość na głos. – Oboje z Gabrielą świata poza sobą nie widzą. Nie wyobrażam sobie, by miała go z kimś zdradzać. Nie ona. Zaś co do dzieci, doktorze, ja chyba także zostanę ojcem.

– Co?! Patryk… ale jak… kiedy? Z kim?! Dlaczego nic mi nie powiedziałeś?!

– Dowiedziałem się przed paroma godzinami. Nadmienię, że dziecko ma jakieś cztery lata.

Tym razem to Braniewski oniemiał.

– Jakim cudem? Wpadłeś?

– Nie. Mojej narzeczonej ktoś podrzucił dziecko. Myślę, że nie tyle ktoś, ile jej siostra bliźniaczka, bo mała jest niesamowicie do Julii podobna. Mówi do niej „mamo".

– To dziewczynka?

– Tak. Hania.

– Wiesz, że to nie takie proste? – Doktor, widząc, z jakim blaskiem w oczach Patryk mówi o dziewczynce, musiał wylać mu na głowę kubeł zimnej wody. Nie chciał tego blasku gasić, ale też nie wolno robić komuś nadziei. – Nie możecie ot tak wziąć tego dziecka. Nawet jeśli zostało wam podrzucone, przejdziecie całą procedurę adopcyjną, o ile matka się znajdzie i zgodzi na adopcję.

– Ale to właśnie matka dziewczynki, bez pytania Julii o zgodę, obarczyła ją dzieckiem!

– Nie ma to żadnego znaczenia. Gdy przyjdzie co do czego, stawi się w sądzie, pokaja, obieca poprawę i sąd będzie musiał dać jej szansę. Nie przywiązuj się, Pat, do tego dziecka. Będziesz mniej cierpiał, gdy po nie przyjdą. – Doktor położył mu rękę na ramieniu i uścisnął.

Blask w niebieskich oczach zgasł. Twarz Patryka na powrót poszarzała.

– Jak zwykle ma pan rację. Postaram się nie pokochać Hani za bardzo.

– To, że macie z Julią czteroletnie dziecko, nie znaczy, że nie możecie mieć następnych. Bo pracujesz chyba nad tym?

Patryk zmieszał się.

– Nie miałem okazji – odparł, uciekając wzrokiem. Okazji miał co niemiara, tylko nie korzystał. – Jesteśmy razem od niedawna.

– Przepraszam, to było nietaktowne.

– Ależ...

– Drugie dziecko zmniejszy ból, gdybyście musieli oddać Hanię. Pomyśl nad tym, Patryk, a najlepiej od razu popracuj.

– Doktorze!

– No właśnie, jestem twoim lekarzem, więc kto, jak nie ja, ma prawo dawać ci takie rady? I nie bądź taki zażenowany! To samo życie! Chodź, przekażemy dobrą wiadomość Gabrysi, a potem...

Patryk nie dowiedział się, co potem, bo telefon rozdzwonił mu się w ręce.

– Patryk Prado? – usłyszał czyjeś słowa, ale to nie ton, jakim były wypowiedziane, podniósł mu włosy na karku, tylko wycie...?, zawodzenie...?, rozlegające się w tle.

– Tak, to ja.

– Jest pan pełnomocnikiem Majki Trojanowskiej?

– Jestem.

– Proszę natychmiast przyjść. Mamy problem.

– Będę za dwie minuty – rzucił Patryk już w biegu.

Jeżeli to Majka tak nieludzko zawodziła... Chryste! Co oni jej zrobili?!

Na korytarzu panowała nerwowa atmosfera, jak przy zatrzymaniu akcji serca. Z pokoju na końcu korytarza wypadła pielęgniarka. Miała lekki popłoch w oczach. Poznawszy Patryka, ponagliła go skinieniem ręki.

– Niech pan do niej idzie! Niech pan ją uspokoi!

Patryk wpadł do pokoju i stanął pośrodku jak wryty.

W rogu pod oknem, obejmując ramionami kolana, kuliła się Majka. Lekarz mówił coś do niej cicho, łagodnym głosem, ale przez skowyt wydobywający się z ust kobiety, jakieś nieludzkie, żałosne zawodzenie, nie było nic słychać. Na podłogę kapała krew, pielęgniarka próbowała zacisnąć gazik na wierzchu dłoni Majki, ale ta za każdym razem wyrywała rękę, zawodząc głośniej, bardziej rozpaczliwie.

Braniewski pchnął oniemiałego Patryka w jej kierunku. Dopiero to sprawiło, że młodszy mężczyzna otrząsnął się z szoku, uklęknął koło Majki, wyciągnął do niej ręce i… osłupiał ponownie. Dziewczyna wbiła w niego oszalałe spojrzenie. W bladej twarzy płonęły szeroko otwarte oczy. Źrenice były tak wielkie, że pochłonęły tęczówki. Wyglądały jak dwie czarne dziury. I, tak, był w nich obłęd.

– Majka… – wydusił z trudem. – Co się stało?! Co oni ci zrobili?!

– Sama to sobie zrobiła – odwarknął lekarz. – Wyrwała z żyły wenflon, zeszła z łóżka i zaczęła się ubierać. Dzień po operacji, którą ledwo przeżyła! Proszę ją uspokoić przynajmniej do czasu, gdy przyjdzie anestezjolog. Poda jej środek nasenny…

– Jeśli mam ją uspokoić, proszę wyjść. Ona się was boi!

Lekarz wyprostował się, skinął na pielęgniarkę. Po chwili w pokoju zostali Patryk z Majką i doktor Braniewski, stojący pod drzwiami.

– Majuś, kochana moja, już… spokojnie… nic ci nie grozi… – zaczął Patryk łagodnym tonem. Nie wiedział, czy może ją przytulić, nie wiedział, czy może ją choćby pogładzić po ramieniu. Dlatego mówił dalej: – Jesteś bezpieczna. Będę przy tobie. Nie zostawię cię nawet na chwilę. Tylko, Majeczko, uspokój się. Proszę… Miałaś operację. Ledwo ocalałaś. Marcin chciałby, żebyś spokojnie wróciła do łóżka…

Na słowo „Marcin" umilkła. W oczach pojawił się cień rozpoznania.

– Marcin nie może tu zostać – rzekła, nagle bardzo przytomna. – Słyszysz? Musisz go stąd zabrać. On nie może tu zostać!

– Dobrze, Maja, okej. Zabiorę Marcina – powiedział szybko, bo ostatnie słowa wykrzyczała. – Spokojnie. Zabiorę go. Ale ty musisz wrócić do łóżka. Chodź, wezmę cię na ręce…

Wyrwała się, gdy tylko spróbował ją podnieść.

– Obiecaj! Przyrzeknij, że zabierzesz stąd Marcina. I go ukryjesz tak, żeby t a m t e n go nie znalazł!

Na słowo „tamten", wypowiedziane z grozą i nienawiścią, Patryk poczuł lodowaty dreszcz spływający wzdłuż kręgosłupa. Przez oszołomiony umysł przemknęło podejrzenie, że Kuchta żyje. Upozorował samobójstwo – żaden z nich nie sprawdzał przecież, czy w trumnie rzeczywiście znajdują się zwłoki ojczyma – a teraz przyszedł tutaj, by po kolei ich wykończyć. Od Marcina zaczynając. Wydało się to Patrykowi tak oczywiste…

Co za absurd! Kuchta musiałby powiesić w parku na latarni kogo innego, podrzucić podrobione dokumenty…

A co to za problem dla tej bestii?

– Spokojnie, Patryk – usłyszał głos Braniewskiego. – Nie wiem, co się tu wydarzyło, nie wiem, kogo widziała ta dziewczyna, ale na pewno nie był to Kuchta. Nie chciałem wam tego mówić, lecz gdy tylko dowiedziałem się o śmierci tego bydlaka, sprawdziłem w kostnicy, czy to na pewno on. Na taki właśnie wypadek. On nie żyje, Patryk. Może pojawił się ktoś, kto wam zagraża, ale na pewno nie jest to Kuchta.

Patryk odetchnął głęboko. Spojrzał na swoje ręce. Drżały tak jak dłonie Majki.

– Kogo widziałaś, Majeczko? Kto cię tak przeraził? – zapytał cicho i pogładził ją po policzku.

Dziewczyna spojrzała gdzieś nad jego ramieniem. Obejrzał się. Drzwi były zamknięte. Oprócz nich w pokoju znajdował się tylko doktor Braniewski.

– Nikogo nie widziałam – odezwała się naraz Majka ostrym, nieswoim głosem. Zabrzmiała w nim taka sama panika jak przed chwilą. – Nic nie wiem! Nic nie pamiętam!

– Dobrze, Maja, okej…

– Nic nie powiem! Nic nie widziałam! – wykrzyczała to, a potem skuliła się i zaczęła zawodzić tak strasznie jak w momencie, gdy Patryk tu wpadł.

On cofnął się odruchowo, znów w szoku.

– Przytul ją! – nakazał Braniewski. – Obejmij i mocno przytul, nawet gdyby zaczęła się wyrywać!

Bez namysłu zrobił to, co doktor kazał.

Majka szarpnęła się z całych sił. Skowyt narastał. Braniewski odwrócił się na pięcie i wypadł z pokoju. Patryk, pozostawiony sam sobie, próbował uspokajać dziewczynę, ale jego słowa nie docierały do pogrążonego w obłędnym przerażeniu umyśle. Gdy próbował wziąć ją na ręce, wgryzła się w jego dłoń z całej siły. Krzyknął. Rzucił się w tył. Ból był oślepiający. Do oczu napłynęły mu łzy. Na usta cisnęło się przekleństwo. Majka cofnęła się w kąt pod oknem i zawodziła, patrząc na Patryka w takim przerażeniu, jakby to on chciał skrzywdzić i Marcina, i ją.

– Maja… – odezwał się przez zaciśnięte z bólu zęby. – Nic ci tu nie grozi. Jesteśmy tylko we dwoje, a ja przecież… Jeśli chcesz, zaniosę cię do Marcina. Przekonasz się, że spokojnie śpi. Tylko błagam, uspokój się.

Skowyt przycichł, ale nie ustał.

Drzwi pokoju uchyliły się. Doktor Braniewski podszedł do nich i zanim Majka zdążyła go odtrącić, wbił igłę w jej udo, wstrzyknął lek i cofnął się, w ostatniej chwili unikając paznokci dziewczyny. Skuliła się za to jeszcze bardziej i zaczęła kołysać to w tył, to w przód.

– Chyba jej pan tym nie pomógł – odezwał się półgłosem Patryk.

– Zaraz zacznie działać. Anestezjolog jest na sali operacyjnej. Nie mogłem czekać, aż odejdzie od stołu. Taki stan – wskazał dziewczynę – może mieć bardzo poważne następstwa. Co ci się…? Pokaż rękę.

Braniewski postawił Patryka do pionu i przyjrzał się jego dłoni, która powoli zaczynała sinieć.

– Cholera – mruknął. – Nieźle cię załatwiła. Musisz przyłożyć coś zimnego, bo będzie bolało.

– Już boli – rzucił Patryk, próbując oswobodzić rękę.

– Będzie bardziej, wierz mi. Przejdź do dyżurki pielęgniarek, poproś…

– Nigdzie nie pójdę. Nie zostawię Majki samej nawet na sekundę.

– Będę tu przecież.

– Ona nie odróżnia przyjaciela do wroga. Oszalała z przerażenia.

Braniewski spojrzał na dziewczynę, która powoli zaczynała cichnąć. Jeszcze walczyła z lekiem, który zaczął spowijać jej umysł w czerń, ale wiadomo było, że przegrała tę walkę.

– Obawiam się, że to dopiero początek – odezwał się.

Patryk jęknął w duchu.

– Chcą twojej zgody na jej unieruchomienie.

– To znaczy?

– Trzeba przywiązać Majkę do łóżka, żeby nie zrobiła sobie krzywdy.

– Nie ma mowy – powoli, ale dobitnie odparł Patryk. – Jeśli będzie trzeba, zamieszkam tu, w tym pokoju, ale nie pozwolę na żadne wiązanie.

– Patryk, wiem, że brzmi to paskudnie…

– Nie tylko brzmi.

– Z tego, co się zorientowałem, Majka próbowała uciec. Wyrwała sobie wenflon, odpięła czujnik pulsoksymetru, zanim pielęgniarka zdążyła zareagować, była przy drzwiach, gotowa wyjść i… no właśnie. Dokąd i po co?

– Ratować Marcina. Powiedziała to bardzo wyraźnie.

Patryk podszedł do Majki, uniósł lejącą się przez ręce dziewczynę i delikatnie położył na łóżku. Gdy okrywał ją kołdrą, uniosła powieki, zogniskowała na nim spojrzenie i z trudem wyszeptała:

– Przepraszam… przepraszam, że cię ugryzłam… nie chciałam… Idź do Marcina, musisz go stąd… – ucichła. Zapadła
w narkotyczny sen.

Pielęgniarka, która pojawiła się znikąd, odsunęła Patryka
od łóżka gestem nieznoszącym sprzeciwu.

– Musimy jeszcze raz podłączyć pacjentkę do kroplówki –
odezwała się chłodnym tonem, jakby to Patryk był wszystkiemu winien.

Rozumiał tę kobietę. Sam pewnie byłby wściekły na kogoś,
kto w szale próbował uciec ze szpitala, lecz do Majki nie żywił
najmniejszej pretensji, mimo że dłoń bolała coraz bardziej.

– Proszę wyjść na czas zabiegu – rzuciła przez ramię pielęgniarka.

Już miał odpowiedzieć, że nie ruszy się na krok, gdy poczuł
rękę Braniewskiego na ramieniu.

– Chodź, Patryk, poczekamy na korytarzu.

Chcąc nie chcąc, ruszył za doktorem.

Gdy wyszedł na korytarz, poczuł, jak uginają się pod nim
nogi. Usiadł ciężko na najbliższym krześle. Zamknął powieki.

– Jola zaraz będzie – usłyszał głos doktora, skinął głową. –
Przyniosę ci wody, bo zbladłeś tak, jakbyś miał zemdleć.

– Nic mi nie będzie.

– Nie. Oczywiście, że nie.

Kroki doktora zaczęły się oddalać…

Patryk pewnie by zasnął choć na parę minut, gdyby nie dłoń,
która zaczęła pulsować trudnym do zniesienia bólem. Łzy ponownie napłynęły mu do oczu. Nie znosił tych łez.

ROZDZIAŁ VIII

Za każdy razem, gdy słuchali stłumionych jęków katowanego Wiktora i widzieli krople jego krwi rozbryzgujące się na podłodze i ścianach, Patryk zaczynał bezradnie płakać. I nienawidził tego. Tłumionego własną dłonią szlochu i łez kapiących na głowę Wiktora, gdy próbował go po wszystkim ocucić. Nienawidził.

Chciał być twardy jak Marcin, który nieruchomiał, drżąc lekko na całym ciele, w jednej ręce ściskając rąbek piżamy Patryka, drugą zatykając usta, by Tamten nie słyszał szczękania zębami. Marcin wydawał się wtedy bratu wzorem prawdziwego mężczyzny. Nie to, co on, zapłakany, zasmarkany szczeniak, który potrafi jedynie kulić się pod łóżkiem.

Wprawdzie Marcin kilka razy zemdlał z przerażenia, gdy Kuchta chwytał go za przód piżamy, unosił i potrząsał niczym szmacianą lalką, ale któż by to wytrzymał? Tak, przez długie lata Patryk zazdrościł bliźniakowi zimnej krwi. Czasami bał się pustych czarnych dziur, w które zmieniały się oczy małego Marcina, ale bardziej przerażał go Kuchta.

Nie mógł wiedzieć, że Marcin nie jest odważniejszy od niego. Może i był tutaj ciałem, nieruchomym, czasem wstrząsanym dreszczami, ale duch chłopca uciekał do miejsca, gdzie nie ma świstu pasa i krzyków katowanego brata. Dopiero gdy kończyło się bicie, Marcin wracał do siebie. Trzeba było przecież ratować Wiktora.

Patryk – w swoim mniemaniu – potrafił tylko mazać się jak baba. I wstydził się tych łez.

Nikt nie wytłumaczył chłopcu, że ma do nich prawo. Że tak naprawdę on radzi sobie lepiej niż bliski obłędu Marcin, który nie tyle zachowywał zimną krew, co ratował się ucieczką w nieświadomość. Ale któż mógł wyjaśnić to kilkuletniemu dziecku?

Potem nadszedł czas spokoju i ciężkiej pracy.

Nie na siły ośmiolatków było prowadzenie domu, choćby nie wiem jak skromnego, i jednocześnie uczenie się na stopnie tak dobre, jak tego wymagał Wiktor. Patryk zrywał się o świcie, przygotowywał starszemu bratu śniadanie, budził go i padał z powrotem na łóżko, gdy tylko za Wiktorem zamknęły się drzwi.

O siódmej wstawał ponownie, półprzytomny ze zmęczenia – a był dopiero ranek – wlókł się do kuchni, podtykał Marcinowi mizerne kanapki, sam zjadał bez apetytu to, co wpadło mu w rękę, i wychodzili razem do szkoły. Tu załapywali się na ciepłe, tanie obiady, które co miesiąc opłacał Wiktor. Gdy Marcin grymasił albo odsuwał talerz z niedojedzonymi resztkami,

Patryk cichym, ale wściekłym sykiem zmuszał bliźniaka do skończenia posiłku. Gdy Marcin próbował go zlekceważyć, rzucał słowo „Wiktor" i to wystarczyło.

Po lekcjach szli do świetlicy, by odrobić pracę domową czy po prostu posiedzieć w ciepłym, suchym pomieszczeniu, tak innym od ich ciemnej nory, która bez względu na temperaturę za oknem zawsze była zimna i ponura.

Wychodzili ostatni. Marcin zwalniał z każdym krokiem, jaki zbliżał ich do domu. Tu zawsze czekało na niego a to ścielenie łóżek, a to odkurzanie, a to sterta brudnych ubrań poniewierających się w łazience. Sprzątał, czasem ponaglany słowem „Wiktor", mamrocząc pod nosem brzydkie słowa, podczas gdy Patryk biedził się nad obiadem. Ile razy się przy tym poparzył…!

Gdy Wiktor wracał do domu – w pierwszych miesiącach słaniając się ze zmęczenia, zanim zmężniał i przywykł do ciężkiej roboty – nie miał dla braci dobrego słowa. Nie chwalił ich, nie doceniał obiadu Patryka i porządku zaprowadzonego przez Marcina. Siadał przy stole i – czekając na posiłek – słuchał sprawozdania z minionego dnia. Przy czym interesowały go jedynie oceny chłopców. Na nic więcej nie miał sił. Zjadał to, co mu podsunął Patryk, szedł do łazienki, po szybkim prysznicu, przeważnie w zimnej wodzie, bo stara terma nie nadążała z podgrzewaniem, padał na łóżko i… tak dzień się kończył.

Jeszcze Marcin miał chwilę dla siebie, mógł się pobawić samochodzikami czy poczytać książkę, ale Patryk przed snem musiał zmyć naczynia. W zimnej wodzie. Wsuwał się pod kołdrę tak samo zmęczony i nieszczęśliwy jak starszy brat.

Zanim zapadł w ciężki sen, który nie przynosił ukojenia, walczył ze łzami. Czasem w nocy budziło go własne łkanie. Nienawidził tego.

Chudy, wymizerowany, był cieniem Marcina. Podobnym jak dwie krople wody, lecz zaledwie cieniem. Zbyt długie włosy, które Wiktor przycinał co jakiś czas, wpadały mu do oczu. Ubranie, kupowane na chybił trafił, wisiało na szczupłym ciele jak na wieszaku. Był milczący i nieprzystępny. Rzadko się uśmiechał. I jak rówieśnicy przepadali za towarzyskim, rozgadanym Marcinem, tak omijali jego brata. Nie lubiano go, a Patryk boleśnie zdawał sobie z tego sprawę. Jak każde dziecko pragnął akceptacji i dobrego słowa. Nie dostawał ich ani w szkole, ani w domu. Nauczyciele faworyzowali Marcina, Wiktor nie uznawał tanich pochlebstw. Raz na długi czas rzucał bratu: „To było niezłe", jako komentarz do przygotowanego ogromnym wysiłkiem obiadu i to musiało Patrykowi wystarczyć.

Marcin częściej doczekiwał się pochwał. Uczył się gorzej, więc każda piątka nagradzana była dobrym słowem, a z czasem drobnymi pieniędzmi. W mieszkaniu panował względny porządek, wszyscy trzej mieli na sobie czyste ciuchy, to wszystko, czego Wiktor od Marcina wymagał. Patryk zaś nieodmiennie stawiał przed starszym bratem obiad, który z trudem można było nazwać jadalnym, a już na pewno nie zasługiwał na pochwałę. To bolało małego Patryka. Mijały lata. W codziennym życiu braci Prado nie zmieniało się nic. Harówka od poniedziałku do soboty. Łapanie snu i oddechu w niedzielę. Tydzień po tygodniu, miesiąc po miesiącu, rok po roku…

Trzynastoletni Patryk dotarł po lekcjach do domu wściekły na cały świat. Przez pół godziny prośbą i groźbą próbował zmusić Marcina, by wrócili razem. W norze czekało na rozwieszenie pranie, gnijące powoli w miednicy. Przepocona pościel domagała się zmiany od ładnych paru dni. Mieszkanie było coraz bardziej zapuszczone. Jeszcze chwila, a Wiktor zwróci na to uwagę i... zrobi się nieprzyjemnie.

Patryk nie znosił podniesionego głosu starszego brata, od razu powracał koszmar sprzed lat, Kuchta, chwytający za pejcz albo kabel, przekleństwa, jęki katowanego Wiktora i krew na rękach. Od razu chciał się chować w najczarniejszą dziurę, gdzie krzyków i jęków nie będzie...

Sam nigdy gniewu brata nie sprowokował. Z obowiązków domowych i szkolnych wywiązywał się bez zarzutu, lecz jego bliźniak czasem przeginał. Wiktor wpadał w złość. Nigdy nie podniósł ręki na młodszych braci i może dlatego Marcin pozwalał sobie na coraz więcej.

Tego dnia Patryk najpierw przypalił głupią ziemniaczaną zapiekankę – piekarnik znów nie dał się porządnie wyregulować i potrawa na wierzchu była półsurowa, a spód miała czarny, więc wszystko, z takim trudem upichcone, musiał wyrzucić. Potem chwycił zbyt gorący garnek, upuścił go, zupa rozbryznęła się po podłodze, poparzone dłonie zapiekły boleśnie. Już wtedy, ścierając breję, Patryk był bliski łez. Wszedł do łazienki, by potrzymać ręce pod zimną wodą, kopnął niechcący miskę z praniem i przykry zapach ubrań, leżących zbyt długo w wilgoci, rozniósł się po małym pomieszczeniu. Nie mogły czekać na rozwieszenie ani chwili dłużej.

Patryk zacisnął zęby z bólu i frustracji. Marcin powinien być teraz w domu i zajmować się swoimi obowiązkami! Między innymi cholernym praniem!

Ale Marcin się nie spieszył do roboty. Kumple już zaczynali z niego podrwiwać, że robi za gosposię. Do domu pofatygował się dopiero dwa kwadranse przed godziną, o której wracał Wiktor. Gdy tylko zamknął za sobą drzwi, naskoczył nań Patryk:

– Miałeś powiesić pranie! W łazience jest chlew, w pokoju jest chlew, a ty...

– Zamknij się, Pat.

– Rozwiesiłem te śmierdzące ciuchy za ciebie!

– Nie musiałeś, cholerny samarytaninie.

– Wiktor...

– On by też nie musiał.

– Każdy ma swoje obowiązki...

– Pieprzę je. Nie jestem durnym niewolnikiem. Ani Wiktora, ani twoim – odgryzł się Marcin, coraz bardziej wkurzony. I niespokojny.

Patryk rzadko skakał mu do oczu. Zwykle gotował te swoje niejadalne breje, potem sprzątał to, co powinien sprzątnąć Marcin, rzucał bratu – gdy ten pojawiał się łaskawie w domu – pełne potępienia spojrzenie i na tym się kończyło. Zwykle, ale nie dzisiaj.

Przyjrzał się Patrykowi uważniej.

– Co ci się stało w ręce? – rzucił bez zainteresowania.

– Nic. Pranie...

– Pieprzyć to! Ja twoich szmat prał więcej nie będę. No i czego się mażesz? – skrzywił się, widząc łzy, które rozbłysły w oczach Patryka. – Znów będziesz ryczał? Jeeezu, jak ja tego nie cierpię! Już mi kumple za ciebie przygadują, pieprzona panienko!

Patryk oniemiał. Na sekundę. W następnej przyskoczył do brata i jak mu nie przywali z pięści w twarz! Marcin krzyknął i zalał się krwią. Odgiął głowę do tyłu. Chwycił ścierkę i przytknął do rozbitego nosa.

– Do łazienki… Zaprowadź mnie do łazienki! – wyciągnął rękę do Patryka.

Ten, czując narastające przerażenie, chwycił tę rękę. Po chwili moczył ręcznik w lodowatej wodzie i przykładał bratu do twarzy. Nos i policzek zaczęły puchnąć. Patryk naprawdę potrafił uderzyć. Patrzył na swoje dzieło, z trudem łapiąc oddech. Wiktor go zabije…!

– Wiktor… – wyszeptał Marcin, przełykając spływającą do gardła krew. – Proszę, Pat, nie mów nic Wiktorowi. On mnie… Nie mów mu nic, dobrze? Obiecuję, że nigdy nie będziesz musiał za mnie sprzątać, tylko…

– Jak chcesz to przed nim ukryć?!

– Powiem… powiem, że ktoś ze szkoły mi przywalił, tylko… proszę… Pat…

Nie zauważyli, jak Wiktor wszedł do domu i stanął w drzwiach łazienki. Ogarnął spojrzeniem Marcina, siedzącego na brzegu wanny, Patryka, który przykładał mu do twarzy zakrwawiony ręcznik, i…

– Kto ci to zrobił? – rzucił ostrym głosem.

Marcin gwałtownie cofnął głowę. Patryk upuścił ręcznik. W łazience na parę chwil zapadła nieznośna cisza.

– Kol-kolega – zająknął się ten pierwszy. – Ze szkoły.

– Dlaczego?

– N-nie wiem.

– Nie wiesz, z jakiego powodu ktoś ci rozbił nos? Wstań i spójrz na mnie!

Marcin przyłożył dłoń do nosa i podniósł się powoli, czując, jak drżą pod nim nogi. Oczy starszego brata były zimne. Mrużył je lekko, jak zawsze, gdy ktoś doprowadził go do wściekłości. Teraz wbijał to swoje wilcze spojrzenie w Marcina.

– Wyś-wyśmiewali się z Patryka. Powiedziałem, żeby tego nie robili, ale oni… więc ja…

Wiktor był zbyt bystry, by nie zauważyć zaskoczonego spojrzenia, jakie Patryk posłał bratu. Trwało ułamek sekundy, ale wystarczyło, by obrócić całą historyjkę w kłamstwo.

– Ty, Marcin, doprowadzisz się do porządku, ja chcę usłyszeć, co się tak naprawdę wydarzyło, od ciebie, Patryk – rzucił i już miał wyjść, gdy coś jeszcze przykuło jego uwagę.

Patryk schylił się po ręcznik, chwycił go i z trudem stłumił jęk. Wiktor złapał brata za nadgarstki, wykręcił mu dłonie ku górze i przez chwilę przyglądał się czerwonej, pokrytej pęcherzami skórze.

– Ja pieprzę – syknął, puszczając ręce Patryka. – A tobie co się stało?

– Op… oparzyłem się – wykrztusił, walcząc ze łzami. Ból i strach stawały się nie do zniesienia.

– Chodź do kuchni. Posmaruję ci to jakąś maścią.

Patryk posłusznie ruszył za starszym bratem.

– Dlaczego Marcin musi ciebie bronić? – zaczął Wiktor, zadziwiająco delikatnie kładąc maść na wnętrze dłoni Patryka. – Ktoś ci dokucza?

Patryk zdobył się jedynie na skinienie głową.

– To normalne. Dzieciaki zawsze znajdą kogoś, komu mogą podokuczać. Prosiłem, żebyście nie zwracali na to uwagi.

– Nie zwracamy – odszepnął Patryk.

– Wiesz, co się stanie, gdy zainteresuje się tym ktoś z nauczycieli albo dyrektor? Macie po trzynaście lat. Nadal mogą mi was odebrać. Tego chcesz?

– Nie chcę! – W głosie Patryka zabrzmiała rozpacz. – Ja naprawdę…

– Marcin – przerwał mu Wiktor, patrząc na drugiego bliźniaka, który stanął w drzwiach kuchni – a może tobie znudziło się to mieszkanie? Chcesz trafić do miejsca, gdzie nie musiałbyś prać moich gaci i ścielić po mnie łóżka?

„Więc jednak zauważył!" – przemknęło Marcinowi przez spanikowany umysł.

– Nie chcę. Naprawdę nie chcę. Lubię sprzątać.

Znów zdumione spojrzenie Patryka. Zrozumienie w oczach Wiktora i… znużenie, niemal rezygnacja, które w następnym momencie odmalowały się w jego spojrzeniu.

Puścił ręce Patryka.

– Porozmawiamy o tym w niedzielę. Dzisiaj nie mam siły się z wami użerać – rzekł, minął obu bliźniaków i zamknął się w łazience.

Odprowadzili go wzrokiem. Spojrzeli na siebie. Bez słowa. Do rozmowy doszło jednak nie w weekend, a znacznie szybciej. Prawdę mówiąc, nazajutrz.

Patryk jak zwykle wrócił ze szkoły, przebrał się w dres i zajął przygotowywaniem obiadu, chociaż ręce bolały go jeszcze bardziej niż wczoraj. Uznał jednak, że do takiego bólu można przywyknąć. Byle Wiktor nie oddał jego i Marcina do sierocińca. Upichci coś prostego, ogarnie dom, bo obietnice Marcina nie wytrzymały jednego dnia, i…

…i wtedy drzwi otworzyły się. Wiktor jak gdyby nigdy nic wszedł do środka, położył plecak na komodzie w przedpokoju i rzucił na widok oniemiałego Patryka:

– Gdzie Marcin?

Patryk rozejrzał się w popłochu, jakby bliźniak miał się bawić w chowanego.

– N-nie wiem – wyjąkał.

– Oczywiście, że wiesz, Pat. Zdradzisz mi waszą tajemnicę czy zmusisz mnie, bym sam znalazł twojego brata? – Wiktor stanął przed chłopcem z całą potęgą swoich dwudziestu jeden lat i szerokich, umięśnionych ramion.

Twarz miał pochmurną. Usta zaciśnięte. Mierzył trzynastolatka zimnym spojrzeniem czarnych oczu, pod którym drobny, chudy Patryk musiał się skulić. Już Wiktor myślał, że tym brata złamie, że zmusi go, by wyśpiewał, gdzie i z kim się jego brat szlaja, gdy... nie docenił Patryka. Ten odwrócił się naraz, skoczył do drzwi, błyskawicznie chwycił buty i kurtkę i – zanim Wiktor otrząsnął się ze zdumienia na tyle, by go zatrzymać – zniknął.

Wrócił kwadrans później, wpychając do domu pełnego skruchy i niepokoju Marcina.

Stanęli przed Wiktorem obydwaj. Gotowi ramię w ramię znieść gniew starszego brata, ale on... przez dłuższą chwilę przyglądał się Marcinowi. Sińcom na policzku. Spuchniętemu nosowi. I rzucił nagle:

– Od kiedy palisz?

Obaj – Marcin z Patrykiem – wstrzymali oddech. W następnej chwili ten drugi wbił wzrok w podłogę. Strzał był celny, chociaż Marcin patrzył Wiktorowi prosto w twarz.

– Haruję ciężko od pięciu lat, żeby niczego wam nie brakowało – zaczął Wiktor. – A ty te pieniądze puszczasz z dymem. – Jego głos był cichy. Spokojny. Lecz nabrzmiały takim żalem i rozczarowaniem, że... Marcin nie był w stanie znieść ani tego głosu, ani spojrzenia. Spuścił oczy. Przygryzł wargę.

– Nie wymagam od ciebie Bóg wie czego. Masz się tylko uczyć i nie sprawiać problemów – mówił dalej Wiktor.

– I jeszcze sprzątać! – odwarknął mimowolnie.

– Marcin! – jęknął Patryk.

– Chyba nie myślisz, że ja albo Patryk będziemy sprzątać za ciebie? – zapytał Wiktor.

Był już nie tylko rozczarowany młodszym bratem. Przybranym bratem, z czego ten doskonale zdawał sobie sprawę.

Do rozczarowania doszła pogarda. A tego Marcin nie potrafił znieść. Nie chciał, naprawdę nie chciał, by Wiktor, jego niedościgniony wzór, nim gardził! I jeszcze ten żal w oczach brata.

„Jak możesz mi to robić?" – pytał bez słów. „Po tym, co przeszedłem… Jak możesz dodawać mi jeszcze takich zmartwień? Od pięciu lat zaharowuję się na śmierć, by wyżywić i ubrać dwóch właściwie obcych szczeniaków, zamiast pozbyć się ich w cholerę, a ty?"

– Przepraszam… – wyszeptał Marcin głosem nabrzmiałym łzami. – Ja już nigdy… nigdy… – urwał, żeby się nie rozpłakać. Jak dziecko. Jak… Patryk. – To przez niego! – krzyknął, wskazując brata. – On mazał się jak baba, bo musiał…

Patryk poderwał głowę, blednąc gwałtownie. Posłał Marcinowi pełne niedowierzania spojrzenie.

– Co musiał? – ton Wiktora nie zmienił się ani na jotę.

Szkoda, bo gdyby zadał to pytanie nieco ostrzej, Marcin zdołałby się opamiętać i umilkłby.

Ale chłopaka poniosło.

– Ciągle za mną łazi i mendzi: „Zrób to, zrób tamto"! A ja mam dosyć! Mam po dziurki w nosie tej chałupy! I sprzątaniem po was też rzygam!

– Marcin! – usłyszał powtórny jęk Patryka, co wkurzyło go jeszcze bardziej.

– Tego też nienawidzę! Tych twoich jęków! „Marcin! Marcin!" Gdybyś zamiast jęczeć, wziął się do roboty, nie byłoby… – nie dokończył, bo Wiktor chwycił go pełną garścią za bluzę na piersiach, uniósł i wbił plecami w ścianę.

Był tak samo blady jak Patryk, tylko z furii. Ręka trzymająca Marcina drżała lekko. Nie dlatego, że trzynastolatek był za ciężki. Bynajmniej. Wiktor z trudem powstrzymywał się, by nie cisnąć gówniarzem o podłogę, nie chwycić pasa, nie wpieprzyć niewdzięcznemu, podłemu bachorowi tak, jak na to zasługuje.

Poczuł dotyk ręki na ramieniu. Usłyszał cichy głos Patryka:

– Wikuś, puść go. On nie wie, co plecie.

Patryk… cichy, potulny, lękliwy… Ten Patryk, który w obronie brata, mając zaledwie pięć lat, stanął przed Kuchtą, przerażającym do obłędu Kuchtą…

Furia opadła. Wiktor rozwarł palce. Marcin osunął się po ścianie i stanął na uginających się nogach.

– Przepraszam – wyszeptał.

– Jest za co – odparł Wiktor. – Dostajesz pierwsze i ostatnie ostrzeżenie. Drugiego nie będzie. Jeszcze raz rzucisz pod tym dachem obelgą albo łgarstwem i możesz się pakować. Siebie i Patryka, bo on pewnie nie zostawi cię samego, chociaż za to, co mu wyciąłeś, miałby prawo. Brzydzę się tobą, szczeniaku. Zejdź mi z oczu.

Wiktor odwrócił się i ruszył do łazienki, zamykając za sobą drzwi z taką pasją, że omal nie wyleciały z futryny.

Patryk chciał coś powiedzieć, jednak Marcin powtórzył szeptem: „Przepraszam", i zaszył się w swoim kącie.

Nigdy więcej nie sprawił zawodu. Ale jego słowa: „Mażesz się jak panienka", wyryły się w umyśle Patryka na resztę życia.

Nienawidził swoich łez. I wtedy, i dzisiaj.

ROZDZIAŁ IX

Poczuł na skroni miękki dotyk ust. Usłyszał cichy, ciepły głos Joli Braniewskiej.

— Już jestem, kochanie.

Zamrugał, przepędzając z oczu wilgoć. Ciemna nora na Domaniewskiej zniknęła. Niechciane wspomnienia ustąpiły miejsca rzeczywistości. Na szczęście nie był w niej pozostawiony samemu sobie. Miał przyjaciół.

Uśmiechnął się do kobiety, ujął jej dłoń i ucałował. Ktoś, kto Joli nie znał, powiedziałby, że jest przeciętnej urody, ot, zwykła szara mysz po pięćdziesiątce. Jednak ci, którzy mieli szczęście ją poznać, uważali, że jest piękna, po prostu piękna, taki bił od niej blask dobroci i szczerości serca. Nawet w najczarniejszej godzinie, gdy usłyszała straszną diagnozę, nie przestała się uśmiechać, byle tylko Janek nie poznał, jak jest przerażona. Jaka rozpacz nią owładnęła.

Uśmiechała się, mdlejąc po chemii, uśmiechała, tracąc włosy po chemii, uśmiechała, chociaż przez łzy, gdy lekarze rozłożyli bezradnie ręce, mówiąc, że nic więcej nie mogą zrobić. Trzeba liczyć na cud. I cud dla tej prawdziwie dobrej kobiety nastąpił: dzięki Wiktorowi Jola powróciła do zdrowia. Teraz mogła pomóc jego najbliższym.

– Nie chciałam cię budzić… – zaczęła.

– Nie spałem!

– Spałeś, Patryczku. – Spojrzała na młodego mężczyznę z matczyną czułością. – Wprawdzie tylko kwadrans, ale spałeś. Piętnaście minut kradzionego snu to i tak więcej niż nic. Nie chciałam cię budzić, zajrzałam do Marcina, potem do Mai, na końcu do Gabrysi, żeby się upewnić, czy wszystko w porządku. Janek musiał wracać do szpitala, ale ja z wami zostanę. Opowiedział mi w skrócie, co się wydarzyło, więc wiem, czego możemy się spodziewać.

– Czego? – podchwycił. On także chciał wiedzieć, co ich czeka w ciągu najbliższych godzin.

– Och… – Jola umilkła na moment, dobierając słowa. – Janek obawia się, że u Mai wystąpił zespół stresu pourazowego. Mówi ci to coś?

– Mówi – mruknął Patryk. Swego czasu zgłębiał temat, mając w pamięci własne traumatyczne przeżycia w dzieciństwie. – Myślałem jednak, że pierwsze objawy występują po paru tygodniach, miesiącach, a nawet latach.

– No właśnie, Janka tak szybka reakcja Mai trochę zaniepokoiła. Prosił, żebym ci przekazała parę informacji: na pewno trzeba Maję skonsultować z psychiatrą, Janek jeszcze dzisiaj się tym zajmie, zanim jednak specjalista coś ustali, zaproponuje terapię czy wprowadzi leki, nie wolno zostawiać jej samej.

– To oczywiste. Będę przy niej.

– Mogłabym cię zastąpić na parę godzin, żebyś odpoczął, ale Maja za każdym razem, gdy się obudzi, musi mieć przy sobie kogoś, komu ufa. Marcin sam jest w ciężkim stanie, Gabrysia też nie czuje się najlepiej, zostaliście wy dwaj: Wiktor i ty. Widząc ciebie śpiącego na siedząco, poprosiłam Janka, żeby dzwonił po Wiktora…

– Wiktor śpi. Nie zgadzam się, by go budzić. Dam radę…

– To samo powiedział Janek: ty jeszcze trochę wytrzymasz, a Wiktora, ze względu na jego serce, musimy oszczędzać.

Patryk aż wstał.

– Słucham? – odezwał się, patrząc z góry na drobną kobietę.

– Och…! – Jola przytknęła dłoń do ust. – Chyba się wygadałam… Nic nie wiesz? Nie powiedział ci?

– Kto? Czego mi nie powiedział? I o co chodzi z sercem Wiktora? – Patryk starał się, by jego głos brzmiał spokojnie, ale wewnątrz czuł, jak rozpada się na kawałki.

– Myślałam, że jednak wam powie, tobie i Marcinowi… – zmartwiła się Jola. – Parę miesięcy temu Wiktor przyszedł do nas i poprosił Janka o tabletki nasercowe. Janek oczywiście niczego mu bez badań nie przepisał. No i widzisz, Patryczku, twój starszy brat ma nieco osłabione serce. Musimy się o niego troszczyć.

– Co to znaczy „nieco osłabione"?! – Patryk niemal krzyczał. – Gdyby Wiktor miał serce „nieco osłabione", nie zawracałby głowy sobie, a tym bardziej doktorowi! Znam swojego brata na tyle, by... – Właśnie. Nie znasz go jednak aż tak dobrze, skoro potrafił ukryć kłopoty z sercem.

– Porozmawiaj z nim. – W głosie Joli zabrzmiało błaganie. – Bardzo nieładnie z mojej strony, że zdradziłam nie swój sekret, ale... przyznam, że nie żałuję. Powinniście o tym wiedzieć.

– Jasne, że powinniśmy! O ile Wiktor raczyłby nas poinformować!

– Wiesz, jaki on jest...

Taaak, Patryk doskonale wiedział. Ostatnim, o czym Wiktor powiedziałby braciom, było chore serce.

– Jak poważne jest to „osłabienie"? – zapytał normalnym tonem.

Cóż... krzyk tu nie pomoże. Los po raz kolejny ich doświadcza. Nie pozostaje nic innego, jak nauczyć się żyć także z chorym sercem Wiktora. Od dziś Patryk będzie obdarzał brata szczególną uwagą, co Wiktora będzie zapewne wkurzać.

„I dobrze ci tak, draniu. Za to, że nie pisnąłeś słowa ani mnie, ani Marcinowi, będziemy cię traktować jak ciężko chorego. Dobrze ci tak!" – pomyślał Patryk.

– Nie wiem dokładnie, synku – odparła Jola. Lubiła zwracać się w ten sposób do Patryka i Marcina. – Janek powiedział mi tylko tyle: Wiktor ma osłabione serce. Musi je oszczędzać. Oczywiście nie dopytywałam o więcej.

– Ja zrobię to na pewno.

– Och... Wiktor będzie na mnie zły – zmartwiła się Jola. – Prosił o dochowanie tajemnicy.

– Gdybyśmy nadal nic nie wiedzieli, a ten głupek straciłby przytomność, próbowałbym go ocucić, zamiast wezwać pogotowie reanimacyjne, i być może bym go tym zabił. Dobrze pani zrobiła, mówiąc mi o tym. Otoczymy Wiktora szczególną troską. Niech się wkurza do woli...

– Ale jemu nie wolno się denerwować!

– Proszę to powiedzieć tym wszystkim, którzy doprowadzili mojego brata do takiego stanu. Kuchta na szczęście nie żyje, jedno źródło stresu wyschło, ale pojawiło się następne: Marcin i Majka w szpitalu. A będą kolejne...

– Nie oszczędzimy ani sobie, ani najbliższym cierpienia. Możemy jedynie być przy tych, których kochamy, wspierać ich, przejąć część bólu na siebie. To niewiele, ale czasem bardzo dużo.

Patryk mógł się z Jolą Braniewską tylko zgodzić.

– Na razie tajemnica Wiktora pozostanie między nami – obiecał kobiecie. – Postaram się ją „odkryć" w inny sposób. On niech jeszcze pośpi, ja będę przy Majce, tak jak sugerował doktor. Nie pozwolę, by doszło do kolejnego ataku. Nie zgodzę się, by ją związali. Nie ma mowy.

Jola przytaknęła.

– Janek obiecał, że za godzinę czy dwie zabierze Gabrysię do siebie, więc ja mogę posiedzieć przy Marcinku. Przyniosłam książki. Dwie dla siebie i dwie dla ciebie. – Sięgnęła do torby. – Proszę. Jedna to kryminał, druga thriller. Janek mówił, że niezłe.

Patryk przyjął dwa opasłe tomiska z wdzięcznością. Jola jak zawsze myślała o wszystkim.

– Tu jest dobra, świeża kawa. Pomoże ci dotrwać do czasu, gdy przybędzie odsiecz. – Wręczyła Patrykowi srebrny termos. – I... kanapki! Zrobiłam tuż przed wyjściem.

Patryk poczuł wilczy głód. Kanapki Joli Braniewskiej, którymi doktor dzielił się z braćmi Prado, gdy ci wpadali do szpitala, należały do nielicznym miłych wspomnień z ich smutnego dzieciństwa. Wielokrotnie próbował zrobić takie same, co nie powinno być trudne, ale chleb na zakwasie, który Jola piekła w domu, nie miał sobie równych. Jego smak i aromat były jedyne i niepowtarzalne, ot co.

– Z chlebem na zakwasie? – zapytał z nadzieją.

– Oczywiście! – Jola roześmiała się cicho. – Usiądź i zjedz powolutku, pomalutku, ja przez ten czas posiedzę przy Mai. Gdyby zaczęła się budzić, natychmiast cię zawołam, dobrze?

– Jest pani świętą osobą – odparł z głębi serca.

– Daleko mi do świętości. Sypnęłam Wiktora – dokończyła konspiracyjnym szeptem, po czym zniknęła za drzwiami pokoju na końcu korytarza.

Patryk mógł nasycić głód pysznymi kanapkami, wypić mocną, dobrą kawę, która niemal natychmiast przywróciła go żywym, posiedzieć chwilę w ciszy i spokoju, zbierając myśli. Napisał jeszcze esemesa do Julii. Czekał chwilę, aż dziewczyna odpisze, ale telefon milczał. Być może obie z Hanią spały.

W łazience przemył twarz chłodną wodą i mógł wracać na swoje miejsce, które obecnie znajdowało się przy łóżku Majki. Wyszedł na szpitalny korytarz. Świat dzięki podarunkom Joli Braniewskiej – i niej samej – nie wydał mu się już tak ponury i nieznośny jak kwadrans wcześniej. Mając takich przyjaciół u boku, można było walczyć i ze światem.

Gdy szedł korytarzem, przez umysł przemknęła mu myśl, że los ma dla nich jeszcze niejedną niespodziankę.

Przykrą niespodziankę, bo innych przecież wyczekiwał z upragnieniem.

Nie mylił się.

Niespodzianka pojawiła się na korytarzu, zanim dotarł do pokoju Majki. W pierwszej chwili nie zwrócił uwagi na starszą kobietę, ubraną nieco dziwnie jak na warszawski grudzień – w kolorowe, powłóczyste szaty zamiast porządnego płaszcza – gdy jednak ów barwny ptak odnalazł lekarza dyżurnego, a on wskazał te same drzwi, do których zmierzał Patryk, musieli na siebie wpaść.

Kobieta kładła dłoń na klamce, gdy usłyszała ostre:

– Tu nie wolno wchodzić osobom postronnym.

Obejrzała się na młodego, przystojnego mężczyznę, który przytrzymał ją za ramię. Spodobał się jej.

– Nie jestem postronna – odparła z cudzoziemskim akcentem.

„Hiszpania albo Portugalia" – przyszło Patrykowi na myśl.

– Moja… krewna, Maja Trojanowska… powiedziano mi, że to jej pokój.

– To sala intensywnej terapii. Krewni muszą poczekać, aż Majka będzie w stanie przyjmować gości. Na razie…

– Matkę przyjmie – ucięła kobieta, a Patryka zatkało.

Jeśli myślała, że sprawa jest załatwiona i będzie mogła wejść do środka, była w błędzie. Przytrzymał jej ramię jeszcze silniej.

– Nie wpuszczę pani do Majki – rzekł tak po prostu.

– Nie wiem, kim jesteś, słońce – odezwała się z uroczym uśmiechem, który wyglądał nieco karykaturalnie na twarzy sprasowanej botoksem – i nic mnie to nie obchodzi. Jestem matką Mai, mam święte prawo odwiedzić moją dziewczynkę. Puść mnie, cukiereczku, albo wezwę ochronę.

– A ja policję.

To słowo podziałało na kobietę jak chluśnięcie lodowatą wodą prosto w twarz. Puściła klamkę i cofnęła się, jakby za drzwiami znalazła się nagle czeluść piekieł. Patryk uniósł kącik ust w krzywym uśmiechu. Rzeczywiście miał przed sobą matkę Majki. Ta kobieta miała powody, by obawiać się policji, oj miała…

– Nie tak ostro, chłoptasiu… – zaczęła przymilnym głosem.

– Jestem mecenas Prado – wpadł jej w słowo, bo te „słońca", „cukiereczki" i „chłoptasie" zaczęły go zwyczajnie wkurzać.

– Ach… rozumiem. Majka popadła w kłopoty?

– To chyba jasne, skoro leży na OIOM-ie.

– A pan jest jej adwokatem?

Nie odpowiedział.

– Maja wspominała o mnie? – Z twarzy kobiety zniknęły nieszczere uśmieszki. Wydała się nagle o dziesięć lat starsza i dziesięć centymetrów niższa. Skurczyła się jak przekłuty balon.

– O matce, która wystawiła ją mafii? Ona nie. Jest w ciężkim stanie. Była na granicy śmierci, gdy ją tu przywieźli. Za to gliniarz, który ją aresztował, owszem. Wspominał. I o matce, i o ojcu.

– A tak… Ojciec Mai, Leonardo… Jest o kim opowiadać…

– Nie mam zamiaru słuchać rodzinnych opowieści. Muszę być przy mojej klientce. Gdy będzie chciała panią zobaczyć, dam znać. Tymczasem proszę zostać tutaj. – Wskazał krzesło, na którym spędził niezliczone godziny od wczorajszego popołudnia.

Kobieta usiadła powoli, patrząc na niego na wpół z gniewem, na wpół błagalnie.

– Rozumie pan, że nie mogę tu długo zostać.

– Nic mnie to nie obchodzi. Majka zdecyduje, czy chce z panią rozmawiać czy nie.

Odwrócił się do niej plecami i już miał wejść do pokoju, gdy… zawahał się. Nie miał prawa decydować za nieprzytomną dziewczynę także o tym. Już wydanie zgody na operację, na którą Majka się nie zgodziła, wystarczająco ciążyło Patrykowi na sumieniu. Jeśli policja zgarnie tę kobietę, zanim Majka się obudzi, może mu tego nie wybaczyć.

– Jak się pani nazywa?

– Nie przedstawiłam się? Penelopa.

– To prawdziwe imię czy pseudonim artystyczny?

– Jeden z wielu.

– Tak myślałem… Za chwilę wyjdzie z tego pokoju nasza, moja i Majki, przyjaciółka. Znajdzie zaciszny kącik, gdzie będzie mogła pani poczekać, nie rzucając się tak w oczy. Nie jest dla pani tajemnicą, mam nadzieję, że policja bardzo chce was dorwać? Ja nie mam nic przeciwko temu. Sam, jako porządny obywatel, chętnie zadzwoniłbym pod 997, ale… przyjaźń stawiam wyżej niż obywatelskie obowiązki. Powiem Majce, że pani czeka. To wszystko, co mogę zrobić.

– Wystarczająco dużo, młody człowieku – odparła poważnie Trojanowska. – Więcej niż ja dla mojej córeczki zrobiłam przez całe jej życie. Nigdy nie byłyśmy przyjaciółkami, wiesz? – Głos się jej załamał. Otarła niewidoczną łzę.

– Trudno przyjaźnić się dziecku z matką, która je porzuciła – odparł bez współczucia.

On do własnej matki, która zostawiła jego i Marcina na pastwę Kuchty, żywił jak najgorsze uczucia.

– Dla jej dobra! – obruszyła się kobieta. – Zrobiłam to dla jej dobra!

– Dla dobra Majki wybrałaby pani ją, a nie dilerkę.

– Łatwo osądzać innych, eleganciku. Tatuś kupił ci pewnie dyplom papugi i ciepłą posadkę w znanej kancelarii…

Patryk parsknął śmiechem. Jemu tatuś niczego nie kupował. Ojczym również nie. Ale ta żałosna kobieta nie musiała o tym wiedzieć.

– Porozmawia pani o tym z córką. Nic mi do waszych spraw rodzinnych – uciął i wszedł do pokoju, zamykając za sobą drzwi cicho, ale starannie.

Jola Braniewska – jakże różna od wymalowanej kobiety w powłóczystych szatach – a przez to jakże normalna i kochana, uniosła wzrok znad książki.

Spojrzał pytająco na Majkę. Pokręciła głową. Szeptem poprosił, by zajęła się Trojanowską, w paru zdaniach kreśląc sytuację. Sam wiedział niewiele ponad to, co przekazał mu komisarz Bracki. Było tego wystarczająco dużo, by spodziewać się wizyty policji lada chwila.

– Czy zna pani miejsce, gdzie można Trojanowską ukryć na jakiś czas?

Ale Jola pokręciła głową, wyraźnie zmartwiona i przejęta.

– To szpital. Kamery są wszędzie. Skoro ci ludzie, mówię o rodzicach Mai, są tak poszukiwani, ktoś musi mieć jej pokój na uwadze. Policja jest już pewnie w drodze...

– Tak myślałem – odparł Patryk. – Albo wręcz przeciwnie. Na ich miejscu pozwoliłbym Trojanowskiej spotkać się z córką, a potem czekałbym, aż Penelopa doprowadzi nas do Leonarda, bo glinom zależy na obojgu.

– I co zrobimy?

– Jeśli są tacy sprytni, mówię o Trojanowskich, też na to wpadli. Jeśli zaś policja jest równie sprytna, nie będziemy jej ani pomagać, ani przeszkadzać. Ale Penelopę, do czasu aż Majka odzyska przytomność, ukryjemy.

– Tylko gdzie? Nigdy nie uciekałam przed policją – zafrasowała się Jola.

– Najprościej zgubić się w tłumie. Galeria Mokotów jest niedaleko. Tam łatwo was nie znajdą. Zadzwonię, gdy tylko Majka zdecyduje, czy chce się spotkać z matką czy nie.

– Plan dobry – zgodziła się Braniewska. – Mam nadzieję, że nie wyślą za nami brygady antyterrorystycznej, bo na Wołoskiej łóżek zabraknie.

Uśmiechnął się tylko na ten żart.

Jola Braniewska chyba nigdy w całym swoim życiu nie złamała prawa. To było wiadome samo przez się. Należała do wymierającego gatunku uczciwych, szczerych ludzi, którzy po prostu trzymali się zasad. Patryk mógł się założyć, że nigdy mandatu nawet nie dostała, bo który policjant oparłby się jej dobrym, zafrasowanym jak teraz oczom? I oto prosił ją o ukrycie przestępczyni, którą ściga po całym świecie Interpol...

Czytając w myślach młodego mężczyzny, poklepała go po ręce.

– Spokojna głowa, Patryś, nie wezmą nas żywcem.

– Że też pani takie żarty w głowie – żachnął się, nagle zaniepokojony.

Gdyby Joli coś się przez niego stało... Patryk miałby na sumieniu także doktora, bo ten śmierci żony by nie zniósł. Nie po tym, jak niemal ją stracił kilka lat temu.

– To chyba nie najlepszy pomysł. – Pokręcił głową. – Wezmę od tej kobiety numer telefonu...

– Raczej nie nosi przy sobie czegoś takiego – zauważyła Braniewska. – Łatwo byłoby ją namierzyć. Nie martw się. Poradzimy sobie.

Patryk bez przekonania kiwnął głową. Zanim jednak Jola wyszła z pokoju, pikanie aparatury, dotąd powolne i miarowe, zaczęło domagać się ich uwagi.

– Maja się budzi – szepnęła Braniewska. – Podejdź do niej. Zawsze musi widzieć kogoś, komu ufa, mieć pewność, że jest bezpieczna. To bardzo ważne. Tak mówił Janek.

Podszedł do łóżka, usiadł na fotelu zwolnionym przez Braniewską i ujął rękę chorej w dłonie. Nieznacznie poruszyła palcami. Uścisnął je lekko. Powoli uniosła powieki. Pochylił się, by mogła go zobaczyć.

– Jestem przy tobie, Majeczko – rzekł przyciszonym głosem.

Otworzyła oczy, rozejrzała się po pokoju, zatrzymała wzrok na Joli.

– To nasza przyjaciółka, żona doktora Braniewskiego. Słyszałaś o nim, prawda?

Kiwnięcie głową wystarczyło za odpowiedź. Pikanie aparatury zaczęło zwalniać. Majka nie bała się już tak bardzo jak chwilę po przebudzeniu. Czy wolno zaburzyć jej spokój i ledwo tlące się poczucie bezpieczeństwa sensacyjną wiadomością, że na korytarzu czeka niewidziana od lat matka?

„Nie tylko możesz, ale i musisz" – Patryk odpowiedział sobie w duchu. „Nie masz prawa pozbawiać Majki tej szansy, być może ostatniej, nawet jeśli miałaby przypłacić to kolejnym atakiem paniki".

O Trojanowską i wyrzuty sumienia, jakie musiały nią targać, nie martwił się wcale. Zasłużyła. Lecz Majka... Ona była porzuconym dzieckiem. Może nie brakowało jej pieniędzy, ciuchów i przyzwoitego jedzenia, jak Patrykowi i jego braciom jeszcze kilkanaście lat temu, ale pozbawiono ją tego samego: kochających rodziców, normalnej rodziny. Dziś miała Patryka po swojej stronie, chociaż jeszcze wczoraj wbiłby jej z chęcią nóż w czarne serce.

Pochylił się ku dziewczynie.

– Posłuchaj, kochana, masz gościa... – zaczął.

Otworzyła szeroko oczy. Z gardła wyrwał się jej pisk przerażenia.

– Spokojnie, to twoja mama. Chciałabyś ją zobaczyć?

Patrzyła nań przez chwilę, zbierając myśli.

– Moja mama? – wyszeptała tak zdumionym tonem, jakby pochowała matkę dawno temu.

– Penelopa. Tak, jest tutaj. Czeka na korytarzu. Chce cię zobaczyć, ale nie pozwoliłem, dopóki ty również nie będziesz tego chciała. Mam ją wpuścić czy sobie tego nie życzysz? – Cały czas mówił przyciszonym, miękkim tonem, trzymając zimną, drżącą dłoń dziewczyny w swoich rękach.

– Ja… nie wiem.

– Nie musisz dzisiaj zgadzać się na odwiedziny. Przekażę, że nie czujesz się na siłach.

„Tego, że raczej nie zobaczysz już matki, a przynajmniej nieprędko, nie powiem ci, Majeczko. Twoje dobro jest w tej chwili najważniejsze" – pomyślał.

Ale skąd mógł wiedzieć, co dla niej jest rzeczywiście ważne? Niemal czuł obecność komisarza Brackiego tutaj, w tym pokoju, jak zarzuca gęstą sieć, by pochwycić w nią właśnie Penelopę i Leonarda, czy jak tam się oni naprawdę nazywają.

Majka zdecydowała za niego.

– Chcę się z nią zobaczyć – wyszeptała, patrząc wyczekująco na drzwi. – Ona nigdy mnie nie odwiedziła, gdy byłam chora. Dopiero dzisiaj…

– Poproszę twoją matkę do środka.

– I poczekaj na korytarzu, dobrze? Przepraszam, ale chciałabym zapytać ją o parę spraw… osobistych.

– Rozumiem. Oczywiście. Czujesz się na siłach?

– Gdy nie ma t a m t e g o? Tak.

Patryk chętnie by zapytał, kim jest „tamten". Był jednak pewien, że dziewczyna nie odpowie. O ile ów ktoś w ogóle istniał. Prędzej był wytworem wyobraźni, zrodzonym przez traumatyczne przeżycia z dnia wczorajszego. Tak sugerował doktor Braniewski.

Patryk wrócił na korytarz i skinął na kobietę, która chodziła nerwowo od ściany do ściany, wyginając palce. Podziękowała mu spojrzeniem, weszła do pokoju Majki i zamknęła za sobą drzwi.

Kwadrans później Penelopa Trojanowska wyszła na korytarz, ocierając łzy. Z barwnego ptaka nie zostało ani śladu. Teraz była starą kobietą, wyniszczoną przez używki, która porzuciła swoje dziecko, by bez przeszkód balangować do białego rana. Patryk nie znalazł dla niej współczucia w sercu.

Odprowadził kobietę wzrokiem.

Pielęgniarka, która zajmowała się Majką, również.

– Panie Prado – zwróciła się do Patryka – w imieniu pacjentki, która nie zdaje sobie sprawy, co dla niej dobre, co nie, prosiłabym, żebyście ograniczyli liczbę odwiedzających. To sala intensywnej terapii. Naprawdę nie możemy wpuszczać każdego, kto chce porozmawiać z panią Trojanowską. Ona musi odpoczywać, dochodzić do siebie po trudnym zabiegu. Chyba pan to rozumie?

– Rozumiem, oczywiście, lecz to była jej matka.

– Powinno panu bardziej zależeć na zdrowiu przyjaciółki niż na dobrym samopoczuciu jej rodziny.

– Mam gdzieś uczucia tej kobiety. Liczy się dla mnie tylko Majka.

– Proszę więc do niej wrócić i spróbować ją uspokoić. Jest roztrzęsiona – zakończyła surowo pielęgniarka.

Patryk zaklął w duchu i pospieszył do środka.

Majka leżała nieruchomo, z rękami wyciągniętymi wzdłuż ciała i zamkniętymi oczami. Zdawała się jeszcze bardziej krucha i blada niż kwadrans wcześniej. Usiadł na fotelu, ujął jej dłoń jak dziesiątki razy podczas najdłuższych trzydziestu godzin swego życia, i uścisnął lekko, dając znać, że jest tutaj, z nią, przy niej.

Uniosła powieki i próbowała się uśmiechnąć. Delikatnie otarł łzy spływające po policzkach dziewczyny. Zdusiła szloch.

– Dziękuję, Patryk. Dziękuję, że przy mnie jesteś, mimo tego…

– Nie ma żadnego „mimo", Maja – odparł cicho.

– Przepraszam za wszystko. Powiedziałabym Marcinowi. Powiedziałabym…

– Wiem. Proszę, nie zadręczaj się już.

– Teraz jest za późno…

Pokręcił głową.

– Myślę, że teraz właśnie możecie zacząć od nowa. Z czystą kartą. Żadnych tajemnic.

– Nie chciałam tego dziecka. – Jej cichy głos się załamał, a on poczuł się jak najgorszy drań, bo też go nie chciał. – Lecz mimo to ani przez chwilę nie myślałam o aborcji, wiesz? Nawet gdybym miała utracić Marcina, nie zabiłabym tego maleństwa. Miało prawo do życia i miłości.

Z jej krtani wyrwał się bolesny szloch.

– Maja, proszę… – szepnął bezradnie. – Przeszłaś wystarczająco wiele.

– Moja matka dała mi tylko życie. Nie dostałam szansy, by zasłużyć na jej miłość.

– Na miłość nie trzeba zasługiwać. Nie trzeba o nią żebrać. Masz prawo do miłości za to tylko, że przyszłaś na świat. Za to, że biegasz, oddychasz, upadasz i wstajesz, a twoje serce bije dla tych, którzy cię kochają i których ty kochasz. Nikt nie ma prawa żądać więcej.

– To takie proste?

– Proste, Maja. Kochane dziecko wyrośnie na kochającego człowieka. Dziecko pozbawione miłości będzie próbowało o nią zabiegać, kupować ją dobrym zachowaniem. Albo przeciwnie: zrobi wszystko, by udowodnić sobie, że na nią nie zasługuje, żeby tylko usprawiedliwić swoich podłych, niekochających rodziców.

Słuchała cichych, pełnych bólu słów w milczeniu, patrząc na Patryka oczami pełnymi łez. On też został porzucony. Więcej: zostawiono go na łaskę i niełaskę okrutnej bestii. Majka poczuła mimowolną wdzięczność do własnych rodziców, że przynajmniej tego jej oszczędzili: tułaczki po domach dziecka czy okrutnych opiekunów. Niańki opiekowały się nią jak najlepiej, byle tylko nie stracić dobrze opłacanej pracy. Teraz ona ściskała dłoń Patryka, próbując chociaż w ten sposób złagodzić ból, jaki widniał w jego pociemniałych źrenicach.

– Na szczęście oprócz zła istnieje na tym świecie także dobro – odezwał się po chwili. – Wiktor rzadko mi i Marcinowi mówił, że nas kocha, nieczęsto nas przytulał. Mimo to czuliśmy się kochani. Naprawdę. Sam był nieszczęśliwym, opuszczonym dzieckiem, ale potrafił kochać bezgranicznie, całym sercem. I nadal tak jest. Nie wiem, skąd brał siłę, by o nas walczyć. By przeciwstawiać się Kuchcie. W każdej chwili mógł zniknąć. Uciec przed bestią. Wiedział jednak, że ta zacznie znęcać się nade mną i Marcinem, więc... – urwał, czując taką miłość i wdzięczność do starszego brata, że brakło słów.

– Zrobię wszystko, by Marcin był szczęśliwy – usłyszał cichy głos Majki i uśmiechnął się. – Mam nadzieję, że ty również będziesz. Zasługujesz na wszystko, co najlepsze, Patryk.

– Życie jest życiem – odparł. – Nie każdy dostaje to, na co zasłużył.

– Zabierzesz go stąd, prawda?

Spojrzał na Majkę. W jej szeroko otwartych oczach pojawił się znajomy błysk. Znów była przerażona. Patrzyła w róg sali, jakby tam czaił się straszny cień. Cień zagrażający nie jej, a Marcinowi.

– Jest pod dobrą opieką – zapewnił.

– Musisz go stąd zabrać! Nie rozumiesz?! Marcin nie jest tu bezpieczny!

– Dobrze, Majka, już dobrze. Zrobię wszystko, co chcesz, tylko uspokój się. – Głos mu stwardniał. Musiał zatrzymać szaleństwo, w jakim pogrążała się dziewczyna. Natychmiast! Albo zwiążą ją i naszprycują narkotykiem.

Pielęgniarka po drugiej stronie szyby już podnosiła zaniepokojone spojrzenie.

– Połóż się… – Przytrzymał lekko, ale stanowczo ramię dziewczyny, bo zaczęła się podnosić. – Jeżeli Marcin ma być bezpieczny, ty musisz być spokojna.

Opadła na poduszkę. Pulsoksymetr pikał nad jej głową za szybko, zbyt głośno, żeby mogło się to podobać lekarzom. Jeszcze chwila, a wpadną tu ze strzykawką i pasami…

– Majka, posłuchaj mnie uważnie… – Patryk pochylił się ku niej. – Wypiszemy ciebie i Marcina tak szybko, jak to tylko możliwe, ale nie możesz dawać powodu do zatrzymania cię tutaj. Jesteś po operacji. Każdy gwałtowny ruch może spowodować komplikacje. Rana nie będzie się goić tak, jak powinna. Pękną szwy, wda się zakażenie i zostaniesz w szpitalu Bóg wie jak długo. Proszę cię więc: spróbuj leżeć spokojnie i bez ruchu. Niech twój organizm zregeneruje się jak najszybciej, a wszystko będzie dobrze. Zrobisz to dla Marcina?

Kiwnęła głową, nie spuszczając wzroku z czegoś, co widziała tylko ona.

– Dopóki on jest tutaj, nie ma go nigdzie indziej, prawda? – wyszeptała.

Patryk podążył wzrokiem za jej spojrzeniem.

„Tu nikogo nie ma!" – mógł krzyknąć, ale to w niczym by nie pomogło. Majka była przekonana, że ktoś zagraża Marcinowi, być może widziała tego kogoś właśnie w tej chwili, jak czai się w rogu pokoju, tak prawdziwy jak Patryk czy ona sama. Odpowiedział więc krótko: „Masz rację", i poprosił pielęgniarkę wzrokiem o pomoc.

Zanim kolejna dawka narkotyku zaczęła działać, dziewczyna odezwała się raz jeszcze:

— Moja matka… Ona wszystko mi powiedziała. Dlaczego zostawiła mnie w Warszawie, a sama pojechała za ojcem. Na koniec prosiła o wybaczenie i wiesz co? Wybaczyłam jej. Sama miałam zostać matką niechcianego dziecka, przykrej niespodzianki. Nie mam pojęcia, co zrobiłabym po porodzie. Może bym je oddała…?

— Marcin nie pozwoliłby na to.

— Masz rację. On prędzej odrzuciłby mnie niż to małe. Nawet gdybym wyznała całą prawdę, i tak uznałby je za swoje i kochał jak swoje. Ma wielkie serce. Ale siebie nie jestem taka pewna. Nie chcę więc dłużej potępiać kogoś, kto po prostu mnie nie kochał.

— To ci powiedziała? Twoja matka? Widząc ciebie na sali intensywnej terapii? — Patryk naprawdę się starał, by jego głos brzmiał spokojnie. Takie okrucieństwo w stosunku do własnego dziecka nie mieściło mu się w głowie.

— Oczywiście, że nie. A przynajmniej nie wprost. Mówiła o powodach, dla których musiała wyjechać z Polski i właściwie tylko tyle. Narkotyki, narkotyki, narkotyki. W jej krótkim, rzeczowym monologu nie było dla mnie miejsca, rozumiesz? Przyszła się wyspowiadać i prosić o rozgrzeszenie jak do obcej osoby. A ja nie jestem przecież obca. Jestem jej córką. Mimo to… przyszła. Ryzykując, że ją namierzą i aresztują. To o czymś świadczy, prawda?

Przytaknął, bo Majka tego potrzebowała: zapewnienia, że matka ją kocha. Na swój sposób, ale kocha.

— Nie musiała tego robić, bo co dla niej znaczę po tylu latach, ale przyszła. Dlatego powiedziałam, że jej wybaczam.

I z jeszcze jednego powodu… – zawiesiła na moment głos. – Po tym, co przeszliśmy wczoraj z Marcinem, zrozumiałam, że drugiej szansy na wybaczenie rodzicom mogę nie mieć, a jest ono bardziej potrzebne mi, a nie im. Rozumiesz?

– Rozumiem, Maja. Jesteś mądrą dziewczyną o pięknej, kochającej duszy. Trochę błądziłaś, ale myślę, że odnalazłaś właściwą drogę. Zrobię wszystko, co w mojej mocy, byś nie zagubiła się ponownie.

Słuchała jego cichych, serdecznych słów z sennym uśmiechem. Gdy skończył, szepnęła:

– Kocham cię, Patryk. Oprócz dwóch braci masz teraz siostrę. Posiedzisz przy mnie jeszcze trochę? Tamten na pewno wróci…

– Będę przy tobie, Maja. Jeżeli nie ja, to na pewno Wiktor. Śpij spokojnie. – Musnął dłonią jej policzek. Odgarnął z czoła kosmyk czarnych włosów.

Ukojona delikatnym, lecz pełnym czułości dotykiem, pozwoliła powiekom opaść. Zasnęła.

ROZDZIAŁ X

Na widok Wiktora, który wyglądał o niebo lepiej niż siedem godzin temu, Patryk mógł odetchnąć. Straszy brat wstąpił widać do domu, bo przebrał się, ogolił, a jego włosy lśniły od wilgoci. Cienie pod oczami zniknęły, usta, zaciśnięte jeszcze niedawno w grymasie znużenia i rozpaczy, unosiły się w uśmiechu.

– Jak się trzymasz, Pat? – zapytał cicho, kładąc rękę na ramieniu młodszego mężczyzny.

Ten wstał z fotela, przysuniętego do łóżka śpiącej Majki, potarł oczy i odparł krótko:

– Resztkami sił.

– Co z Majką?

– Fizycznie dobrze. Gorzej z psychiką. Miała napad… nie wiem właściwie czego. Paniki? Wyrwała sobie wenflon, wstała z łóżka i szykowała się do ucieczki. Gdy pielęgniarka z lekarzem próbowali ją zatrzymać, zaczęła przeraźliwie krzyczeć. Nie chciałbyś tego ani widzieć, ani słyszeć, wierz mi. Doktor Braniewski podejrzewa, że to ostry zespól stresu pourazowego. Ktoś znajomy zawsze musi przy niej być. Julia odpada, bo ma dziecko, Gabrysię przewieziono do Bielańskiego, Jola czuwa przy Marcinie, pozostałeś ty, bo ja dłużej nie dam rady.

– Wolałbym zobaczyć się najpierw z Gabrielą… – zaczął Wiktor, ale Patryk przerwał mu gniewnie:

– Chrzanię, co byś wolał! Ja mam ochotę na dużego drinka i ze dwanaście godzin snu, a będę się musiał obejść miętową herbatką i krótką drzemką. Zostaniesz przy Majce, dopóki cię nie zmienię. – Ostatnie zdanie było poleceniem, nie prośbą.

Wiktor już miał się żachnąć, potraktowany tak obcesowo, lecz przypomniał sobie, że to Patryk od dzisiejszego ranka sprawuje rząd dusz w rodzinie Prado. Na dodatek musi być zmęczony co najmniej tak, jak Wiktor przed paroma godzinami.

– Jak sobie życzysz – odpowiedział więc, zajmując jego miejsce przy łóżku Majki.

– Na parapecie leżą książki, które przyniosła Jola. Jeżeli jesteś głodny…

– Nie jestem. Jadłem w drodze na Krakowskie.

– Kawa jest w termosie.

– Domyślam się.

Patryk kiwnął głową i stał dalej pośrodku pokoju, piekącymi od niewyspania oczami patrząc na śpiącą spokojnie Majkę.

– Może byś już poszedł? – Głos Wiktora obudził go, bo chyba zasnął na stojąco.

– Tak. Już idę. A ty nie ruszaj się stąd na krok. Zagrozili, że ją zwiążą, jeśli jeszcze raz będzie próbowała uciec.

– Jak to zwiążą? – Wiktor od razu się najeżył.

– Chcieli zmusić mnie do wyrażenia zgody na przymusowe unieruchomienie, tak się to ładnie nazywa. Odparłem, że po moim trupie, czy jakoś tak. Jeśli jednak Majka po raz drugi powyrywa sobie wenflony i elektrody, wstanie i zacznie się szykować do wyjścia, przypną ją pasami do łóżka, nie pytając nikogo o zgodę. W przypadku zagrożenia życia mają prawo tak postąpić.

– Chyba tym razem po moim trupie – mruknął Wiktor. – Poproszę doktora, by zabrał ją do siebie.

– Majka jest po operacji, Wiktor. Nie wolno jej przewozić. Jeśli myślisz, że nie przyszło mi to do głowy, to jesteś w błędzie. Zresztą doktor ma się o kogo troszczyć… – Ugryzł się w język, bo lada chwila wyjawiłby bratu Gabrysiną niespodziankę. Aż się uśmiechnął na myśl, jak bardzo będzie ona radosna. – Nie przeraź się, gdy Majka obudzi się i zacznie krzyczeć. Po prostu przytul ją i zrób wszystko, by odzyskała poczucie bezpieczeństwa. Aha: trzymaj się z daleka od jej zębów. W napadzie szału może ugryźć. I to mocno. – Uniósł zabandażowaną dłoń.

Wiktor spojrzał na nią szeroko otwartymi oczami i powoli skinął głową. Stan Majki był rzeczywiście poważny, skoro nie poznawała, kto jest przyjacielem, kto wrogiem…

– Idź już. Poradzę sobie.

Patryk spojrzał na brata z powątpiewaniem i nagle… przypomniał sobie o mocnym postanowieniu, jakie powziął może godzinę przed przyjściem Wiktora. Tak. Zanim wyjdzie, musi o tym z bratem porozmawiać. Tylko jak to zrobić, nie wyjawiając prawdy?!

– Wiktor… mam prośbę… możesz przejąć moje obowiązki, powiedzmy, do rana? Muszę coś załatwić i… Tak. Zajmie mi to resztę wieczoru i całą noc. Wrócę jutro.

– To aż tak pilne? Nie może poczekać? Mamy pod opieką Majkę i Marcina, nie puściłeś mnie do Gabrieli, twoja Julia została sama z podrzutkiem, a ty będziesz coś załatwiał?

– Tak. – Odpowiedź była krótka i stanowcza. Patryk sam się zdziwił tą stanowczością, bo przed paroma minutami równie stanowczo zabraniał Wiktorowi zobaczenia się z narzeczoną.

– Wiesz, co robisz, Patryk.

– Wiem.

Wiktor przyglądał się bratu przez chwilę. Nie chciał nalegać, by Patryk mu zaufał i zdradził, cóż ważniejszego jest od braci i przyjaciół. Nie mieli przed sobą tajemnic. Przynajmniej do niedawna. Skoro Patryk zachował coś dla siebie, on, Wiktor, musi to uszanować. Przyjdzie czas na wyjaśnienia, nie miał co do tego wątpliwości, teraz jednak musiał odpowiedzieć bez gniewu:

– Oczywiście. Jeżeli musisz jechać, to jedź.

– Skąd wiesz, że mam dokądś jechać? – W głosie Patryka zabrzmiał niepokój.

– Nie wiedziałem aż do teraz – zaśmiał się jego brat i powtórzył: – Jedź i wracaj szczęśliwie. Czekamy na ciebie.

Patryk chciał podziękować, ale… skinął tylko głową i wyszedł tak prędko, by się nie rozmyślić.

Cicho przekręcił klucz w zamku i nacisnął klamkę. Julia ani nie wysłała mu wiadomości, ani nie zadzwoniła. Od chwili, gdy wyszedł z mieszkania na Starówce, zostawiając dziewczynę samą z dzieckiem, minęło siedem godzin. Czy możliwe, żeby spały tak długo?

Niewielki salon był pusty, ale w sypialni Hania z Julią o czymś z ożywieniem dyskutowały. Uchylił lekko drzwi, żeby nie zauważyły jego obecności, i przez chwilę chłonął obraz Julii, nieumalowanej, ubranej w jego koszulę i białe skarpetki frotté, czeszącej długie, jasne włosy małej Hani. Dziewczynka wymieniała, zaginając po kolei paluszki, co najchętniej zjadłaby na kolację, a były tam przede wszystkim słodkości, zaś Julia próbowała zmienić jej nawyki żywieniowe na nieco zdrowsze, proponując a to mleko z muesli, a to chlebek z pełnego ziarna, posmarowany twarożkiem ze szczypiorkiem, a to omlet ze szpinakiem i fetą… Dziewczynka nie wiedziała, co to jest feta, ale na słowo „szpinak" zareagowała tak, jak normalne dziecko reaguje: skrzywieniem ust w bezgranicznym obrzydzeniu.

„Tak trzymaj, mała" – zaśmiał się w duchu Patryk i cofnął się w głąb korytarza.

Przed wyjazdem chciał się tylko upewnić, że obie jego kobietki są bezpieczne i szczęśliwe. Byłoby im przykro, a może nie obyłoby się bez łez, gdyby wpadł na chwilę i zaraz potem się żegnał. Dzisiaj wyśle Julii wiadomość, jutro rano wstąpi na śniadanie. To na razie musi im wszystkim wystarczyć. Wiktor może i miał rację: sprawa, w której Patryk zaraz opuści Warszawę, mogła poczekać, skoro czekała ponad ćwierć wieku, z drugiej jednak strony po rozmowie z Majką czuł, że musi to zrobić jak najszybciej. Czyli jeszcze dziś.

Wygodny bentley już czekał w bocznej uliczce. Starszy mężczyzna w eleganckim uniformie na widok Patryka wysiadł z auta i otworzył drzwi.

– Dobry wieczór, panie Prado – przywitał ulubionego klienta uśmiechem. – Mam nadzieję, że czas w Warszawie upływa panu przyjemnie.

Patryk mógł co nieco opowiedzieć kierowcy o przyjemnościach, jakie doświadczyły jego rodzinę i przyjaciół w ciągu ostatnich kilku miesięcy, ale skinął tylko głową. To nie była dobra pora na zwierzenia. Leciał z nóg. Marzył tylko, by wyciągnąć się na tylnym siedzeniu limuzyny i zamknąć oczy.

– Dokąd jedziemy? – padło pytanie.

We wstecznym lusterku widział uważne oczy kierowcy.

– Do Berlina.

– Tego w Niemczech? – upewnił się mężczyzna, nie okazując jednak zdziwienia.

Patryk uprzedził firmę, że udaje się za granicę. Prosił też, by przysłali wypoczętego kierowcę, który nie zaśnie podczas jazdy.

– W Niemczech – przytaknął. – Proszę mnie nie budzić. Muszę odpocząć – uciął dalsze dyskusje.

Gdy samochód ruszył, wysłał do Julii wiadomość, że nie wróci na noc do domu, przeprosił ją, odebrał potwierdzenie z serduszkiem i buziakiem, że esemes dotarł, odetchnął z ulgą, wyłączył telefon, ułożył się wygodnie i kołysany w cichym, ciemnym wnętrzu, zapadł w tak wytęskniony i potrzebny sen.

ROZDZIAŁ XI

W pokoju nieodmiennie panował półmrok. Wiktor odłożył całkiem niezły thriller, który Patrykowi przywiozła nieoceniona Jola Braniewska, wstał i podszedł do łóżka Majki. Przed chwilą aparatura, dotąd pracująca wolno i miarowo, zaczęła przyspieszać, a to był znak, że dziewczyna się budzi. Rzeczywiście zaczęła powoli unosić powieki. Ujrzawszy przy łóżku Wiktora, uśmiechnęła się nieśmiało. Odpowiedział uśmiechem.

– Cześć, śpiąca królewno – szepnął. – Jak się czujesz?

Już miała zapewnić, że całkiem dobrze, i zapytać, kiedy będzie mogła wrócić do domu, gdy nagle… jej oczy rozszerzyły się nienaturalnie. Zbladła, wbijając wzrok w róg pokoju, a z jej gardła wydarł się zduszony pisk.

– Maja, co jest? – Wiktor zaniepokojony podążył za jej spojrzeniem, ale pokój był pusty. Nie znalazł niczego, co mogłoby przerazić dziewczynę. – Majka? – Dotknął pytająco jej ramienia. Wzdrygnęła się jak od ukąszenia węża. Cofnął dłoń, patrząc na dziewczynę z coraz większym niepokojem.

Domyślał się, że Majka ma atak tego, przed czym ostrzegał Patryk, i… nie miał pojęcia, jak zareagować. Potrząsnąć nią? Przytulić? Krzyknąć czy wręcz przeciwnie, uspokajać szeptem? Naprawdę nie wiedział. On radził sobie sam z demonami przeszłości. Gdy w nocy budziły go przebłyski koszmaru, jaki przeszedł w dzieciństwie, zmuszał się, by wstać, przejść do kuchni, chociaż czasem nogi się pod nim uginały, wypić szklankę zimnej wody i zająć czymś umysł, aż oddech się uspokoi, a serce przestanie łomotać w piersiach jak lata temu na widok Tamtego.

Jak jednak pomóc Majce? Ona znalazła się w koszmarze zaledwie wczoraj. Napadła ją banda zamaskowanych drabów w czerni, uzbrojonych zapewne po zęby, potraktowali ją tak brutalnie, że straciła dziecko, widziała albo słyszała, jak strzelają do Marcina…

Tak. Miała prawo doznać wstrząsu.

– Maja – zaczął miękko, obejmując ją ramionami i przytulając do piersi. – Jesteś bezpieczna. Spójrz na mnie. – Zwrócił jej twarz ku sobie.

Jej oczy wypełniało bezgraniczne przerażenie. Twarz nie była już blada, a szara. Z ust wydobywał się cichy, urywany szloch, który łamał Wiktorowi serce. Trudno było znieść takie cierpienie.

– Jesteśmy tu tylko my dwoje. Pokój jest pusty. To, co widzisz, nie istnieje. Spróbuj powtórzyć: „To nie istnieje. Tego nie ma".

Starała się – naprawdę się starała – wykrztusić tych kilka prostych słów przez zaciśniętą krtań, ale wydobył się z niej jedynie jęk. Po policzkach spłynęły łzy. Spojrzenie wróciło do tego, który czaił się w cieniu...

Nagle rozbłysło światło przy suficie. Cień pierzchł. Majka odruchowo zacisnęła powieki. Do sali weszła zaniepokojona pielęgniarka.

– Co pan wyrabia?! – zwróciła się przyciszonym, ale groźnym głosem do Wiktora. – Pacjentka musi leżeć! Nie wolno jej wstawać. Przytulać także nie! Proszę ją puścić. Pani Trojanowska, kładziemy się, kładziemy!

Majka, czując czyjąś dłoń na ramieniu, wydała z siebie cichy, ale przerażający skowyt, po czym z nieludzką szybkością i siłą wyrwała się Wiktorowi z objęć, zeskoczyła na podłogę i nie zważając na wenflon i podłączony pulsoksymetr, wpełzła pod łóżko. Trwało to może dwie sekundy. Mężczyzna przyglądał się tej scenie oniemiały. Pielęgniarka również, lecz ona otrząsnęła się z zaskoczenia pierwsza.

– Proszę ją stamtąd wyciągnąć albo wezwę sanitariuszy! – zagroziła. – Oni już sobie poradzą z tą histeryczką! Na miłość boską, znów krew na podłodze! Pani Trojanowska, niech pani...

– Zostaw nas samych, kobieto, albo dopilnuję, żebyś straciła pracę – usłyszała za plecami wściekły syk.

To Wiktor odzyskał w końcu panowanie nad sobą i... Nie! Nie dopuści, by tak traktowano nieszczęsną, bliską obłędu z przerażenia Majkę.

– Proszę mnie tu nie straszyć! – oburzyła się pielęgniarka.

– Proszę stąd wyjść.

– Jeśli wyjdę, to wrócę z ordynatorem, a on nie lubi ani trudnych pacjentów, ani takich odzywek.

– Może sobie pani wracać nawet ze Świętym Mikołajem. Nie pozwolę tym tonem zwracać się do mojej bratowej.

– Ona powinna na psychiatrii leżeć!

Wiktor poczuł, że za chwilę dojdzie do rękoczynów... Na jego szczęście, czy może na szczęście pielęgniarki, w tym momencie drzwi się uchyliły i do pokoju zajrzała...

– Gabriela! – wykrzyknął z niedowierzaniem mężczyzna.

– Gabi! – w głosie Majki zabrzmiała ulga.

Z Gabrysią u boku nie bała się nikogo ani niczego. Ona uwierzy, że tamten rzeczywiście pojawia się w pokoju i... więcej nawet przyjaciółce nie mogła powiedzieć. Tamten wyraził się jasno, co zrobi Marcinowi, jeśli Majka zacznie sypać.

Pielęgniarka, widząc, że pacjentka uspokoiła się, mruknęła coś pod nosem i obrażona wyszła z pokoju. Stanęła po drugiej stronie szklanej tafli i zajęła się przeglądaniem dokumentów.

Gabriela pochyliła się ku skulonej pod łóżkiem Majce.

– Co ty, kochana, tam porabiasz? – zapytała miękkim, czułym głosem.

Majka rozejrzała się, jakby dopiero teraz zauważyła, gdzie się znajduje. Uśmiechnęła się zażenowana. Gabrysia wyciągnęła do niej rękę.

– Chodź, skarbie. Nie możesz siedzieć na podłodze, bo się przeziębisz.

Ani słowa o napadzie paniki, ani słowa o wyrwanym wenflonie, krwi na podłodze i szpitalnej koszuli. Proste stwierdzenie faktu, serdeczny uśmiech w oczach i dobra dłoń, którą pogładziła Majkę po ramieniu – tak niewiele, a zarazem wszystko...

Gabrysia otuliła przyjaciółkę kołdrą i zwróciła się do Wiktora, który przyglądał się im w pełnym miłości i aprobaty milczeniu:

– Zostawisz nas na parę minut? Porozmawiam z Mają o tym... czymś.

– Tak. Oczywiście. Zajrzę do Marcina. Niemal zapomniałem, że mój brat też leży na tym piętrze... Nigdzie się stąd nie ruszaj, dziewczynko – pogroził Majce żartobliwie, ale widać było, że na serio się o nią niepokoi.

– Mów, kochana. Opowiadaj – poprosiła Gabriela, przysiadając na łóżku Majki.

Ta spojrzała na nią wzrokiem zbitego psa.

– Nie uwierzysz mi. Wiktor mówił, że nic nie widzi. Pielęgniarka i lekarz twierdzą, że histeryzuję.

– To, że my nie widzimy tego, co cię przeraża, nie znaczy, że ty nie masz prawa być przerażona. Myślę, że boisz się podwójnie: i tego, co się tu pojawia, i tego, że popadasz w obłęd.

Majka kiwnęła tylko głową, czując łzy pod powiekami.

– Dzięki, że mnie rozumiesz.

– Doktor Braniewski wszystko mi po drodze wytłumaczył. Sama byłabym równie zagubiona jak ty. Możesz mi powiedzieć, co się dzieje? Jak to wygląda?

W tym momencie Majka rzuciła krótkie spojrzenie w róg pokoju i zbladła.

– Widzisz go? – szepnęła, przenosząc na Gabrielę pociemniały z przerażenia wzrok.

Kobieta obejrzała się przez ramię, zaprzeczyła, po czym stanęła między widmem a Majką, nie mając pojęcia, czy to cokolwiek zmieni. Najwidoczniej tak, bo przyjaciółka opadła na poduszki z głębokim westchnieniem ulgi.

– On... po prostu się pojawia. Znikąd – zaszeptała. – Budzę się i po chwili on jest. Rozmawiam z Wiktorem, tamtego nie ma i nagle znów jest.

– Kto, Maja? Jak on wygląda? Znasz go? Spotkałaś go już kiedyś?

Majka kiwnęła tylko głową. Przechyliła się, wyjrzała zza Gabrysi i natychmiast wróciła na swoje miejsce, z trudem tłumiąc krzyk.

– Nic nie wiem! Nic więcej nie powiem! – odezwała się nieswoim głosem. Chwyciła rękę Gabrieli. – Zabierz Marcina, proszę cię. Wiktor nie chce mnie słuchać, Patryk też nie, a to przecież ich brat. Powinno im zależeć, by tamten nic mu nie zrobił! Może ciebie posłuchają... Gabi, tamtemu nie chodzi o mnie. Ja jestem nieważna. On przyszedł po Marcina. Zrób coś...

– Majka, dosyć! – krzyknęła Gabrysia przyciszonym, lecz ostrym głosem. Dziewczyna opadła na poduszkę, zaciskając powieki. Uniosła dłonie do oczu i zaczęła bezradnie płakać.

– Przepraszam... przepraszam cię, skarbie, ale musiałam to zatrzymać. – Gabriela pogładziła ją po ramieniu. – Nie płacz, proszę cię, bo ja się rozpłaczę. Przepraszam, Maja...

– T-to nie twoja wina. T-to ze mną dzieje się coś złego – wydusiła Majka przez łzy. – On tu był. Mówił to. Jak mogłabym wymyślić sobie te groźby? Dlaczego miałabym tak was straszyć? Był tutaj i wraca. Widzę go tak, jak widzę ciebie. Uwierz mi, Gabi!

– Wierzę. I wiem jedno: jak najszybciej musisz stąd wyjść. Ale żeby cię wypisali, musisz, kochana, wydobrzeć. Nie wolno ci schodzić z łóżka. Nie wolno krzyczeć i denerwować się. Wdadzą się komplikacje i zostaniesz w szpitalu znacznie dłużej, niżbyśmy sobie życzyli. Nie wolno do tego dopuścić. Zostanę z tobą, Majka. Razem przejdziemy przez ten koszmar – zakończyła stanowczo, po czym usiadła w fotelu, nie wypuszczając dłoni przyjaciółki ze swojej. – Nadal tam jest?

Majka, która wbijała wzrok w twarz Gabrysi, tylko skinęła głową. Nie musiała spoglądać w tamto miejsce, by wiedzieć, że prześladowca nie odpuścił.

– Niech sobie będzie. Dopóki jest tutaj, nie ma go nigdzie indziej. Nie zrobi krzywdy Marcinowi – skwitowała, jakże logicznie, Gabriela.

Nawet udręczony umysł Majki musiał się z tym zgodzić.

Do pokoju weszła nadal obrażona pielęgniarka.

– Trzeba założyć nowy wenflon – nieomal wywarczała. – Niedługo żył zabraknie do wkłuć – dodała, kładąc na stoliku obok łóżka zestaw do kroplówki. – Dobrze byłoby, gdyby zostawiła mnie pani z pacjentką na parę chwil – zwróciła się do Gabrieli.

Ta spojrzała pytająco na Majkę.

– Będę na korytarzu. Gdyby coś się stało, wystarczy, że mnie zawołasz.

Dziewczyna uśmiechnęła się tylko z wdzięcznością. To, co ją prześladowało, musiało zniknąć, bo nie zbladła śmiertelnie, patrząc ponad ramieniem Gabrieli w róg sali. Kobieta wyszła więc z pokoju, pozostawiając drzwi lekko uchylone.

Wiktor właśnie wracał. Na jej widok przyspieszył.

– Co tutaj robisz, Gabi? Powinnaś leżeć w łóżku. Kilka godzin temu zemdlałaś. Nie podoba mi się to. Uciekłaś z Bielańskiego za zgodą doktora czy bez niej? Majkę, która próbuje tego samego, mogę zrozumieć, bo nadal jest w szoku, ale po tobie spodziewałbym się więcej rozsądku. – Potokiem słów chciał zagłuszyć niepokój o ukochaną kobietę.

– Wikuś – przerwała mu w końcu – gdybyś dał mi dojść do słowa, może usłyszałbyś odpowiedź na wszystkie pytania.

– Przepraszam, Gabi. Za dużo nieszczęść spadło w jednej chwili na naszą rodzinę. Po prostu się o ciebie martwię.

Gabrysia patrzyła nań rozpromienionym wzrokiem. Za chwilę będzie się martwił nie tylko o nią! Obejrzała się na pokój, w którym leżała Majka. Nie powinna ruszać się od drzwi, ale przecież nie wyjawi Wiktorowi niespodzianki pośrodku szpitalnego korytarza…

W takim razie niespodzianka musi poczekać. Wiktor również.

Posmutniała nieco. On oczywiście to zauważył.

– Co się stało, Gabrysiu? – zapytał miękko, unosząc dłoń do jej policzka. Wtuliła usta w jej wnętrze. Wiktor objął ją tak mocno, że słyszała bicie jego serca. I szept: – Kocham cię.

Och… tak by chciała powiedzieć właśnie teraz, w chwili bliskości wykradzionej losowi: „Będziemy mieli dziecko. Za siedem miesięcy urodzi się nam synek albo córeczka", ale pragnęła, by ten moment był jeszcze piękniejszy. Zdradzi Wiktorowi drogą sercu niespodziankę w Leśnej Polanie. Na ławeczce pod lipą. Zimą to miejsce było równie piękne, ciche i spokojne jak w pełni lata. Promienie słońca odbijały się w dziewiczo czystym śniegu, ozłacając dom i las dookoła. Skrząc się w miriadach kryształków. Błyszcząc w soplach, topniejących pod dachem. Tak. Piękna chwila i piękne miejsce, by zapamiętali ją na zawsze, a nie ponury szpitalny korytarz, przypominający jedynie o dramacie Majki i ich wszystkich.

– Byłeś u Marcina? – zapytała, podnosząc na Wiktora oczy. Przytaknął, pochmurniejąc. – Jak on się czuje?

– Jest załamany utratą dziecka.

Gabriela poczuła zimny dreszcz. Dobrze, iż nie powiedziała Wiktorowi o ich dziecku. Poronienia przed ukończeniem trzeciego miesiąca ciąży zdarzają się przecież tak często… Lepiej, żeby Wiktor cieszył się kilka tygodni później, niż gdyby miał rozpaczać jak jego brat w tej czarnej godzinie.

– Próbowałem mu tłumaczyć, że będzie miał tyle dzieci, ile zapragnie, lecz…

– Najgłupsze tłumaczenie na świecie! – rozgniewała się Gabriela. – Tylko facet mógłby na takie wpaść! Marcin pogrążony jest w rozpaczy, a ty zamiast po prostu przy nim być, wciskasz mu takie truizmy. Ty sam czekałeś tyle lat, żebyśmy mogli być razem, a przecież mogłeś się pocieszyć pierwszą lepszą. Na brak chętnych zapewne nie narzekasz…

– Pax, Gabrysiu, wygrałaś. Rzeczywiście palnąłem głupstwo, co Marcin dał mi wyraźnie do zrozumienia. Prawdę mówiąc, jestem tutaj, bo wskazał mi drzwi.

Gabriela zaśmiała się mimowolnie.

– Dobrze zrobił.

Pochwycił ją jedną ręką, drugą unieruchomił głowę i pocałował. Długo, namiętnie, przelewając w ten pocałunek całą miłość
i tęsknotę, jaką czuł do tej kobiety. Nie pozostała mu dłużna.
Dopiero słysząc gderliwy głos pielęgniarki, która zbliżała się
do drzwi, oderwali się od siebie, zmieszani, ale szczęśliwi.

Wiktor odgarnął kosmyk włosów z oczu Gabrysi. Przytrzymała jego dłoń na policzku i chciała wyznać, jak bardzo
go kocha, ale nie zdążyła. Jej telefon zasygnalizował nadejście
wiadomości. Od Julii.

„Nie mogę połączyć się z Patrykiem. Kiedy wróci ze szpitala?"

Gabriela spojrzała pytająco na Wiktora.

– Nie ma go tutaj – odparł zaskoczony. – Miał coś załatwić
na mieście. Byłem pewien, że od dawna jest w domu. Z Julią
i tą małą dziewczynką. Dochodzi przecież północ.

– Jeżeli nie ma go w szpitalu i nie ma go w domu – zaczęła
Gabriela z rosnącym niepokojem – to gdzie jest Patryk?

ROZDZIAŁ XII

Patryk właśnie prostował się na tylnym siedzeniu bentleya, przygładzając dłońmi rozczochrane włosy i pocierając rozespane oczy. Czuł się o niebo lepiej niż w chwili, gdy wyruszał w podróż.

– Dojeżdżamy do granicy, panie Prado – odezwał się kierowca. – Mam nadzieję, że wypoczął pan choć trochę. Pozwoliłem sobie zatrzymać się na stacji i dolać świeżej gorącej kawy do termosu. Jeśli miałby pan ochotę…

– Ogromną. Dziękuję.

– Żonka zapakowała mi prowiant na drogę. Nic wykwintnego, ot, parę kanapek, ale pasztet jest naprawdę palce lizać. Domowej roboty!

– Brzmi przepysznie.

Ośmielony kierowca podał mu zapakowane w folię wiktuały.

– Zwolnię nieco, żeby się pan broń Boże nie zachlapał kawą.

– Tej koszuli już nic nie zaszkodzi – mruknął Patryk.

Za pyszną kawę oddałby pół królestwa, drugie pół za czystą koszulę. Muszą się zatrzymać po drugiej stronie granicy, przy centrum handlowym, kupić rzeczy na zmianę, odświeżyć się i przebrać. Tam, dokąd zdążał, chciał wyglądać na tego, kim był: dobrze zarabiającego prawnika, współwłaściciela korporacji, a nie zapłakanego dzieciaka, zasługującego li tylko na pogardę. I odrzucenie.

Wgryzł się w pięknie pachnące pieczywo i dopiero w tym momencie poczuł, jak bardzo jest głodny.

– O rany, ale pycha! – westchnął z głębi duszy.

Pan Karol roześmiał się uradowany. Jego klient byle czego nie jadał, a na pewno nie chwalił. Nieraz podwoził Patryka pod najlepsze restauracje, gdzie foie gras i kawior były podawane nawet na deser. Mimo to smakował mu wypiekany przez Zosię chleb z domowym pasztetem. Jeszcze bardziej polubił Patryka.

Chciał go zagadać, ale młodszy z braci Prado nie należał do zbyt wylewnych. Teraz również jadł w milczeniu i popijał aromatyczną kawą, patrząc w okno. Tak upłynęła im reszta drogi do Berlina.

Gdy wjechali na przedmieścia, nastrój Patryka wyraźnie się zmienił. Z każdym kilometrem był coraz bardziej spięty. Wzrastały zdenerwowanie i niepewność. Może nie powinien budzić demonów przeszłości? Marcin, gdy kiedyś go o to zapytał, odparł stanowczo, bez sekundy zawahania:

– Nie. Ja w to nie wchodzę.

Lecz Patryk był pewien, że kiedyś zmieni zdanie. On zdecydował się na to właśnie dzisiaj, słuchając Majki…

– To tutaj – głos kierowcy wyrwał go z zamyślenia. – Ten dom. – Pan Karol wskazał obskurną kamienicę, pamiętającą czasy wojny. Dzielnica również nie należała do najlepszych.

– Pójdę z panem. Tu nie jest spokojnie. – Kierowca, nie czekając na zgodę, wysiadł, obszedł samochód i otworzył przed Patrykiem drzwi.

– Lepiej niech pan zostanie – odrzekł półgłosem Patryk, przyglądając się budynkowi. – Tamci dwaj – dyskretnie wskazał podejrzanie wyglądających osobników – już sobie ostrzą zęby na naszego bentleya.

– Co racja, to racja. Zamknę się od środka i będę na pana czekał. Gdyby zrobiło się gorąco, odjadę kawałek i zawrócę.

Plan ewakuacji został uzgodniony. Reszta należała do Patryka. Raz jeszcze zadarł głowę, jakby się mierzył z całym wszechświatem, po czym, zły na samego siebie, pchnął ciężkie drewniane odrzwia i wszedł na cuchnącą klatkę schodową.

Odnalazł włącznik światła. Chyba lepiej byłoby poruszać się po ciemku, nie widząc karaluchów pryskających spod nóg.

Zacisnął zęby i zaczął wbiegać po dwa stopnie na górę. Wreszcie zatrzymał się pod drzwiami oznaczonymi numerem osiemnaście, zza których dochodziły odgłosy awantury albo imprezy. Nacisnął dzwonek. Na chwilę zapadła cisza. Coś zaszurało po drugiej stronie.

– *Wer ist da?* – padło pytanie.

– Klient.

– Serio?

– Przysyła mnie Johan Schichter.

To nazwisko powinno otworzyć każde drzwi. I tak się stało.

Brzęknął zamek, szczęknęła zasuwa i oto w progu stanęła brzydka, podstarzała kobieta, mierząc Patryka chytrymi oczkami, przekrwionymi od hektolitrów wódki, które w życiu wyżłopała. Wzdrygnął się mimowolnie. Detektyw, który po długich poszukiwaniach wpadł na jej ślad, lojalnie go uprzedził: tak się to właśnie skończy, totalnym rozczarowaniem. I Patryk to właśnie czuł w owej chwili. Rozczarowanie, obrzydzenie i żal.

– O, jaki śliczny chłoptaś! – Tamta mlasnęła jak na widok świeżego mięsa. – Wchodź, kochanie, zabawa dopiero się rozkręca!

Wyciągnęła doń rękę, ale on cofnął się. Dłoń opadła. Oślizgły uśmiech spełzł z twarzy megiery.

– Ej, chyba nie jesteś tajniakiem z Polizei?

Pokręcił głową i odrzekł:

– Jestem twoim synem.

Tamta… zamarła z lekko rozdziawionymi ustami.

– Przeżyłeś tresurę Kuchty? – zdziwiła się. W jej głosie zabrzmiał cień pretensji.

Detektyw miał rację, odnalezienie matki nie należało do najlepszych pomysłów. Do rozczarowania dołączył niesmak.

– Dlaczego zostawiłaś nas na jego pastwę? – Musiał usłyszeć jej tłumaczenie, zanim odwróci się i na zawsze zamknie rozdział zatytułowany „Agnieszka Liszta".

– Nigdy nie przepadałam za dziećmi – wzruszyła ramionami. – Wyskrobać was nie mogłam, bo i forsy szkoda, i to jednak grzech. Życia, które mnie omijało, żal. Więc… znalazłam wam dom, bogatego sukinsyna i to tyle. Czego chcesz? Pieniędzy? Źle trafiłeś.

Wsunął dłoń pod marynarkę, wyciągnął elegancki skórzany portfel, otworzył go i ostentacyjnie podetknął kobiecie pod nos szereg tłoczonych platynowych kart.

– Mam więcej pieniędzy, niż mogłabyś wydać – odparł.

Oczka tamtej rozbłysły chciwością. Na twarz z powrotem wpełzł śliski uśmiech. Gotowa była grać kochającą mamusię, byle tylko ten przystojny gnojek, w to, że jest jej synem, jakoś nie mogła uwierzyć, wszedł do środka i zostawił trochę kasy.

– Chodź, jak ci tam…? Mamusia poczęstuje cię tym, co ma najlepsze. Towar pierwsza klasa.

Wzięła obwisłe piersi w dłonie i podetknęła Patrykowi pod nos. Zemdliło go z odrazy. Odtrącił kobietę, zatrzasnął portfel.

– Chyba pomyliłem adresy – rzekł. Po raz ostatni omiótł megierę spojrzeniem, żeby pozbyć się złudzeń i nigdy więcej tu nie wrócić.

– Dobrze trafiłeś! Chcesz do mamusi, mogę być twoją mamusią!

Te słowa towarzyszyły mu, gdy zbiegał po schodach, wypadał na dwór i pochylał się, zatykając usta ręką, żeby nie zwymiotować. Te słowa brzmiały jeszcze długo, gdy w ciemną, grudniową noc wracał do Polski.

Z czasem wspomnienie ohydnej megiery wyblaknie, słowa stracą moc, obrzydzenie i żal zostaną zmiecione przez inne uczucia, dobre uczucia. Dziś jednak bolało nieziemsko.

Kierowca nie musiał pytać, czy Patryk znalazł to, czego szukał. Po jego zapadniętych oczach i poszarzałej twarzy widać było, że owszem, znalazł, i szczerze tego żałował…

Otrząsnął się dopiero w Warszawie, gdy stanął przed wejściem do ślicznej, staromiejskiej kamieniczki i spojrzał w okna sypialni, w której paliło się łagodne światło lampki nocnej.

Przeszłość należała do przeszłości. Przyszłość do niego. Tak właśnie Patryk postanowił, gdy w srebrnym przedświcie poranka wsuwał się pod kołdrę i obejmował ciepłe, miękkie ciało ukochanej kobiety.

Julia, na wpół śpiąca, odwróciła się do niego i nie otwierając oczu, wtuliła się weń. Gdy zaczął całować jej usta, pytająco, niepewnie, oplotła go udami, otwierając się na mężczyznę, spragniona go od wielu, wielu dni, tygodni, miesięcy... Właściwie całe życie czekała na chwilę, gdy odda się temu jedynemu.

Z wdzięcznością, kochając tak bardzo, że aż dławiło w gardle, zagłębił się w niej i w łagodnym kołysaniu powiódł oboje tam, gdzie jest najpiękniej...

Promień słońca wpadający przez mansardowe okno zatańczył na policzku Julii i musnął jej powieki. Uśmiechnęła się, jeszcze nie rozbudzona, ale już nie śpiąca. Otworzyła oczy. Patryk leżał tuż obok, obejmując ją jedną ręką. Drugą wsunął pod policzek. Był tak bezbronny w tej magicznej chwili, a zarazem rozczulający... Julia poczuła łzy pod powiekami. Była nieskończenie wdzięczna losowi, że zesłał jej Patryka. Po tylu błędach, podłych związkach, w które się wplątywała, wreszcie dzieliła życie – no, może na razie łóżko – z kimś po stokroć wartym miłości i szacunku.

Co zrobić, by zatrzymać tego mężczyznę na dłużej?

Oboje pragnęli tego samego: szczęśliwa rodzina to było ich marzenie. Czy jednak ona sprosta wymaganiom Patryka, który, doprawdy, mógł mieć każdą inną, znacznie piękniejszą, mądrzejszą, bardziej wartościową, niż taka Julia, dziewczyna znikąd, niechciany podrzutek?

Posmutniała.

Nie miała pojęcia, jak zabiegać o jego względy. Do tej pory byli parą zakochanych. Chodzili na randki, do restauracji, kin i teatrów. Trzymali się za ręce, całowali. Nic więcej między nimi nie zaszło – Patryk zawsze się wycofywał, Julia zostawała sama, zrozpaczona, zachodząc w głowę, co zrobiła nie tak, dlaczego nie pragnął jej wystarczająco, by się z nią kochać.

Nie wiedziała, że Patryk w swoim mniemaniu jest związany z Majką. Sprawa potencjalnego ojcostwa pętała mu ręce. Biedna Julia obwiniała siebie za czyjeś tajemnice, których nie chciałaby jednak poznać. Prawda, owszem, wyzwala, lecz czasem wyzwala demony. Lepiej w takich przypadkach pozostać w nieświadomości. Czy Julia chciałaby wiedzieć, co kilka miesięcy temu zaszło między Majką i Patrykiem? Odpowiedź brzmi: nie.

Doczekała jednak chwili, gdy Patryk odzyskał wolność, wrócił do Julii i kochał ją tak pięknie jak żaden przed nim. Warto było czekać…

Uśmiechnęła się do śpiącego mężczyzny. Jej mężczyzny. W tym momencie na korytarzu rozbrzmiał tupot drobnych stóp i do sypialni ostrożnie wsunęła się dziecięca główka.

Julia położyła palec na ustach i przywołała dziewczynkę dłonią.

– To tatuś? – wyszeptała mała, gramoląc się do łóżka.

Nie dostała odpowiedzi. Julia, nie wiedząc, co czeka ich troje w przyszłości, nie mogła zwodzić dziewczynki. Siebie również nie. Po prostu przytuliła ją do siebie, okryła kołdrą i leżały cicho, bez ruchu, nie chcąc obudzić Patryka.

Ani jednej, ani drugiej nie przyszło do głowy, że bardziej naturalne byłoby coś zupełnie odwrotnego. W kochającej rodzinie dzieciaki zrywają się skoro świt, wskakują rodzicom do łóżka, budząc ich bezceremonialnie, i zaczynają domagać się: śniadania, bajek w telewizji, czegoś do picia, powiedzenia czegoś jej albo jemu („mamo, weź mu coś powiedz!"), ubrania w tę różową sukienkę z cekinami albo kupienia stroju Batmana na bal przebierańców, który odbędzie się już za trzy miesiące, i miliona innych, niecierpiących zwłoki spraw.

Rodzice, jak zwykle łaknący choć odrobiny spokoju, próbują zagonić dzieciarnię z powrotem do łóżek, ale oczywiście bez skutku. I tak to w normalnych domach wygląda do pierwszego dnia szkoły. Od tego czasu rodzice wstają pierwsi i budzą protestujące dzieciaki przez następnych kilkanaście lat, aż latorośle wyfruwają z gniazda, a ich sterani ojciec z matką mogą się wreszcie wyspać.

Julia, która dzieciństwo i młodość spędziła w domu dziecka, gdzie budził ją dzwonek, a nie kochająca dłoń matki, po prostu o tym nie wiedziała. Co przeżyła w swoim króciutkim życiu mała Hania, tego nie wiedział nikt.

– Budzi się! – szepnęła podekscytowana, gdy Patryk potarł dłonią powieki i wreszcie otworzył oczy. Na widok dwóch wpatrzonych weń kobiet: jednej małej, drugiej trochę starszej, musiał się uśmiechnąć. Hania odpowiedziała tym samym. Ufna i radosna, jak to dziecko.

– Tatuś? – musiała się jeszcze upewnić, ale i tym razem nie dostała odpowiedzi.

Patryk uniósł ją nad głową i podrzucił w górę. Wśród pisków i śmiechów dziewczynka zapomniała o pytaniach. Na wszystko przyjdzie czas. Na trudne pytania i niełatwe odpowiedzi również.

ROZDZIAŁ XIII

Naprawdę miała szczere chęci czuwać do rana, aż nie zmieni jej Patryk czy Wiktor. Dzielnie walczyła z sennością. Lecz pokój Majki był tak cichy i spokojny... panował w nim tak przyjemny półmrok... Gabrysia przed nadejściem świtu poddała się i usnęła, na wpół siedząc, na wpół leżąc, z dłonią przyjaciółki w swojej.

Obudziła się instynktownie, gdy tylko w pokoju coś się zmieniło. Nie tyle coś, a ktoś. To Majka, leżąca od jakiegoś czasu nieruchomo, żeby nie zbudzić Gabrysi, drgnęła gwałtownie i zaczęła szeptać coraz bardziej przerażonym głosem:

– O nie, o nie, nie, proszę, nie...

Gabriela poderwała głowę i... zamarła. Jej oczy zogromniały, a z ust wydarł się mimowolny ni to pisk, ni krzyk.

Był tam! Widziała go! Stał w rogu pokoju, czarny, nieruchomy, potężny i wpatrywał się w obie kobiety błyszczącymi w półmroku oczami.

Majka ukryła się za plecami Gabrieli, zawodząc cichutko, ale Gabrysia nie miała dokąd uciec. Zaciskała palce na drżącej ręce przyjaciółki i powtarzała szeptem to, co ona przed chwilą:

– O nie, ja go nie widzę, to nie może być prawda! O nie, nie, jego tu nie ma! Nie widzę go!

Ale zjawa trwała nieporuszenie.

Gabriela poczuła, jak jeżą się jej włosy na karku. Albo udzielił się jej obłęd Majki, albo pokój był nawiedzony.

– Idź stąd! – krzyknęła półgłosem. – W imię Ojca i Syna, i Ducha Świętego, idź stąd! Przepadnij! – Nic innego nie przyszło do głowy półżywej ze strachu kobiecie.

Gdy to coś uniosło do góry dłoń i przytknęło do ust palec, nakazując milczenie, Gabriela pisnęła, zupełnie jak Majka, i z całych sił zacisnęła powieki.

Otwierane drzwi skrzypnęły cicho. Gabriela otworzyła oczy w momencie, gdy zjawa wychodziła.

Wychodziła?!

Gdyby była duchem, po prostu przeniknęłaby na drugą stronę!

Gabriela skoczyła na równe nogi i niepomna na Majkę, która próbowała ją zatrzymać, czepiając się jej ramienia, biegiem ruszyła do drzwi.

Wypadła na korytarz. W jasnym świetle jarzeniówek zjawa wyglądała całkiem po ludzku. Kobieta dobiegła do niej i szarpnięciem odwróciła w swoją stronę.

Mężczyzna z krwi i kości spojrzał na drobną Gabrielę z góry.

– Komisarz jakiś tam?! Co pan robił w pokoju Majki?! Jakim prawem pan tam wszedł?! – wyrzuciła z siebie pełne wzburzenia słowa. Jeszcze drżała po niedawnym przerażeniu i to dodawało jej odwagi. – Tam nie wolno nikomu wchodzić!

– Mnie wolno – odezwał się.

– Niby kto panu pozwolił?!

– Patryk Prado. Właśnie nadchodzi.

Rzeczywiście. Szpitalnym korytarzem spieszył ku nim jasnowłosy mężczyzna.

– Co się stało? Co pan tu robi, komisarzu? – zapytał.

Ale Gabriela nie czekała na odpowiedź.

– Patryk, jakim prawem wpuściłeś do Majki tego człowieka?! To on ją śmiertelnie przeraził! To przez niego ma ataki paniki! Jak mogłeś?!

Patryk zmierzył mężczyznę podejrzliwym spojrzeniem.

– Panie Prado, nie mam pojęcia, o co chodzi, ale na pewno nie ja wystraszyłem Majkę Trojanowską. Życzę jej równie dobrze jak przyjaciele, dobrze pan o tym wie, i równie mocno zależy mi na tym, by jak najszybciej wyzdrowiała i opuściła szpital.

Patryk powoli skinął głową. Gabriela jednak nie dała za wygraną:

– Był tam! Czaił się w rogu pokoju, dokładnie tak, jak opisała Majka! – Głos się jej łamał ze zdenerwowania, a ręce jeszcze drżały. Ten człowiek naprawdę ją przeraził! Jak więc musiała być wystraszona Majka, półprzytomna po operacji, słaba i bezbronna!

– Nie czaiłem się, pani Gabrielo – zaprzeczył łagodnie Bracki. – Po prostu wszedłem po cichu, bo to przecież sala intensywnej terapii, zatrzymałem się w progu, by rzucić tylko okiem, czy z panią Trojanowską wszystko w porządku, i zaraz potem wyszedłem.

– Poprzednio, gdy nikogo z nas przy Majce nie było, też pan jedynie wszedł, popatrzył sobie na nią i wyszedł?! Może molestował pan bezbronną, unieruchomioną dziewczynę...

– Posuwa się pani za daleko! – w głosie policjanta zabrzmiało ostrzeżenie. Nie lubił takich podejrzeń.

– Patryk, nie życzę sobie, by ten człowiek zbliżał się do pokoju Majki, słyszysz?!

– Tak, Gabrysiu. Przykro mi, komisarzu, ale dobro mojej bratowej jest dla mnie najważniejsze. – Patryk, tonem nieznoszącym sprzeciwu, zwrócił się do Brackiego. – Majka mogła błędnie zinterpretować pana wizytę, jest pod wpływem silnych środków uspokajających. Nie zmienia to jednak mojej decyzji: proszę się więcej tu nie pokazywać.

– Oczywiście. Rozumiem. W razie czego jestem do dyspozycji.

Pożegnał się skinieniem głowy i odszedł niespiesznie, ciesząc się w duchu, iż po pierwsze: Majka będzie milczeć, po drugie: wyszedł z nieprzyjemnej sytuacji obronną ręką. Bo tym razem rzeczywiście pojawił się tylko w jej pokoju i zniknął, ale poprzednio zrobił, co trzeba, by ją uciszyć.

Nagle zatrzymał się. Przyszedł przecież do szpitala nie tyle ze względu na Majkę, co na Patryka!

Sięgnął po telefon, wybrał numer.

Patryk odezwał się niechętnie po dwóch sygnałach:

– Słucham, komisarzu Bracki.

– Mam wiadomość, na którą czekasz – rzucił krótko. – Spotkamy się w świetlicy na drugim piętrze.

– Przepraszam, jeśli nieświadomie wystraszyłem twoją bratową – zaczął, gdy tylko Patryk usiadł przy jednym ze stolików w pustym o tej porze pomieszczeniu.

W innej sytuacji machnąłby ręką i odrzekł: „Nie ma sprawy", ale jeśli Bracki rzeczywiście przyczynił się do ataków paniki, w trakcie których Majka wyrywała sobie wenflon z żyły i próbowała uciekać, sprawa była. I to poważna.

– Na pewno nieświadomie? – rzekł ostrym tonem.

– Zajrzałem do niej wczoraj. Spała spokojnie, więc wyszedłem.

Nie dodał, że wyszedł dopiero po tym, jak Majka się obudziła, ujrzała go i omal nie zemdlała z przerażenia. Dopiero wtedy, gdy dziewczyna zaczęła szlochać ze strachu, ulotnił się. Tak jak dzisiaj.

– Mówiłeś, że masz dla mnie wiadomość. – Patryk zmienił temat. Od tego gliniarza i tak więcej się o Majce nie dowie. Może jednak zyskać informacje o matce małej Hani.

Dziś rano, przy śniadaniu, Julia zaproponowała, by nie szukać kobiety, która powierzyła jej dziewczynkę.

– Zobacz, jaka jest szczęśliwa… – Jula przytuliła siedzące obok dziecko. Czyste, syte, radośnie szczebiocące, było przeciwieństwem zabiedzonego nieszczęścia, które znaleźli w norze na Żelaznej. – Ja jestem jej mamą, ty możesz być tatą, jeśli tylko zechcesz. Po co burzyć jej świat? Przecież nie chcemy, by wróciła do tamtego mieszkania.

W duchu zgadzał się z Julią całym sercem, jednak chłodny umysł prawnika podpowiadał, że to niemożliwe. Wcześniej czy później matka dziewczynki przypomni sobie o niej, odnajdzie Julię po raz drugi, dziecko odbierze, a ich wpędzi w poważne kłopoty.

Jeśli mieliby się starać o adopcję Hani, musieli postępować zgodnie z prawem. Jakkolwiek niesprawiedliwe by się ono wydawało. Lecz Julii mógł na razie oszczędzić niepokoju i rozczarowań.

– Zrobię wszystko, byście obie były szczęśliwe: i Hania, i ty – zbył ją obietnicą bez pokrycia, po czym ucałował, podziękował za śniadanie i za cudowną noc, ale to już szeptem, wprost do ucha, narzucił płaszcz i wyszedł, spiesząc do szpitala.

Teraz patrzył wyczekująco na człowieka, który mógł albo odebrać im Hanię, albo przeciwnie: pomóc ją zatrzymać.

– Wrzuciłem zdjęcie Julii Raszyńskiej w naszą wyszukiwarkę – zaczął policjant, sięgając do kieszeni marynarki – i oto, co znalazła.

Położył na stole zdjęcie dziewczyny łudząco do Julii podobnej.

Patryk ujął je w dwa palce i uniósł do oczu.

– Niesamowite – rzekł półgłosem. – Jak dwie krople wody! Może wygląda na szczuplejszą i bardziej zmęczoną, czy raczej schorowaną, ale gdybyś mi nie powiedział, że to kto inny, dałbym sobie rękę uciąć, że to Julia!

– Jowita. Jowita Smyk. Tak się nazywa. Notowana za drobne przestępstwa: kradzieże, zakłócanie miru domowego, nieobyczajne zachowanie. Trafiła również na pogotowie po przedawkowaniu narkotyków.

W tym momencie Patryk wciągnął powietrze. Ćpunka? Policjant przytaknął bez słowa.

– Możesz się domyślić, w jaki sposób zarabiała na prochy tak śliczna dziewczyna…

Taaak, mógł się tego domyślić.

– Mam pewną hipotezę, która może mnie do niej doprowadzić – ciągnął Bracki. – Pytanie tylko, czy na pewno chcesz odnaleźć matkę dziewczynki. Wystarczy, że pokaja się przed sądem, obieca poprawę, i dziecko do niej wróci.

– Porzuciła je – zauważył Patryk.

– Oddała pod opiekę krewnej – sprostował komisarz. – Nie chcę być adwokatem diabła, ale tak to będzie wyglądało. Dziecko nie zostało samo. Zajmowała się nim opłacona sąsiadka. Potem pojawiliście się wy. Matka miała prawo z ważnych powodów powierzyć dziewczynkę komu innemu. Może jest chora? Miała wypadek? Pojechała na badania? Znajdzie racjonalne wytłumaczenie i przedstawi je sądowi, gdy dojdzie do walki o małą. Przykro mi…

Patryk odwrócił wzrok od zdjęcia i zapatrzył się w okno, za którym słońce nieśmiało wychodziło zza chmur. Czy kiedyś w jego życiu zaświeci jasno i trwale? Zaczynał w to wątpić.

Jak ma wrócić do domu, w którym szczęśliwa Julia zajmuje się równie szczęśliwą Hanią, i oznajmić, że to szczęście potrwa do czasu, gdy odnajdzie się prawdziwa matka dziewczynki?

Czy Julia wybaczy mu zdradę, kiedy przyjdą z opieki społecznej odebrać dziecko?

Gdyby jeszcze sam był przekonany, że tak będzie dla Hani lepiej, ale on wątpił w to dokładnie tak jak Julia, od urodzenia poniewierająca się po bidulach! Chociaż… nawet w sierocińcu miała lepszą opiekę niż Hania. Nie chodziła głodna, brudna i zawszona.

Nieświadomie zacisnął szczęki tak mocno, aż ząb zgrzytnął o ząb. Wiedział, że następnymi słowami być może przekreśli swoje szanse na szczęśliwą rodzinę i szanse małej dziewczynki na spokojny dom, ale musiał to powiedzieć:

– Trzeba znaleźć tę całą Jowitę. I to jak najszybciej.

– Jasne. Zajmę się tym – obiecał komisarz, wstając.

– Dziękuję. – Patryk wyciągnął doń rękę, a gdy ten podał swoją, przytrzymał ją w silnym uścisku. – Nie mogę ci zabronić, Mariusz, wstępu do szpitala, ale od Majki trzymaj się z daleka.

– To oczywiste – odparł Bracki bez mrugnięcia okiem.

Prawdę mówiąc, nie musiał się już tutaj pokazywać. Misja zakończyła się powodzeniem. Z Patrykiem zawarł umowę i był pewien, że prawnik jej dotrzyma, Marcin przeżył, Majka będzie milczeć. Jego ludziom, i jemu również, nieudana akcja ujdzie na sucho. Cóż. Zdarza się.

– Dam znać, gdy tylko będę miał jakieś wieści.

Nic więcej nie zostało do dodania…

Gabrysia, nadal wzburzona po wymianie zdań z komisarzem, wróciła do pokoju, lecz gdy tylko ujrzała skulony pod kołdrą kształt i usłyszała ciche, ale przejmujące zawodzenie Majki, wzburzenie ustąpiło miejsca współczuciu.

Dopadła przyjaciółki, odrzuciła kołdrę, uniosła Majkę i przytuliła z całych sił.

– Majuś, Majuniu, uspokój się! Już nic! Nic się nie stało! Jego tu nie ma i nie wróci, jesteś bezpieczna! Już cicho, cicho, kochana... – Kołysała roztrzęsioną dziewczynę, sama bliska łez.

Majka uniosła nagle głowę, wbiła ogromne czarne oczy w Gabrielę i rzuciła poszarzałymi z przerażenia ustami:

– Nie powiem! Nic nie powiem!

– Nie musisz, kochana, ja już mu powiedziałam.

– Powiedziałaś mu?! – Dziewczyna zesztywniała. Oczy niemal wyszły jej z orbit.

– Oczywiście! I wierz mi...

– Zabije Marcina! On zrobi krzywdę Marcinowi! Ostrzegł mnie, że jeśli powiem... Ja nic nikomu nie mówiłam, ale ty powiedziałaś... Muszę tam iść! – Odepchnęła Gabrielę i była gotowa rzeczywiście zeskoczyć z łóżka i pognać na poszukiwania Marcina, ale kobieta nadludzkim przypływem sił ją powstrzymała.

– Majka, nie wolno ci wstawać! Jeżeli raz jeszcze spróbujesz uciec, przywiążą cię do łóżka i wtedy nie pomożesz Marcinowi! – odezwała się surowym, stanowczym głosem, trzymając w objęciach wyrywającą się dziewczynę. – Uspokój się! Ten policjant nic ci nie zrobi!

– Wiedziałam... wiedziałam, że to policjant... – Majka opadła na poduszkę, zamykając oczy. Przez chwilę wyglądała jak martwa. – Tak. To on nas napadł. Wiedziałam...

– Mówiłaś, że to duch, zjawa... – Gabriela przestała nadążać za przyjaciółką. – Byłam przekonana, że masz omamy...

Majka otworzyła oczy, widniało w nich śmiertelne znużenie.

– Myślałaś, że przestraszyłam się ducha?

Prawdę mówiąc, Gabriela tak właśnie myślała.

– On, ten policjant, nie musi tu wracać. Powiedz mu, gdy następnym razem go spotkasz, że... nie musi tu wracać. Zrozumie.

– Dobrze, Maja. Powtórzę mu wszystko, co zechcesz, tylko leż spokojnie, nabieraj sił, pozwól zagoić się ranom, dobrze? – Gabriela pogładziła zimną, drżącą dłoń przyjaciółki. – Gdy tylko lekarze pozwolą, zabiorę cię do domu. Do Leśnej Polany. Nie będziesz sama ani na chwilę. Nikt więcej cię nie skrzywdzi. Marcina też nie. Przyrzekam.

Gabrysia nie powinna była przyrzekać czegoś, na co nie miała wpływu, ale w tym momencie Majka potrzebowała takich słów. Uwierzyła przyjaciółce. Posłała jej uśmiech przez łzy i zamknęła oczy, dając znać, że chce odpocząć.

Gabriela opadła bez sił na fotel. Miała serdecznie dosyć tego miejsca. Przeszklonej klatki, niechętnych spojrzeń, rzucanych przez pielęgniarki czy lekarzy, braku dziennego światła, wreszcie niedającego odetchnąć niepokoju o Majkę i Marcina. Miała dosyć. Mimo to jej postanowienie, żeby nie opuścić przyjaciół ani na chwilę, nie uległo zmianie. Bo kto miał przy nich trwać, jeśli nie przyjaciele? Matki, które porzuciły ich w dzieciństwie? Ojcowie, których jedno nie znało w ogóle, drugie prawie wcale? Marcin miał na szczęście dwóch braci, w tym Wiktora, z którym łączyły go nie więzy krwi, lecz coś znacznie silniejszego: dramatyczna przeszłość. Ale Majka była zupełnie sama...

Posłała leżącej nieruchomo przyjaciółce pełne współczucia spojrzenie. I nagle przypomniała sobie, że ani ona, ani Maja nie są już same. Mają siebie. Mają kochających mężczyzn. Są bogatsze od milionów kobiet, otoczonych przez nieczułe, obojętne rodziny, bitych przez sadystycznych mężów, lekceważonych przez rozwydrzone dzieciaki, nierozumianych przez matki, które uważały, że wina leży po stronie kobiety, i tak samo okrutnych jak mężowie ojców.

Tak. Majka może nie miała rodziny, za to mogła się czuć bezpieczna i kochana.

Telefon, który zawibrował w kieszeni dżinsów, przerwał Gabrysi te rozmyślania. Spojrzała na wyświetlacz: „Marek Rem". Zmarszczyła brwi. Jaki Marek Rem? Znała kogoś takiego?

Najwidoczniej, bo ten ktoś czekał cierpliwie, aż ona odbierze, a gdy wcisnęła zieloną słuchawkę i rzuciła: „Słucham?", przywitał się i rzekł:

– Pani Gabrielo, jest problem. Znaleźliśmy coś... powinna pani sama obejrzeć i zdecydować, co z tym fantem począć.

Ach, kobieta przypomniała sobie, co to za tajemniczy „Marek Rem"! Młody, ale pracowity i rzetelny chłopak, który przejął firmę po swoim tacie i jego pierwszym poważnym zadaniem był remont mieszkania na Żoliborzu. Gabriela dała temu człowiekowi całkowicie wolną rękę. Jedynym warunkiem, który postawiła, było: „Radźcie sobie sami i niczym, absolutnie niczym!, nie zawracajcie mi głowy".

Nie chciała więcej oglądać tego mieszkania. Antoni go nie lubił, czuł się w czterech ścianach dawnej służbówki jak na wygnaniu. Jego domem nie przestała być zagrabiona przez komunistów willa na placu Lelewela. Gabrysia więc nie lubiła tamtego mieszkania podwójnie.

– Panie Marku… – zaczęła przyciszonym, bo pielęgniarka już mierzyła ją nagannym spojrzeniem, surowym głosem. – Umawialiśmy się, że wszystkie problemy rozwiązuje pan samodzielnie, ewentualnie z pomocą Wiktora.

– Wiem, pamiętam i przepraszam za ten telefon, ale ten problem… myślę, że powinna pani przyjechać jak najszybciej – głos młodego chłopaka był tak samo nieznoszący sprzeciwu jak jej.

Poczuła niepokój.

– Nie rozumiem, skąd te tajemnice, ale dobrze, proszę dać mi parę kwadransów. Jestem w szpitalu z przyjaciółką i nie zostawię jej bez opieki.

Przeprosił ją, ale nie zaproponował, że jednak zajmie się tym sam.

– Czekam – rzekł, pożegnał się i rozłączył.

Gabrieli nie pozostało nic innego, jak wysłać lakoniczną wiadomość Patrykowi: „Muszę wyjść na godzinę czy dwie. Możesz posiedzieć przy Majce?". Spotkała go na korytarzu, miała więc pewność, że jest gdzieś tutaj, w szpitalu, pewnie w pokoju Marcina. Wiktora nie widziała od ładnych paru godzin…

Chwilę później Patryk wchodził do sali, w której leżała Majka. Najpierw rzucił uważne spojrzenie chorej, ale dziewczyna nie otworzyła oczu, nie dała znać, że zdaje sobie sprawę z jego obecności. Może spała? Może udawała jedynie, że śpi, zamknięta w swoim świecie, pełnym przerażających czarnych zjaw?

– Co z nią? – zapytał cicho, zamieniając się na miejsca z Gabrysią.

Może gdyby nie zdenerwował jej tajemniczy telefon, streściłaby przynajmniej to, co pół godziny wcześniej dziewczyna wykrzyczała o policjancie. Może jej słowa dałyby Patrykowi do myślenia… Ale Gabriela śpieszyła się. Odrzekła więc jedynie, że już jest w porządku, obiecała, iż niebawem wróci, i wyszła z pokoju, a potem ze szpitala, mimowolnie oddychając z ulgą. Nie cierpiała tego miejsca…

ROZDZIAŁ XIV

Droga przez miasto – z Mokotowa na Żoliborz – wyjątkowo
się Gabrieli dłużyła. Kobieta zachodziła w głowę, jaki problem
kazał młodemu człowiekowi ściągać ją do mieszkania, w którym jej stopa nie stanęła od śmierci taty.

Marek Rem jak Remont dostał proste zadanie: przygotować mieszkanko do szybkiej sprzedaży. Remont rozpoczął
się z paromiesięcznym poślizgiem – ekipa w pierwszej kolejności zajęła się Leśną Polaną, później zaś Gabriela unikała
tematu mieszkania na Żoliborzu tak po prostu. Jednak dwa
tygodnie temu postanowiła się z nim zmierzyć. Poprosiła
„Marka Rem", by zajął się wszystkim, określiła budżet i… zapomniała o sprawie. Ale sprawa nie zapomniała widać o Gabrieli.

Co mogło się wydarzyć, że wzywano ją tak pilnie? Na pewno
nic miłego…

Taksówka zatrzymała się w końcu pod starą, obdrapaną kamienicą. Gabriela zapłaciła, wysiadła i po chwili wchodziła do mieszkania.

Znajdowało się w stanie ruiny. Wszystkie meble wyniesiono, zerwano linoleum z podłóg, poczerniały ze starości parkiet błagał o cyklinowanie. Ze ścian zwisała w pasach tapeta, która była tak brzydka, że Gabrysia wyrzuciła ją ze świadomości. Pod nią znajdowała się farba nieokreślonego koloru. Musztarda przechodząca w brudny róż… Antoni naprawdę mieszkał w tak obskurnych czterech ścianach?! Gabrieli zrobiło się wstyd. To ona, wieki temu, wybierała przecież tę tapetę i wtedy wydawała się ona ładniejsza. Zresztą większego wyboru w pierwszych latach po upadku komunizmu nie było. Sama też tę tapetę kładła, bo nie stać jej było wtedy na zatrudnienie fachowców, a tata przecież pomóc nie mógł…

Stała w progu pokoju, pogrążona w niewesołych wspomnieniach, gdy ktoś ją w końcu zauważył i wezwał szefa.

– Dobrze, że pani jest. Pani idzie za mną.

Był tak poważny, jakby znalazł trupa w szafie.

I w pewnym sensie tak było. Trup nie znajdował się jednak w szafie, a pod wanną, odsuniętą od ściany i przygotowaną do wyniesienia.

– Woleliśmy tego nie ruszać – mruknął chłopak, ukląkł, włączył latarkę i skierował strumień światła w róg łazienki.

Gabrysia, chcąc nie chcąc, uklękła przy nim, schyliła się i…

– O rany!

– Właśnie: „O rany!" – zgodził się Marek. – Przyzna szefowa, że dobrze zrobiłem, nikomu więcej o tym nie mówiąc.

– Dobrze pan zrobił – zgodziła się słabym głosem Gabrysia, patrząc na czarny pistolet, błyszczący złowrogo w świetle latarki. – Trzeba go stąd zabrać.

– Ano trzeba.

– Nie wystrzeli?

– Znać to ja się na tym nie znam, ale chyba jest zabezpieczony. Magazynek leży obok.

Gabriela nigdy nie miała do czynienia z bronią. W głowie by jej nie postało, że ojciec przechowywał w mieszkaniu pistolet! Właściwie po co? W obronie przed Kuchtą? Tamten, gdyby chciał, zgładziłby Antoniego sto razy i nic by go nie powstrzymało. Chyba że...

– Ten stary kuchenny kredens, który kazała szefowa wyrzucić, wynieśliśmy na balkon, bo Remek chce go zabrać – odezwał się chłopak. – O ile oczywiście szefowa pozwoli.

– Skoro kazałam wyrzucić, to niech bierze, ale co ma do t e g o kredens?

– No właśnie ma. Skrytkę. Pustą, jeśli nie liczyć cuchnącej smarem szmaty. Myślę, że to cudo było w nią owinięte.

Ojciec trzymał pistolet w pokoju! Ludzie kochani... A Gabrysia myślała, że nic się przed nią nie ukryje... Czasami czuła zapach dymu tytoniowego, domyślała się, że Antoni przechowuje gdzieś zakazany owoc w postaci fajki i niekiedy ją popala, ale fajka to fajka, tutaj zaś leżał śmiercionośny przedmiot!

– Dobra, raz kozie śmierć, biorę go – postanowiła i sięgnęła głęboko pod wannę. Po chwili trzymała waltera w dłoni.

– Piękna rzecz – mruknął chłopak. – Da szefowa, sprawdzę, czy w lufie nienabity.

Zważył pistolet w ręce, pilnując, by lufę kierować jak najdalej od Gabrieli i siebie. Przeładował jak na filmach. Komora była pusta.

– I po krzyku – uśmiechnął się, zadowolony. Podobała mu się ta zgrabna, błyszcząca zabawka, jak każdemu facetowi. – Może... – zawahał się – może odkupiłbym go od szefowej? Miałaby szefowa problem z głowy...

– Zapomnij. Nawet jak zetrzesz moje odciski palców, nie będę spokojnie spać, wiedząc, że być może narażam kogoś na kalectwo albo śmierć. Poza tym posiadanie tej broni zapewne jest nielegalne. Ktoś przypadkiem by ją u ciebie znalazł i miałbyś kłopoty. Ja również.

– Przecież nie sypnąłbym szefowej!

– Wykreśl więc to „ja również". Wystarczy, byś ty miał kłopoty, żebym powtórzyła: zapomnij.

– To co szefowa z nim zrobi?

Spojrzała na chłopaka ze zdziwieniem i odparła, jakby to była oczywistość:

– Wrzucę do Wisły.

Marek jęknął w proteście.

– To unikatowa rzecz! Ludzie zapłaciliby kupę hajsu za ten pistolecik. Szkoda go wyrzucać!

– To nielegalna rzecz. Nikomu bym jej nie sprzedała ani nie oddała.

Wyjęła mu broń z ręki i kończąc dyskusję, włożyła do torebki. Magazynek, żeby chłopakowi nie przyszły do głowy tak głupie rzeczy jak zabawa z prochem, również.

– I po problemie – skwitowała, wstając. – Jeżeli to wszystko, wracam do szpitala. Dziękuję, że mnie wezwałeś, takim trupem w szafie rzeczywiście powinnam się zająć sama. Nie mów nikomu, co tu znalazłeś. Swoich ludzi też ucisz.

– Nic nie wiedzą. Gdy tylko go zobaczyłem, odesłałem ich do tapet, a sam nie ruszyłem się z łazienki na krok aż do przyjazdu szefowej.

– Bardzo dobrze. Tutaj jest podziękowanie. – Wcisnęła mu w dłoń kilka banknotów stuzłotowych.

– Nie trzeba! Co też szefowa…!

– Przydadzą ci się ekstrapieniądze, a ja naprawdę jestem wdzięczna.

Nieprzekonany, kiwnął głową, ale widać było, że jest zadowolony.

– Gdyby szefowa postanowiła jednak zatrzymać tę zabawkę…

– Wiem, wiem, chętnie go rozłożysz, naoliwisz, złożysz i przestrzelasz, czy jak to się tam mówi.

Błysk w oku chłopaka był dowodem, że właśnie o tym myślał.

Zaśmiała się i kręcąc głową, ruszyła do drzwi. Ach, ci mężczyźni… Czy starszy, czy młodszy, chętnie by się w wojnę pobawił. Musi jak najszybciej pozbyć się broni, bo Bóg wie, jak zareagowałby na nią Wiktor.

Ale Gabrysia nie dotarła nad Wisłę. Los pokrzyżował jej plany nie pierwszy i nie ostatni raz. Może tym razem nie los, lecz Julia…

– Cześć, kochana – usłyszała głos przyjaciółki i musiała się uśmiechnąć. W tym głosie brzmiało czyste szczęście. – Nie odwiedziłabyś nas? Mieszkamy u Patryka, na Starówce.

No tak! Przecież Jula została mamą tajemniczej dziewczynki! Gabriela, przejęta własnymi smutkami i radościami, zupełnie o tym zapomniała!

Jak jeszcze przed chwilą zdecydowana była wracać do szpitala – o Wiśle, usłyszawszy Julę, zdążyła zapomnieć – tak teraz postanowiła zrobić sobie dłuższe wagary i odwiedzić przyjaciółkę, a przede wszystkim poznać dziewczynkę. No i wypytać Julę o wszystko, czego o tym dziecku zdołała się dowiedzieć.

Taksówka właśnie podjeżdżała. Wystarczyło wsiąść, podać nazwę staromiejskiej uliczki zamiast szpitala na Wołoskiej, i oto pół godziny później, zatrzymawszy się przedtem na pospieszne zakupy, stała na progu niewielkiego, lecz przytulnego mieszkania.

– Chodź, kochana! – Julia wciągnęła przyjaciółkę do środka. – Rozgość się! Hanusiu, przywitaj się z ciocią Gabrysią…

Dziewczynka spojrzała na gościa swoimi wielkimi niebieskimi oczami, przez chwilę nie była pewna, czy kryć się za mamą, czy przeciwnie, lecz gdy Gabriela uśmiechnęła się do niej i wyciągnęła zza pleców pięknie opakowany prezent, mała pisnęła z radości i bez dalszych wahań przybiegła do Gabrysi. Objęła ją szybko, cmoknęła w policzek, nie spuszczając wzroku z błyszczącego pudełka, i już mogła się zająć rozrywaniem kolorowego papieru, zaglądaniem do środka, wyciąganiem różowego domku i tuzina małych ślicznych laleczek.

– No tak… ty przynajmniej wiedziałaś, o czym marzą małe dziewczynki – odezwała się Julia, patrząc na przybraną córeczkę rozkochanym spojrzeniem. – Patryk kupił czterolatce zestaw lego. Żeby to jeszcze było lego barbie, ale lego więzienie?! Z dwoma zamaskowanymi zbirami i policją uzbrojoną w kajdanki?!

Gabriela roześmiała się serdecznie.

– Wiesz, że mężczyźni nigdy do końca nie wyrastają z krótkich spodenek. Widocznie pół życia o takim zestawie marzył, więc gdy znalazł okazję, po prostu go sobie kupił – wyjaśniła przyjaciółce.

– Patryk, okej, on mógł sobie zestaw „więzienie" kupić, ale wyjaśnij mi, dlaczego podarował go dziewczynce!

– A co dziewczynka na to?

– Och… – teraz Julia musiała się roześmiać – była oczarowana! Nie odstąpiła mnie na krok, gdy składałam klocki, i do twojego przyjścia bawiła się w dom złodziejami i policjantami.

– Widzisz! Prezent trafiony! Patryk to mądry facet!

– Wiktor kupiłby Hani lalkę – zauważyła Julia.

– Wiktor tak, bo on myśli o każdym, tylko nie o sobie. Z Patryka zaś wyszedł mały egoista.

Gabriela ze złośliwym uśmiechem patrzyła, jak Julia się oburza i staje w obronie ukochanego mężczyzny:

– Patryk nie jest egoistą! Odszczekaj to!

Ale Hania była za mała, by poznać, że to żarty. Słysząc podniesiony głos mamy, wygięła usta w podkówkę, a do jej błękitnych oczu napłynęły łzy. Julia porwała dziecko w ramiona, obsypała pocałunkami, uspokoiła pełnym czułości zapewnieniem, że nie będą już na siebie z ciocią krzyczeć.

Dziecko zajęło się zabawą, a one mogły przejść do kuchni, usiąść przy stole i z herbatą w kubkach i ciastem na talerzykach porozmawiać spokojnie.

– Och, Gabi, nie wiem, od czego zacząć... – Jula westchnęła z głębi duszy. Jej oczy, jak dwie gwiazdy, lśniły szczęściem. – Wczoraj w nocy zrobiliśmy to...

Gabrysia uniosła brwi ze zdumienia.

– To, czyli... drugie dziecko?

– Nie tak szybko! To, czyli kochaliśmy się.

– Dopiero teraz?! Myślałam... to znaczy... przez ostatnie miesiące spędzaliście ze sobą sporo czasu. Myślałam...

– Wiem, co myślałaś. – Julia zarumieniła się z zakłopotania. – I prawdę mówiąc, ja też myślałam podobnie, ale Patryk nigdy nie zapragnął niczego więcej niż pocałunków i przytulanek. Całował wspaniale, pięknie i namiętnie, rozpływałam się od dotyku jego ust, ale... na tym kończył. Zaczęłam się obawiać, że nie jestem dla niego dość atrakcyjna.

– Jula, ty?! Nie dość atrakcyjna?! Bój się Boga, dziewczyno! Jesteś śliczna!

– Wiesz, facetowi takiemu jak Patryk uroda może nie wystarczyć.

– I bardzo dobrze, bo oprócz urody dostaje w pakiecie inteligencję, wrażliwość, dobre, kochające serce. Gdybym chociaż podejrzewała, że to za mało, doprawdy... chyba pogadałabym z Patrykiem po męsku, jakkolwiek to zabrzmi. Jula, to nie ty masz o niego zabiegać, lecz on o ciebie!

– I zabiega! Wierz mi! Jest kochany! Tylko… do łóżka jakoś go nie ciągnęło. Aż do wczoraj. Och, Gabi… on jest wspaniały… – Dziewczyna rozmarzyła się powtórnie.

Gabrysia natomiast była mniej zachwycona. Jej przyjaciółka nie wyszła bowiem poza utarty schemat: mężczyzna na piedestale, ona jako podnóżek. Całe szczęście, że Patryk nie należał do gatunku misiów-pysiów, bo Jula znów musiałaby skakać przez balkon.

– Zobacz, jak przepięknie się wszystko układa – odezwała się powtórnie. – Ty masz Wiktora, ja – Patryka i Hanię, Maja – Marcina. Szkoda, że…

– Że?

– No wiesz… – Jula za późno ugryzła się w język i teraz nie wiedziała, jak dokończyć rozpoczęte zdanie, by nie urazić przyjaciółki. – Szkoda, że Maja straciła dziecko, a ty…

– A ja jestem w ciąży – dokończyła z uśmiechem Gabriela.

Oczy Julii zogromniały.

– Przecież… przecież nie mogłaś mieć więcej dzieci – wyjąkała, zaskoczona.

– Właściwie doktor, który prowadził mnie po tamtym zdarzeniu, nigdy tego nie powiedział. A ja byłam zbyt rozbita utratą Wiktora, a potem naszego synka, żebym o to pytała. Nie było Wiktora, więc z kim mogłabym mieć dziecko?

– Z kimkolwiek – zauważyła przytomnie Julia.

– Ale ja nie chciałam kogokolwiek. Wiktor albo nikt.

– I Wiktor wrócił do ciebie – rozpromieniła się dziewczyna. – I jesteś w ciąży! O rany… – Przytknęła obie dłonie do płonących z podekscytowania policzków. – Tyle szczęścia! Wiktor unosi się pewno metr nad ziemią!

– Nie powiedziałam mu jeszcze.

– To na co czekasz?! On zasługuje na szczęście! Ciebie już kocha bez opamiętania, co będzie, gdy dowie się o dziecku? Oszaleje z radości! Musisz mu powiedzieć! I to zaraz!

– Jula, spokojnie. Po pierwsze, sama dowiedziałam się zaledwie wczoraj. Po tym jak zemdlałam, zbadał mnie doktor Braniewski i wyniki beta hCG potwierdziły jego podejrzenia: jestem w ciąży. W Szpitalu Bielańskim zrobili mi USG, to koniec drugiego miesiąca. Za wcześnie, żeby się cieszyć bez opamiętania. Mam niemal czterdzieści lat.

– I co z tego? Jeżeli zaczniesz krakać, to wykraczesz – zdenerwowała się Julia. – A Wiktor...

– Gdybym miała stracić także to dziecko, wolałabym oszczędzić Wiktorowi takiego bólu.

– Gabriela, sorry, że będę brutalnie szczera, ale głupia jesteś. – Julka pokręciła z niedowierzaniem głową. – Pierwsze dziecko straciłaś, bo psychopata je zastrzelił. Teraz nikt ci nie zagraża.

– Oprócz wieku.

– Przestań z tym wiekiem! Nie chcę o tym słyszeć! Masz myśleć pozytywnie. To jedynie czterdzieści lat, a nie pięćdziesiąt. Gdy przybiegniesz do mnie z taką niespodzianką za dekadę, zacznę się martwić, ale teraz? Miliony kobiet rodzą w twoim wieku zdrowe, śliczne dzieci. Masz powiedzieć Wiktorowi, słyszysz? Bo ja mu powiem.

– Nie! Sama chcę to zrobić!

– Proszę bardzo – Julia podała jej telefon, ale Gabriela odłożyła go na stół.

– Może jeszcze esemesa mam mu wysłać? Zrozum, Julia, spotykamy się ostatnio li tylko na szpitalnym korytarzu, między pokojami Majki i Marcina. A ja chcę powiedzieć Wiktorowi o naszym dziecku... pięknie. Tak właśnie. Chcę, żeby zapamiętał tę chwilę na zawsze. Żebyśmy oboje zapamiętali. I nie kojarzyli naszego synka albo córeczki z tym okropnym szpitalem.

– Masz rację, Gabi – Julia musiała się zgodzić. – Rzeczywiście piękne chwile powinno się celebrować, bo nie wiadomo, co nam jutro los przyniesie. Teraz ja zaczynam krakać. Może... zadzwonię po opiekunkę do Hani, posiedzę zamiast ciebie przy Majce, a ty będziesz mogła spędzić z Wiktorem wieczór? Kolacja przy świecach... ty w ślicznej sukience... on z bukietem kwiatów albo jedną różą w dłoni... za oknem cicho pada śnieg... Cielak, to znaczy King, liże cię po nodze...

– O Boże! – Gabriela, zamiast parsknąć śmiechem, poderwała się gwałtownie. – Przez to wszystko zapomniałam o zwierzakach! Krówek, to znaczy Drops, ma siana w bród, automatyczne poidło i dużą ciepłą stajnię, ale biedny Cielak sianem się nie pożywi! Jadę do domu. Nakarmię psa, dopieszczę Krówka owsem i wracam.

Już szła do drzwi, w pośpiechu nakładając kożuszek. Już szukała w kieszeni kluczyków do samochodu, których oczywiście nie znalazła, bo zostały w rozbitym fordzie.

– Cholera, muszę wziąć taksówkę.

– Patryk zostawił mi volvo. Na pewno nie będzie miał nic przeciwko temu, żebym pożyczyła je tobie. Wiesz, jakie są warunki na drogach. Volvo jest bezpieczne. – Gestem nieznoszącym sprzeciwu podała Gabrysi kluczyki i dowód rejestracyjny. – Tylko uważaj, błagam cię! Pamiętaj, że nie jesteś już sama!

Kobieta pocałowała ją w policzek i już jej nie było.

Julia wróciła do Hani i chwilę przyglądała się dziewczynce, która zapomniała o całym świecie, bawiąc się w dom małymi laleczkami, policjantami i złodziejami, a jakże! Nagle dłonie Julii same ułożyły się na płaskim brzuchu odwiecznym gestem przyszłej matki. Jak by to było…? Czuć pod sercem nowe życie? Maleństwo jej i Patryka?

Pięknie. Zbyt pięknie.

ROZDZIAŁ XV

— Może pan wrócić do brata. — Pielęgniarka skinęła na Wiktora, którego wyproszono z pokoju na czas wyjmowania z gardła Marcina rurki intubacyjnej.

Nie był to przyjemny zabieg, widok także nie. Marcin cierpiał za nieswoje grzechy, a Wiktor tym razem nie mógł zrobić nic, by oszczędzić mu tego cierpienia. Młody mężczyzna krztusił się kaszlem. Płuca rwały nieznośnym bólem. Wiktor mógł jedynie ściskać go za rękę i ocierać twarz chłodną chustką. Nic więcej.

Wreszcie kaszel ustał. Marcin długie chwile łapał powietrze jak ryba wyrzucona na brzeg, po czym bez sił opadł na poduszkę. Po policzku wolno spłynęła mu łza. Wiktor otarł ją delikatnie, sam czując piekące łzy pod powiekami. Gdyby w tej chwili miał przed sobą bydlaka, który do Marcina strzelał...

— W-woda — usłyszał cichy szept.

Wiktor przytknął do ust brata kubek. Marcin upił łyk i z powrotem opadł na poduszkę, jakby wysiłek był ponad jego siły.

– Majka? – wyszeptał, nie otwierając oczu.

– Leży na drugim końcu korytarza. Jest przy niej Patryk. Wszystko z nią w porządku. Nie martw się.

Ale z Majką nie do końca było tak dobrze. Wręcz przeciwnie. Starała się leżeć bez ruchu, udawać, że śpi. Już wystarczy, że a to Patryk, a to Gabrysia, a to Wiktor spędzali przy jej łóżku długie godziny. Naprawdę nie chciała przysparzać im zmartwień! Nie chciała, by widzieli to, co ona. Nie chciała, by słyszeli skowyt, jaki wydobywał się z jej gardła. Nie chciała, by Gabriela czy Patryk, przerażeni, wyciągali ją spod łóżka, a nade wszystko nie chciała, by związano ją pasami...

On tam był. Realny, prawdziwy. Jeszcze niedawno – w przerwach między napadami obezwładniającej paniki – myślała, że to wytwór jej wyobraźni, ale Gabriela także go widziała! Majka miała więc pewność: ten straszny człowiek, który strzelał do Marcina, a ją samą z całej siły kopnął w brzuch – tak się teraz dziewczynie wydawało – przychodził do jej pokoju i mówił... mówił coraz bardziej przerażające rzeczy. Mówił, co zrobi Marcinowi, jeśli ona, Majka, nie będzie trzymała języka za zębami. Mówił, co zrobi jej, gdy wszystko się wyda. Co się wyda?! Ale najgorsze zaczęło się wtedy, gdy ujrzała go Gabrysia: on, ten upiór, to monstrum prosto z piekieł, zaczął szeptać Majce na ucho, co zrobi z Gabrysią, gdy ona, Majka...

Zaciskała powieki z całych sił, by go nie widzieć, ale to nic nie pomagało: miała jego obraz wryty w mózg. Próbowała modlić się, albo przeklinać, na zmianę, żeby tylko nie słyszeć przerażającego szeptu w głowie. Na próżno...

Popadała w obłęd. I nie wiedziała już, co jest rzeczywistością, a co... Nie. Wszystko było prawdziwe. I ten mężczyzna w czerni, i to, co jej zrobił, i miejsce, w którym mógł tak łatwo skrzywdzić ją i tych, których kochała.

– Patryk... – szepnęła.

Poderwał głowę. Książka, którą czytał od dobrych dwóch godzin, opadła na kolana.

Pochylił się ku Majce z taką troską w oczach, że poczuła łzy pod powiekami.

– Ja... ja długo nie wytrzymam. Zwariuję. Proszę, zabierz mnie stąd.

Głos się jej załamał. Błagała przyjaciela oczami o zrozumienie. Tak! Miała świadomość, że wyda mu się szalona już teraz, ale... był ostatnią szansą. Jeżeli Patryk jej nie pomoże...

– Maja, jest za wcześnie – odparł półgłosem. – Przedwczoraj miałaś poważną operację. Wielokrotnie wstawałaś, wbrew zaleceniom lekarzy, i szwy mogły puścić...

– Ale trzymają. Patryk, nie martw się o szwy, martw się o mnie. A jeśli nie o mnie, to o Marcina.

– Z Marcinem wszystko w porządku. Wszyscy martwimy się właśnie o ciebie.

– Więc zabierzcie mnie stąd!

– Maja...

– Nic nie rozumiesz! On tu jest! Tam, w rogu pokoju! Nie spuszcza z nas oka. Mówi... mówi straszne rzeczy! Będzie ćwiartował Marcina na moich oczach! Zacznie od paznokci, powyrywa je, połamie palce, a potem powyrywa dłonie. I ramiona. Wyrwie mu serce z piersi. Ja już nie mogę… – Zaczęła szlochać, wpatrując się w róg pokoju z takim przerażeniem, że Patryk, który ściskał drżącą rękę dziewczyny, sam poczuł jej strach.

Wiedział, że to majaczenie kobiety po ciężkich przejściach, ale Majka mówiła o przerażających rzeczach z takim przekonaniem, była tak pewna, że to, co widzi i słyszy, jest rzeczywistością… Współczucie, które czuł dla dziewczyny, aż bolało.

– Maja… – powtórzył bezradnie.

Nie. Nie do końca bezradnie!

Nagle ścisnął dłoń dziewczyny tak mocno, że Majka jęknęła mimowolnie. Wstał i spojrzał na nią z góry.

– Dość tego – syknął. – Nie pozwolę, żeby cię prześladował ani chwili dłużej. Poleżysz spokojnie, bez wygłupów, parę minut?

Zdobyła się jedynie na przytaknięcie. Takiego Patryka dawno nie widziała…

Wyszedł, żeby krótko i po męsku porozmawiać najpierw z Wiktorem, potem z lekarzem, który miał dyżur, na końcu z kimś, kto najwięcej będzie miał do powiedzenia.

– Gabrysiu, to ja, Patryk.

– Serio? – zażartowała, ale jemu nieskoro było do żartów.

– Gdzie jesteś?

– Och… widzisz… musiałam podjechać do domu. Nakarmić i oporządzić zwierzęta. Na śmierć zapomniałam, że oprócz Marcina i Majki istnieją na świecie jakieś cielakopsy i cielakonie.

Uśmiechnął się mimo wszystko.

– Mam nadzieję, że doczekały twojego powrotu.

– Stęsknione, ale doczekały. Co się stało? Jak znam życie, nie dzwonisz, żeby pogadać o pogodzie.

– Musimy zabrać Majkę ze szpitala. Natychmiast – w jego głosie brzmiała desperacja. – Lekarz oczywiście protestuje, ale doktor Braniewski uznał, że groźniejsze jest dla niej pozostanie w szpitalu niż ostrożne przewiezienie w miejsce, które Majka uzna za bezpieczne. Myślałem o moim mieszkaniu czy apartamencie Wiktora, ale…

– Ale to Leśna Polana jest owym miejscem.

– Tak. Wydaje mi się, że tak.

– Wiesz, że to godzina jazdy samochodem. Dwa dni po operacji.

– Zdaję sobie z tego sprawę, Gabriela, i wcale mi się to nie podoba, ale powiedz Majce, że nic z tego, zostanie w szpitalu dotąd, aż…

– Nie oszaleje doszczętnie?

– Właśnie.

– Pytałeś lekarzy, pytasz mnie, a co na to Majka?

– Przecież nie przyszłoby mi do głowy nakłaniać jej do opuszczenia sali intensywnej terapii! Przed chwilą błagała mnie, żebym zabrał ją ze szpitala. Jestem pewien, że ona widzi tego kogoś. Wierzy w to, co podsuwa jej wyobraźnia.

– Patryk, nie wiem, kogo widzi Majka, ale gdy ja się ocknęłam i zobaczyłam tkwiącego pod drzwiami faceta w czarnym mundurze, mało nie dostałam zawału. Dlaczego pozwoliłeś mu wejść do jej pokoju?!

– Mój błąd. Uznałem, że jest godzien zaufania. Nie chciał jej przerazić, tego jestem pewien, nie miałby sumienia, żeby straszyć bezbronną, ranną kobietę, ale fakt jest faktem: Majka się jego boi. Ktoś z przeszłości musiał się jej skojarzyć z Brackim. W tej chwili pokój jest pusty, nie licząc mnie i Majki, a ona nadal umiera z przerażenia. Nie. Przerażenie to zbyt delikatne słowo na określenie stanu, w jakim jest Majka. Ona popada w szaleństwo. Musimy temu przeciwdziałać albo ją stracimy.

– Przywieź Majkę. Przygotuję pokój obok mojej sypialni.

– Jesteś pewna?

– Nie. Nie mam pewności, czy Maja bez przeszkód zniesie godzinną podróż samochodem, lecz jestem przekonana, że gdy tutaj dotrze, zapomni o koszmarze, upiorze spod drzwi i policjantach w czerni. Powoli, przecież nie z dnia na dzień, ale zapomni, a chociaż przestanie się tak strasznie bać. Wypisz Majkę i przywieź ją tutaj. Zaopiekuję się nią.

– Dobrze. Dzięki...

– To ja powinnam ci dziękować. No i ona.

– Rozliczymy się w naturze – pozwolił sobie na żart, czując ogromną ulgę.

Pełne obłędnego strachu oczy dziewczyny i jej poszarzała twarz, ściągnięta grymasem paniki, będą mu się śnić po nocach...

– Nie będę nikogo pytał o zdanie. To moja decyzja – postanowił nagle. – Doktor wypowiedział się jasno: mniejszym zagrożeniem dla Majki jest opuszczenie szpitala niż pozostanie w nim. Zabieram ją do domu. Dzięki, Gabrysiu – powtórzył, czując w końcu, po tylu dniach, czy może i miesiącach, że już wszystko będzie dobrze. Tam, w Leśnej Polanie, zakończą się ich zmartwienia...

Trochę przeceniał mały biały domek, otulony śniegową pierzyną, ale tylko trochę.

– Zabieram Majkę do Leśnej Polany. Tam poczuje się bezpieczniej – zaczął od progu. – Gabrysia się nią zaopiekuje. Uznała, że to dobry pomysł.

Wiktor zmarszczył brwi.

– Gabriela uznała za dobry pomysł zabranie ze szpitala przyjaciółki, która dwa dni temu przeszła poważną operację?

– Nie gorączkuje, szew jest czysty i suchy, parametry w normie. Doktor Braniewski...

– Właśnie. Ciekawe, co na to Braniewski.

– Jest za – uciął krótko Patryk. – Nie pytam cię o pozwolenie. Jestem opiekunem zastępczym Majki i ja podejmuję decyzje. Tę uważam za słuszną.

– Skoro tak, to co tu robisz? – Nie. Jednak taki Patryk podobał się Wiktorowi coraz mniej. Swoim życiem i zdrowiem mógł rozporządzać, ale nie wolno mu było ryzykować życiem innych.

– Wiktor... – zaczął Patryk pojednawczo. – Z Majką jest bardzo źle. Nie pomożemy, przetrzymując ją w tym miejscu. Ona musi znaleźć się gdzieś, gdzie poczuje się bezpieczna.

– Może wystarczy przenieść ją do innej sali?

– Świetny pomysł! – Patryk mimowolnie podniósł głos. – Obgadaj to z Majką. Jeśli jej to wystarczy, ja jestem za.

Wiktor... po prostu wstał i ruszył do drzwi.

Chwilę później obaj wchodzili do pokoju Majki.

Leżała tak, jak ją Patryk zostawił. Z zaciśniętymi powiekami, rękami wzdłuż ciała, zdrętwiała z przerażenia. Oddychała szybko i płytko, zielona linia na pulsoksymetrze skakała w górę i w dół szybko, zbyt szybko jak na pacjentkę odurzoną środkami uspokajającymi. Pielęgniarka spojrzała na obu mężczyzn potępiającym wzrokiem, jakby to oni byli winni wzburzenia pacjentki.

– Maja... – odezwał się półgłosem Patryk, przysiadając na brzeżku łóżka.

Dziewczyna poderwała się, objęła go z całych sił, ukryła twarz na piersi mężczyzny.

– Widzisz go? – wydusiła, drżąc na całym ciele.

Patryk posłał bratu wymowne spojrzenie i zwrócił się do Majki:

– Nie, kochana, nie widzę, ale wierzę, że jesteś przerażona.

– Gabriela go widziała!

– Widziała komisarza Brackiego. Był tutaj za moim przyzwoleniem, ale dawno wyszedł. Ty widzisz... – Urwał.

Nie znał się na chorobach psychicznych. Nie miał pojęcia, jak rozmawiać z kimś, kto omamy bierze za rzeczywistość. Nie wiedział, czy to zespół stresu pourazowego czy coś znacznie poważniejszego, i prawdę mówiąc, był wściekły na lekarzy, że Majki nie konsultował jeszcze psychiatra. Może pomógłby nieszczęsnej, przerażonej do granic dziewczynie. Spojrzał na Wiktora.

Ten rzekł krótko:

– Dzwonię po samochód. Ty załatwiaj wypis.

Godzinę później Majka spoczęła na tylnym siedzeniu bentleya, miękkim i wygodnym. W żadnej karetce nie miałaby takiego komfortu jazdy.

– Maja, trzymaj się. Będziemy jechać ostrożnie, żeby szwów nie uszkodzić. Nic cię nie boli?

Pokręciła głową. Lekarz był wściekły i na nią, i na Patryka – na niego bardziej – ale na do widzenia nie poskąpił środka przeciwbólowego, za co Majka była mu serdecznie wdzięczna. Pragnęła znaleźć się w Leśnej Polanie, miejscu, gdzie t a m - t e n jej nie dopadnie, ale bała się godzinnej jazdy polskimi ścieżkami, pełnymi wybojów i kolein.

Niepotrzebnie.

Bentleyem kołysało łagodnie. Kierowca prowadził uważnie i niespiesznie, tak by dowieźć pasażerkę w jak najlepszym stanie do niewielkiego domu, ukrytego na leśnej polanie, gdzie była z niecierpliwością oczekiwana.

ROZDZIAŁ XVI

Gabriela, słysząc nadjeżdżający samochód, otuliła się kożuszkiem i wybiegła z domu. Otworzyła bramę i wykrzyknęła, szczerze uradowana, gdy tylko auto zatrzymało się na podjeździe:

– Majuś, sypialnia gotowa! I rosół wstawiłam! Pyszny, pożywny, a jak pachnie! Gdy tylko cię urządzimy, zrobię do niego makaron, nie ze sklepu, prawdziwy, domowy! Kiedy ostatnio jadłaś coś tak wspaniałego?

Majka parsknęła serdecznym śmiechem. Pełnym ulgi.

Przez całą drogę bała się, że będzie dla Gabrieli dopustem Bożym. Gabrysia lubiła samotność, chciała mieć Leśną Polanę tylko dla siebie. Nawet Wiktora, tak, tego Wiktora, za którym tęskniła przez długich dziewięć lat, nie wpuściła za próg, byle tylko nacieszyć się wymarzonym domkiem. A jednak bez wahania podzieliła się nim z przyjaciółką.

– Chodź, kochana, wygodne łóżko czeka – dokończyła Gabrysia serdecznie.

Majka poczuła łzy, dobre łzy, pod powiekami.

Chciała wstać i przejść tych parę kroków sama, ale Patryk wziął ją na ręce, ruszył za Gabrysią i po chwili kładł Majkę delikatnie w białej, gładkiej, pachnącej świeżością pościeli. Dziewczyna aż westchnęła z rokoszy.

– Tak, tak – odezwała się Gabriela, patrząc na nią z macierzyńską miłością – krochmalona w mące ziemniaczanej i maglowana. Mogłabym za te pieniądze kupić nową, ale nie byłoby to takie fajne!

– Jest... genialnie – westchnęła Majka z głębi duszy. – Oddałabym pół życia za taką pościel.

– Jest twoja! W prezencie!

Roześmiały się obie, ale Gabriela spoważniała po chwili.

– Majuś, nie zrozum mnie źle... Biorę za ciebie odpowiedzialność. Jeżeli coś ci się stanie pod moją opieką... – zawiesiła głos.

Nie chciała kończyć. Wolała nie myśleć, co Majka może sobie zrobić, będąc w pokoju sama przez większą część dnia i nocy. Już mniejsza o to, jakie konsekwencje groziłyby jej, Gabrieli, która przyjęła pod dach osobę z zaburzeniami psychicznymi i jej nie dopilnowała...

– Gabi, obiecuję, że gdy tylko... gdy będzie źle, natychmiast ci o tym powiem i... i coś postanowimy – odezwała się dziewczyna. Gdyby Gabriela zdecydowała się jednak odesłać ją do szpitala, wszystko jedno jakiego, choćby pod opiekę legendarnego doktora Braniewskiego, chyba zwariowałaby do reszty. – Nie sprawię ci kłopotu, przyrzekam.

Gabriela zamiast na przyjaciółkę patrzyła w tym momencie na Patryka. On uciekł wzrokiem. Nie potrafił zaręczyć, że Majka rzeczywiście dotrzyma słowa. Nikt nie mógł za to dać głowy. Ludzki umysł – niepojęty i nieokiełznany – rządzi się swoimi prawami i równie łatwo potrafi sam siebie uleczyć, co zatracić się w obłędzie. Majka nie miała pojęcia, jak niewiele warte są jej przyrzeczenia… Ledwo znalazła się w tym domu, już wodziła wzrokiem po jasnej, przytulnej sypialni w poszukiwaniu miejsc, w których może się ukryć, gdy pojawi się Tamten. Jeszcze go nie było, ale na pewno ją odnajdzie… Dobrze, że Gabrysia nie potrafiła czytać w myślach. W pierwszej chwili przeraziłaby się śmiertelnie, w następnej dzwoniłaby po lekarza albo karetkę…

Patryk, który spędził przy Majce więcej czasu, był bardziej spostrzegawczy. Widział spojrzenie dziewczyny, omiatające pokój w poszukiwaniu upiora, który ją prześladował. Niemal czuł jej napięcie. Dłonie zaciskające się na kołdrze, przygryzane zębami wargi, lecz przede wszystkim strach… Tak, on Majki nie opuścił. Może ukrył się na parę chwil, pierzchnął pod kochającym spojrzeniem Gabrieli, ale zatrzymał się niedaleko, tam, gdzie kobieta nie mogła go dostrzec, za to Majka i Patryk owszem.

Dziewczyna, napotkawszy zmartwione spojrzenie Patryka, zmusiła się do uśmiechu.

„Będzie dobrze. Dziękuję" – mówiła bez słów.

Podszedł do łóżka, pocałował ją w policzek.

– Trzymaj się – szepnął. – A ty do mnie dzwoń w razie czego – rzekł do Gabrieli.

– Nie będzie „w razie czego" – ucięła krótko.

I rzeczywiście. Majka, otoczona czułą troską, mogła głęboko odetchnąć. Tamten trzymał się z daleka od domu, w którym niepodzielnie panowała miłość. Cisza i spokój wpływały na rekonwalescentkę niczym balsam. Całymi dniami, zamiast omiatać pokój przerażonym spojrzeniem, patrzyła w okno, za którym chmara sikorek, kowalików i wróbli ucztowała w karmniku, powieszonym przez Gabrysię tego samego dnia, w którym do Leśnej Polany zawitała Majka.

Cieluś, jak mówiła na łaciatego szczeniaka, który szybko, zbyt szybko zdaniem Gabrieli, wyrastał na potężnego brytana, nie opuszczał Majki na krok. Czuł, że jest jej potrzebny, czuł, że musi się nią opiekować, i był przy niej. Wielki, łagodny, kochający bez granic. Może to Gabrysia, a może rozkosznie niezgrabny, rozczulający psiak sprawił, że Majka doszła do siebie. Powoli zapomniała o upiorze, który pewnej nocy przyszedł do niej i odezwał się głosem, od którego włosy stawały na karku: „Piśnij choć słowo…". Majka zmilczała.

Tamten… odpuścił. Chyba.

ROZDZIAŁ XVII

Uroczy grudniowy dzień dobiegał końca. Na wylotówkach z Warszawy ludzie stali w kilometrowych korkach i klęli na czym świat stoi. Na pogodę, drogowców, oblodzone drogi i debili, którzy jadąc za szybko jak na te warunki, powodowali wypadki, co przyczyniało się do jeszcze większych korków.

W jednym z nich stał komisarz Bracki. Dyżur skończył godzinę temu, mógł więc niespiesznie, bo nikt na niego w domu nie czekał, realizować prywatną misję. Właśnie w tym celu udał się do Grodziska Mazowieckiego. Przynajmniej próbował się udać. Utknął za Pruszkowem i czekał bez zniecierpliwienia, co jak na człowieka jego temperamentu mogło się wydawać niezwykłe, aż policja usunie z jednego chociażby pasa wraki samochodów po zderzeniu i reszta świata będzie mogła wreszcie ruszyć.

Bracki oczywiście mógł włączyć syrenę i wymusić wolną drogę, ale byłoby to nieetyczne. On w ten sposób nie postępował. Co innego szantażem wymóc na świadku milczenie, jeśli to miałoby uratować któregoś z jego ludzi, a co innego utorować sobie wolną drogę, gdy był po służbie i specjalnie się nie spieszył.

Tak, jego filozofia mogła porażać. Nie czuł się winny tego, przez co przechodzili Majka Trojanowska, Marcin Prado i ich bliscy, chociaż uczciwie trzeba przyznać, że dumy również nie czuł. Postąpił jednak prawidłowo. Uczynił to, co należało uczynić. Koniec kropka. Jeżeli będzie mógł się jakoś zrehabilitować we własnych oczach i zadośćuczynić rodzinie Prado, zrobi to.

Właśnie dlatego tkwił gdzieś między Pruszkowem a Grodziskiem, zamiast wrócić do ciepłego domu, wziąć prysznic, zjeść kolację, zagłębić się w wygodnym fotelu i ze szklaneczką dobrego alkoholu oglądać telewizję dotąd, aż zaśnie przy włączonym odbiorniku.

To był jego sposób na samotne życie od ośmiu lat. Od dnia, kiedy skurwysyny z mafii zamordowały mu żonę. Dopadł ich, aresztował. Stawił się na wszystkich rozprawach. Ale proces był poszlakowy, świadek koronny okazał się dla sądu niewiarygodny, Ewa nie żyła, a bandyci wyszli na wolność. Właśnie piąty rok procesowali się o odszkodowanie za niesłuszny areszt…

Bracki zamrugał, odpędzając łzy. Minęło tyle lat, a śmierć Ewy nadal bolała. To, że nie mógł zrobić kompletnie nic, by ją pomścić, czyniło ten ból jeszcze trudniejszym do zniesienia. Owszem, mógł posłać gangsterów do piekła, wiedział, gdzie mieszka cała trójka, wiedział, która willa w Pruszkowie należy do ich bossa, ale j e g o proces nie byłby poszlakowy.

Rozprostował palce, które zacisnął na kierownicy tak silnie, jakby to było gardło jednego z tamtych. Chcieli dopaść jego, ale w domu była wtedy tylko Ewa…

Samochody wreszcie ruszyły. Do celu podróży dotarł tuż przed dziewiętnastą. Siostra zakonna z początku nie chciała go wpuścić, bo godziny odwiedzin właśnie dobiegały końca, ale gdy pokazał jej „blachę" i dodał, iż jest tutaj służbowo, musiała ustąpić.

– Tylko proszę być łagodnym dla tej dziewczyny – odezwała się równie surowo co on. – To dom Boży. Tutaj prawa ludzkie ulegają woli Najwyższego.

Przytaknął gwoli przyzwoitości. On z Bogiem miał parę niewyrównanych rachunków…

Zakonnica poprowadziła go długim, ciemnym korytarzem, po którego obu stronach znajdowały się drzwi do niewielkich pokojów. Mógł się jedynie domyślać, że w nich dożywają ostatnich dni terminalnie chorzy pacjenci Sióstr Służebnic Bożego Miłosierdzia.

Było cicho. Tylko zza drzwi, które mijał, dochodziło stłumione łkanie. I łagodny kobiecy głos, szepczący słowa pocieszenia. Bracki poczuł się nieswojo. Miał zamiar od progu przyprzeć Jowitę do muru i nie przebierając w środkach, wymusić na niej najpierw spowiedź – dlaczego, do cholery, pozbyła się dziecka, i to w taki sposób?! – a potem zgodę na pełnoprawną adopcję, ale… to nie było miejsce do wgryzania się komukolwiek w krtań. To była ostatnia przystań.

Zatrzymali się na samym końcu korytarza. Siostra spojrzała na Brackiego pytająco. Skinął głową. Zapukała więc do drzwi, usłyszawszy: „Proszę", uchyliła je i rzekła zupełnie innym tonem, niż przed chwilą zwracała się do policjanta:

– Jowitko, dziecko drogie, masz gościa. – I dodała, patrząc na Brackiego: – Proszę jej nie męczyć. Ma za sobą trudny dzień.

„Jej córeczka również" – pomyślał, po czym wszedł do pokoju i zamknął za sobą drzwi.

Dziewczyna, łudząco podoba do Julii Raszyńskiej, którą spotkał na szpitalnym korytarzu, a potem obejrzał na youtubie kilka reklam z jej udziałem, nie leżała w łóżku, podpięta do aparatury podtrzymującej życie, jak się tego Bracki spodziewał. Siedziała przy małym biurku, na którym stał laptop, i właśnie zamykała dokument worda.

– Spisuję wspomnienia – odezwała się nieco chropawym głosem. – Dla dziecka. Bo to z jego powodu mnie nawiedzasz, prawda?

Nie spodziewał się takiej bezpośredniości.

W następnej chwili zwróciła się ku niemu. Śliczna, poważna i bardzo smutna. Spoglądała na niego przez parę sekund wielkimi, ciemnoniebieskimi oczami.

– Usiądź. – Wskazała fotel obok łóżka. – Jesteś z pogotowia opiekuńczego?

Zaprzeczył.

– Jestem gliniarzem, ale to prywatne dochodzenie. Zleciła je twoja siostra.

– Julia?

– Tak. Julia.

Zapadło milczenie. Ani jej, ani jemu nie było spieszno do dalszej rozmowy. Bracki chciał zostać w tym miejscu nieco dłużej, zaś dziewczyna... jej się już nigdzie nie spieszyło. Wenflon, który miała wbity w żyłę podobojczykową, świadczył o tym, że naprawdę jest chora. Bardzo chora. Opróżniona do połowy kroplówka, wisząca obok łóżka, i dwie następne na szafce nocnej również nie pozostawiały co do tego wątpliwości. Dopiero teraz widział, że jest piękna, owszem, ale również tak blada, że niemal przezroczysta. Eteryczna.

– Jak się ma dziecko? – zapytała bez specjalnego zainteresowania.

– Myślę, że jest szczęśliwe – odparł, pilnując by w jego głosie nie znalazła potępienia, chociaż, owszem, potępiał ją. Nawet jeśli miała powody pozbyć się córeczki, mogła to zrobić w inny sposób.

Jadąc tutaj, łudził się, jak każdy normalny człowiek, że matka dziewczynki ją kocha, że zaszło jakieś nieporozumienie, wydarzyła się tragedia, nagłe zachorowanie – tego się właśnie spodziewał. Na pewno nie spodziewał się zupełnie zdrowej – na pierwszy rzut oka – młodej kobiety, matki, która z taką obojętnością mówi o swojej córce. „Dziecko" – to określenie, zimne, bezosobowe, padło z ust Jowity po wielokroć.

– Chociaż byłoby szczęśliwsze ze swoją matką – dodał, pilnując, by głos pozostał beznamiętny.

– Julia lepiej się odnajdzie w tej roli niż ja – odparła, spuszczając wzrok.

Mimo pozy obojętności było jej wstyd. To dobrze.

– Kim dla niej jesteś? – padło pytanie.

– Dla Julii? Ledwie ją znam. Przyjaźnię się jednak z jej narzeczonym. To świetny facet. Twoja córeczka za jednym zamachem będzie miała i mamę, i tatę.

– Cudnie – prychnęła Jowita, chociaż daleko jej było do radości. – I pomyśleć, że tak się nad nią litowałam. Nad Julią. Biedna, porzucona, bez ojca i matki... Ja za to miałam komplet: starych, ich znajomków, kumpli od wódy i dobrych wujków, co dobierali się do małej, wystraszonej dziewczynki. Aż przyszedł dzień, gdy ojcu zabrakło na flaszkę, więc przehandlował cnotę dziesięcioletniej córki. I poszło z górki. Śliczna, świeżutka blondyneczka zaczęła zarabiać na dom, na całonocne balangi, wreszcie na prochy dla mamy i taty. Gdy nie mogła tego znieść, też zaczęła brać. – Urwała. Spojrzała pociemniałymi oczami na komisarza.

On słuchał jej cichych słów jak porażony. Nieraz spotkał się z patologią. Widział gwałcone dzieci, widział dzieci mordowane. Mimo to za każdym razem był wstrząśnięty bestialstwem tych, którzy mieli je chronić.

– Wiesz, ile lat to znosiłam?

Domyślał się. Tego, o czym zaraz Jowita mu opowie, nie wyjawi Patrykowi.

– Zaraz po urodzeniu dziecka moi starzy mieli wypadek. Śmiertelny, jak zapewne wiesz. Byłam przesłuchiwana przez twoich kumpli, ale nie znaleźli na mnie haka. Miałam solidne alibi. A jednak to ja przyłożyłam rękę do tego „wypadku". Starych mi nie żal, sprzątnęłam ze świata dwa śmiecie, żałuję jedynie, że zginęło również to drugie małżeństwo. Tego nie chciałam...

– Odważnie – mruknął. – Przyznajesz się przed gliniarzem do poczwórnego zabójstwa?

– Zostało mi niewiele życia. Nie zdążycie mnie osądzić. Bóg tak, ale wy już nie. Umieram, panie komisarzu, na AIDS, którym zaraził mnie nie kto inny jak mój ojciec.

Zaniemówił. Może w głębi duszy się tego spodziewał, mimo wszystko spokojne, beznamiętne słowa dziewczyny wstrząsnęły nim do głębi.

– Dziecko urodziło się zdrowe – ciągnęła dalej. – Ucieszyłam się. Gorzej, że jestem nie tylko jego matką, ale i... siostrą. – To słowo ledwo jej przeszło przez zaciskające się z bólu i wściekłości gardło. – Ten bydlak zasłużył na śmierć. Jego żona, co udawała, że o niczym nie ma pojęcia, również. Dziecko będzie miało rodzinę, lepszą niż miałam ja, a ty, panie glino, zatrzymasz wszystko, co ci powiedziałam, dla siebie.

– To nie takie proste – zaczął, uważając na każde słowo. – Jeżeli nie zrzekniesz się praw rodzicielskich, dziewczynka trafi do pogotowia opiekuńczego, skąd wyjdzie dopiero po uzyskaniu tych praw przez twoją siostrę. Proszę cię przez wzgląd na tę małą: przeprowadź adopcję tak, jak trzeba. Ona, Hania, już raz odczuła porzucenie. Zostawiłaś ją na parę dni pod opieką jakiejś wiedźmy, tak mi przynajmniej opowiadał Patryk. Każdy taki wstrząs odbija się na psychice dziecka. Nie funduj jej tego po raz drugi.

– Nie ma innej możliwości. Nie chcę więcej widzieć tego dziecka. Nie... nie mogę. – Głos się jej wreszcie załamał. Może nie do końca była tak zimną suką, jaką chciała się wydawać. – Nie chcę też widzieć Julii. Nie mogę patrzeć na jej szczęście, cokolwiek byś o mnie pomyślał, po prostu nie mogę. Dostała od życia to, czego ja już nigdy mieć nie będę: rodzinę, dobrego faceta, pewnie mały, śliczny domek z ogródkiem. Na dokładkę moje dziecko. Nie każ mi patrzeć na szczęście tej rodziny. To za wiele…

Jak trzymała się do tej pory, tak teraz zaczęła się rozsypywać. Opuściła głowę, by nie widział jej łez, plecy zaczęły jej drżeć, palce zacisnęła na rąbku koszuli.

Nie był pewien, czy życzy sobie przytulenia, może za chwilę go odepchnie, mimo to podszedł do dziewczyny, objął ją i trzymał zamkniętą w ramionach, bez słowa, bez głupich, płytkich pocieszeń, dotąd, aż uspokoiła się, wzięła głęboki oddech i otarła łzy.

– Dzięki, glino. Masz jednak serce.

– Mam też chusteczkę.

– Podwójne dzięki. Wiesz, może gdybym odnalazła Julię wcześniej, skończyłoby się to wszystko inaczej, ale zobaczyłam ją dopiero niedawno, w reklamie. Spadła mi jak z nieba, bo naprawdę popadałam w rozpacz, co zrobić z… Hanią – wreszcie to powiedziała! – zanim odejdę. Ona zapomni. Nie będzie pamiętała pierwszej mamy, mając drugą identyczną. Prawda, że zapomni? – Znów patrzyła na niego wielkimi oczami, jeszcze błyszczącymi od łez.

Nie miał serca przytaknąć, ale nie mógł zaprzeczyć.

– Na pewno nie chcesz się spotkać z siostrą i córeczką? – zapytał.

Pokręciła głową.

– Jeżeli ustanowisz kogoś pełnomocnikiem, ten ktoś może stanąć w sądzie i wskazać Julię jako matkę adopcyjną – zaczął z namysłem.

– Zająłbyś się tym?

Zawahał się. Nie dlatego, że cała procedura była jakoś specjalnie zawiła, nie w tak jasnym przypadku, lecz… gdyby się zgodził, musiałby tu wrócić i spotkać się z Jowitą jeszcze nie raz. A on…

– Tak – odparł, zanim dopowiedział sobie w myślach, co on…

– To dobrze. Dziękuję.

Przymknęła na moment oczy. Lekki uśmiech, który pojawił się na jej ustach po raz pierwszy podczas tego spotkania, sprawił, że wydała się piękniejsza i jeszcze bardziej nie z tego świata. Zapragnął dotknąć policzka dziewczyny. Odgarnąć za ucho kosmyk włosów, który spadł jej na czoło. Poczuć ciepło jej ust pod opuszką palca. I natychmiast zdusił w sobie to pragnienie.

– Ile czasu ci zostało? – zapytał zamiast tego.

– Kilka miesięcy – odparła spokojnie. – Nie umieram na AIDS, jeśli chcesz wiedzieć. Przyplątała się białaczka, szybko postępuje, a ja nie zgodziłam się na chemię ani naświetlania. W moim przypadku nie ma to najmniejszego sensu. Mamy niewiele czasu. Zorganizujesz to pełnomocnictwo?

– Tak. Dowiem się, jakie są procedury, znajdę notariusza w Grodzisku, stanę w twoim imieniu przed sądem, bylebyś tylko…

Uniosła pytająco brwi. Miała nadzieję, że obędzie się bez stawiania warunków, chociaż znała mężczyzn na tyle, by spodziewać się po nich wszystkiego. Czego zażąda komisarz?

– Bylebyś tylko zawalczyła o siebie – dokończył z trudem. Uśmiechnęła się ponownie. Z wdzięcznością i ulgą. Nie chciała stać się dla tego mężczyzny tanią dziwką. Na inne traktowanie liczyć nie mogła, to prawda, ale mimo wszystko… chciałaby go mieć za przyjaciela, jedynego w całym swoim życiu, a nie kolejnego klienta.

– Przecież wiesz, że Bóg przewidział cuda jedynie dla dobrych ludzi. A ja zabiłam. I nie mówię tu o dwóch bestiach gwałcących własną córkę, mówię o dwojgu niewinnych ludziach, którzy zginęli w tamtym wypadku. Ja nie mogę liczyć na Jego łaskę, a ty?

Bracki powoli pokręcił głową. Mimo że starał się być dobrym człowiekiem, dobrym gliną, życie wymuszało takie, a nie inne wybory. Majka i Marcin chociażby posłaliby go prosto do piekła. A może nie? Może zrozumieliby i wybaczyli, gdyby poznali jego prawdę?

– Połóż się i odpocznij – odezwał się zmienionym głosem. – Wpadnę do ciebie, gdy tylko się czegoś dowiem. Przynieść ci zdjęcie Hani?

Chciała zaprzeczyć, ale jednak przytaknęła. Bez słowa, bo czując wzbierający w piersi szloch, nie była w stanie się odezwać. On powoli podniósł dłoń i zrobił to, czego przed chwilą pragnął: odgarnął kosmyk włosów z jej twarzy, pogładził ją delikatnie po policzku i wyszedł w cichą, ciemną noc.

ROZDZIAŁ XVIII

Powinien jechać prosto do szpitala – Wiktor musiał odpocząć, spędził przy łóżku brata ponad dwadzieścia godzin – ale coś się Patrykowi przypomniało. Pewna niepokojąca informacja, rzucona mimochodem przez doktora Braniewskiego i potwierdzona przez jego żonę.

Żeby nie wkopać przyjaciół, Patryk nie mógł ot tak zapytać starszego brata, co się dzieje z jego sercem, ale jakiś fortel wymyślić potrafił. Wystarczyło zajrzeć do apartamentu na Krakowskim Przedmieściu i nieco poszperać, a potem wejść do sali, w której leżał Marcin, nakłonić Wiktora, by wyszedł na korytarz, i zapytać ostrym tonem, stosownym do sytuacji, podtykając mu pod oczy niewielką buteleczkę wypełnioną tabletkami:

– Co to jest?

Wiktor od razu się nastroszył.

– Skąd to masz?

– Nie odpowiadaj pytaniem na pytanie. Ja byłem pierwszy, więc?

– Doskonale wiesz, co to jest, tak jak ja wiem, gdzie te prochy znalazłeś. Pytanie powinno brzmieć: Czego szukałeś w mojej osobistej szafce nocnej?

– Prezerwatyw.

Wiktor nawet się nie uśmiechnął.

– I co, znalazłeś?

– Znalazłem leki nasercowe, bracie. – Patryk też spoważniał. – Co się dzieje? Byłeś u lekarza? Badali cię?

– Jezu, Patryk – Wiktor przewrócił oczami – przecież wszystko wiesz! Janek Braniewski nie omieszkał wprowadzić cię w szczegóły! Daruj więc sobie tę szopkę. Tak, od czasu do czasu mam kłopoty z sercem, muszę brać leki regulujące ciśnienie. Wystarczy?

– Zapomniałeś wspomnieć o zawale, który przeszedłeś kilka miesięcy temu.

– O tym też się wygadali?! Czy Braniewskiego nie obowiązuje tajemnica lekarska?!

Patryk zaśmiał się szyderczo:

– Nie. O tym doktor nie wspomniał. Blefowałem, a ty sam się sypnąłeś. Masz więc nie tylko pewne kłopoty z sercem, ale miałeś również zawał?

– Lekki – mruknął Wiktor, obrażony niczym małe dziecko. Teraz się będą nad nim użalać i mu kwoczyć. Gdy Gabriela się o tym dowie… – Nie waż się pisnąć Gabrieli!

– Powinna wiedzieć – zauważył Patryk. – To twoja przyszła żona.

– I co? Myślisz, że nie weźmie ze mną ślubu, bo przeszedłem lekki zawał?

– Myślę, Wiktor, że jesteś kretynem. Gdybyś nagle stracił przytomność, próbowalibyśmy cię ocucić, jeżeli nic by to nie dało, wezwalibyśmy pogotowie i pewnie nie miałoby już kogo zabierać. Teraz, gdy wiemy, że masz osłabione serce, natychmiast wezwiemy erkę i może będziesz żył na tyle długo, by cieszyć się synkiem albo córeczką – i ugryzł się w język.

– Cieszyć się dziećmi nie mam szans, ale dziękuję za troskę.

Uff, Wiktor nie podłapał tematu, przekonany, że Gabrysia nie może mieć dzieci. To będzie niespodzianka!

– Kiedy masz badanie kontrolne? – Patryk był konkretny do bólu.

– Braniewski ma całą rozpiskę. Wezwie mnie do szpitala. To wszystko? Koniec przesłuchania?

– Ostatnie pytanie: kiedy powiesz o tym Gabrieli?

Wiktor znów się zirytował.

– Może oszczędźmy jej na razie zmartwień? Wystarczy, że musi opiekować się Majką, domem...

– Dodaj jeszcze kota, psa i konia – zakpił Patryk. – Ale okej, masz rację, to nie jest najlepszy czas. Majka dojdzie do siebie, Marcin się nią zaopiekuje, wy zamieszkacie w Leśnej Polanie i wtedy...

– Widzę, że już wszystkich rozdysponowałeś. Pamiętasz o sobie?

– Ja oświadczę się Julii, gdy tylko wrócę do domu – odparł spokojnie.

Wiktora na chwilę zamurowało, choć spodziewał się przecież takiej niespodzianki, po czym chwycił Patryka za ramiona i mocno uściskał.

– Cieszę się, dzieciaku – szepnął wzruszony. – Naprawdę się cieszę, że w końcu znalazłeś tę jedyną. Będziesz szczęśliwy? – Chciał, żeby zabrzmiało to jak stwierdzenie, naprawdę chciał, ale troska o Patryka wzięła górę. On musiał się roześmiać. I odrzec z przekonaniem:

– Będę, Wikuś. Będziemy. Ja z Julią, ty z Gabrysią i Marcin z Majką. Zasłużyliśmy w końcu na dar od losu, jakim są nasze trzy wspaniałe dziewczyny. I… jeszcze jedno – poczuł, że głos mu się łamie, więc odczekał chwilę. – Dziękuję ci, Wiktor, za wszystko, co dla nas zrobiłeś. Rzadko to mówię, po prostu nie potrafię, ale… – Nie, jednak nie potrafił powiedzieć starszemu bratu, jak bardzo go kocha. – Dziękuję, że jesteś i zawsze byłeś – dokończył.

Wiktor bez słowa uścisnął go raz jeszcze.

Patryk odsunął go po chwili na odległość wyciągniętych ramion i dodał już zupełnie innym tonem:

– Teraz masz odpoczywać. I dbać o serce. Nie jest to prośba, tylko rozkaz!

To by było na tyle, jeśli chodzi o braterską miłość czy wdzięczność.

Wiktor westchnął teatralnie.

– Zmieniasz się w despotę, braciszku. Ktoś ci dał zły przykład w dzieciństwie.

– Ten ktoś całkiem niedawno mnie, trzydziestodwuletniego faceta, łaskawie spuścił ze smyczy. Niech więc teraz nie narzeka. Wracaj do domu, i nie mam tu na myśli mieszkania na Krakowskim, tylko pewną chatkę, w której czeka na ciebie ukochana.

– Okej. Przyjadę jutro w okolicach południa. Gdyby coś się działo…

– Wiem, gdzie cię szukać i pod jaki numer dzwonić. Jeszcze jedno: skoro sytuacja na froncie powoli się uspokaja, warto zająć się pałacem na Miodowej. Za dużo czasu i energii poświęciliśmy, żeby ktoś nam go sprzątnął sprzed nosa.

– A potrzebujemy go w ogóle? Może pora na wakacje?

– Wiktor, ty i wakacje? – Patryk zaśmiał się krótko. – Pałac nie jest nam specjalnie potrzebny, ale firma musi się rozwijać. Dla naszych rodzin. Naszych dzieci. Jeśli chcesz się wycofać, nie ma sprawy, z Marcinem spokojnie pociągniemy ją sami, żebyś jednak później nam nie zarzucił, że cię odstawiliśmy na boczny tor i z czterdziestoletniego brata emeryta robimy. Chcesz odpocząć od życia, okej, ale ma to być twoja decyzja.

– Jasne. Myślę, że wszyscy trzej doszliśmy do punktu, w którym liczy się coś ważniejszego niż firma i kolejna nieruchomość. Ja mam Gabrysię, ty Julię z Hanią, przed Marcinem trudny czas, bo oboje z Majką są poharatani, i nie mam na myśli obrażeń fizycznych. Na tym musimy się skupić: na naszych rodzinach i na sobie. Pałac na razie odpuszczam. Jeśli któryś z was będzie chciał go pociągnąć, macie zielone światło. Ja… pomyślę, co mógłbym robić w Leśnej Polanie. Chcę mieć w końcu żonę, rodzinę i dom.

– Kota, łaciatego psa i koniokrowę jako bonus – dodał Patryk.

– Tylko nie nazywaj tak Dropsa przy Gabrieli. Przegryzie ci gardło – uprzedził go Wiktor.

Obaj parsknęli śmiechem i tak się rozstali.

Patryk zajął miejsce Wiktora przy łóżku brata, Wiktor ruszył w drogę do Leśnej Polany.

Nie dotarł na miejsce…

ROZDZIAŁ XIX

Środki uśmierzające ból z lekami uspokajającymi tworzyły diabelski koktajl. Marcin przez całe dnie i noce spał, czasem nawiedzany przez koszmary, a jeśli się budził, to był półprzytomny. Nie do końca zdawał sobie sprawę, gdzie jest i co się wydarzyło, zanim się tu znalazł. Mgliście pamiętał apartament na Złotej, strzelaninę, huk i ból. Ale czy on sam znalazł się w centrum wydarzeń, czy był to jeden z koszmarów? Tego nie wiedział.

Na szczęście zawsze ktoś czuwał przy jego łóżku. Ktoś bliski. I tego Marcin się trzymał. Gdy otwierał oczy, pochylała się ku niemu twarz Wiktora, Patryka albo Joli Braniewskiej. Widział też Gabrielę. Raz napotkał badawcze spojrzenie doktora. I tylko Majki nie było…

– Gdzie Majka? – wyszeptał przez otarte do bólu gardło.

– W domu – odparł Patryk, podając mu odrobinę wody.

Marcin przełknął z trudem i podziękował spojrzeniem.

– Jak ona się czuje?

– Nie najgorzej – padła odpowiedź.

– A dziecko?

Dłoń z kubkiem opadła. Patryk spojrzał z niedowierzaniem i przerażeniem na brata. Tylko nie to! Nie kolejny obłęd!

– Dziecko nie żyje – odparł cicho i wstrzymał oddech, czekając na reakcję Marcina.

Ten przymknął powieki i skinął głową. Przez jego twarz przemknął spazm bólu.

– Pamiętam. Majka poroniła. Powinna była bardziej uważać…

– To nie jej wina! – sprzeciwił się Patryk.

Tego jeszcze brakowało, by Marcin dla swojego cierpienia znalazł kozła ofiarnego w osobie Majki! Ale on tylko machnął ręką. Tym gestem skwitował utratę dziecka i zrzucenie winy na dziewczynę, którą niedawno tak bardzo kochał. A może nie kochał jej wcale?

– Marcin, nadal jesteś w szoku, dostałeś kulę w płuco, przeszedłeś operację – zaczął Patryk przyciszonym, ale stanowczym głosem. – Nie myślisz jasno, bo umysł mącą ci leki. Przyjdzie czas, by o wszystkim spokojnie porozmawiać. Ze mną, z Wiktorem czy z Majką. Ale teraz odpoczywaj. Śpij. Zawsze będziemy przy tobie.

Marcin posłał bratu nikły uśmiech, powieki opadły mu powoli i zapadł się w gęsty jak smoła, narkotyczny sen…

Patryk nie mógł się skupić na czytaniu. Słowa brata, którymi ten tak łatwo oskarżył Majkę, poruszyły go do głębi. Jeśli Marcin nie będzie mógł sobie poradzić ze stratą i pójdzie tą drogą, strata okaże się podwójna. Nie wolno do tego dopuścić! Ale przecież nie zabroni bratu myśleć tego, co myśli, i czuć tego, co czuje. Nie zmieni jego wspomnień, nie wymaże z pamięci poranka, który dla nich wszystkich był jednym z najtrudniejszych w życiu. Pamiętał swoje własne przerażenie, gdy gnał do szpitala, nie wiedząc, czy zastanie Marcina wśród żywych, czy przyjedzie za późno. Pamiętał rozpacz, gdy na jego rękach umierała Majka. Jakie więc uczucia muszą miotać Marcinem, który był w samym środku tej apokalipsy?

„Wszystko będzie dobrze" – powtarzał jak mantrę. „Oboje się pozbierają. Mają przecież siebie. Przeszli to samo. Utracili równie dużo. Będą się wspierać w drodze do zapomnienia, a jeśli nie zapomnienia, to spokoju ducha i nowej przyszłości, prawda? Przecież Majka urodzi jeszcze wiele dzieci. Marcin będzie miał wymarzoną rodzinę. Wszystko przed nimi..." – próbował to sobie wmówić, ale nie czuł w sercu pewności.

Nie wiedział, jak długo Majka pozostanie pod opieką Gabrieli. Kiedy poczuje się na tyle zdrowa i bezpieczna, by wrócić do Warszawy, do Marcina. Ten zaś...

Nie. Patryk chyba po raz pierwszy w życiu nie miał pojęcia, co czuje i myśli jego bliźniak. I co uczyni po wyjściu ze szpitala.

– Kiedy mnie wypiszą? – padło nagle pytanie.

Marcin obudził się powtórnie i patrzył na brata przytomnym wzrokiem.

– Za kilka dni. Rany dobrze się goją. Nie masz gorączki. Lekarze są jak najlepszej myśli.

– Chcę wrócić do domu.

– To oczywiste. Mieszkanie na ciebie cze…

– Do domu. Na Florydę – Marcin wpadł mu w słowo.

Patryk zaniemówił.

– A Majka? – w jego głosie zabrzmiało zdumienie, ale i rosnąca rozpacz.

Jednak nic nie będzie okej…

– Ja… sam chcę się z tym wszystkim uporać – odparł cicho Marcin.

Z dawnego roześmianego lekkoducha, playboya, dla którego życie było jedną nieprzerwaną imprezą, nie pozostał ślad. Ten Marcin, który leżał w szpitalnym łóżku, otoczony aparaturą monitorującą parametry życiowe, był cieniem dawnego siebie.

– Jeżeli chcesz, wrócę do Stanów z tobą – zaproponował Patryk.

Ostatnie, o czym teraz marzył, to po tak traumatycznych przejściach stracić brata z oczu.

– Dzięki, Pat, ale „sam” znaczy „sam”.

– Nie ma mowy, byś zaraz po wypisaniu poleciał ot tak na drugą półkulę. – Tym razem w głosie Patryka zabrzmiała stanowczość. – Wiktor na pewno się na to nie zgodzi. Ja również nie.

– Poczekam w Warszawie ze dwa tygodnie, aż się wam znudzi ta kuratela, odnajdę paszport, który, jak was znam, gdzieś przepadnie, i wylecę, czy się to Wiktorowi spodoba czy nie.

Taaak. Marcin miał rację. Nie mogą dorosłego faceta trzymać przy sobie wbrew jego woli.

– Wstrzymaj się z decyzjami, bracie. – Stanowczość ustąpiła miejsca prośbie. – Jeszcze przyjdzie na nie czas. I... nie skreślaj tak pochopnie Majki. Ona bardzo cię kocha.

„Tak bardzo, że chciała na drugi dzień po operacji biec tobie na pomoc" – dodał w myślach.

Marcin odwrócił twarz, by brat nie dostrzegł wyrazu jego oczu. Były puste. Całe uczucie, jakie miał dla Majki, zgasło. Jeżeli chciał rozpalić je na nowo, musiał wyjechać i zatęsknić. Patryk to zrozumie. Lecz czy zrozumie i wybaczy ona?

Zamknął oczy. Nie miał siły myśleć teraz o bólu, jaki jej zada, bo sam czuł ból nie do opisania. Jego synek albo córeczka... Tak bardzo się cieszył na to maleństwo... Wyobrażał sobie, jak weźmie je po raz pierwszy na ręce, jak je przytuli, pogłaszcze po główce, poczuje delikatny dotyk małych paluszków na swojej dłoni... Umarło... Nawet go nie widział...

Łzy cicho spłynęły po policzkach. Przycisnął dłoń do ust, żeby powstrzymać szloch.

Poczuł dłoń Patryka na ramieniu.

– Marcin... Jeśli jest coś, co mogę zrobić...

– Nie przywrócisz życia mojemu dziecku. Ono łączyło mnie z Majką. Było nasze. Nasze wspólne.

Patryk poczuł nagły przypływ gniewu.

– To dziecko nie było...

Zamknij się, Patryk!!! Słyszysz?! Zamknij się!!!

Rany boskie, omal się nie wygadał! A to byłby koniec tej miłości! Marcin ledwo sobie radził ze stratą dziecka, gdyby dowiedział się, że Majka łgała mu w żywe oczy... Straciłby i ją. Znienawidził do reszty!

Musisz teraz jakoś z tego wybrnąć, kretynie!

– To dziecko nie było pierwsze i nie jest ostatnie, które się nie uro...

– Oj, zamilcz, Pat! – przerwał mu Marcin. – Tłumacz tak sobie, gdy twoja ukochana Julia poroni.

Patryk pobladł. Rozumiał rozpacz brata, lecz takich słów mimo wszystko się po nim nie spodziewał.

– Ono mogło żyć... – wyszeptał Marcin. – Gdyby Majka została w domu, nie narażała się tak głupio, mogłoby żyć...

Znów poczuł łzy napływające do oczu. I rękę Patryka, zaciskającą się na jego dłoni.

– Marcin, proszę cię, nie płacz...

Próbował. Naprawdę próbował powstrzymać łzy, ale ból był nie do wytrzymania.

Patrykowi serce krwawiło, gdy patrzył na rozpacz brata. Musiał coś mówić, musiał wypełnić czymś ciszę, przerywaną tłumionym łkaniem...

– Ty zawsze byłeś ten twardy, nigdy nie płakałeś. Pamiętasz, jak przywaliłem ci z pięści, bo nazwałeś mnie mazgajem i babą?

Marcin uśmiechnął się, mimo że łzy nadal dławiły gardło. Odwrócił się do brata.

– Niezły miałeś cios. Jak na babę.

– A chcesz dostać powtórnie?

– Rannego będziesz bił?

Patryk nie wypuszczał jego dłoni ze swojej. Tak, było to niemęskie, takie trzymanie się za rączki, ale w tej chwili pieprzył, co facetowi przystoi, a co nie. Jego brat cierpiał. Opłakiwał śmierć dziecka. Nic więcej nie miało znaczenia, niż pomóc mu w jakikolwiek sposób.

– Normalny dzieciak, gdy od brata dostanie w nos, zaczyna się drzeć: „Powiem ojcu!" albo „Powiem mamie!" – ciągnął więc. – Pamiętasz, co ty krzyczałeś?

– „Tylko nie mów Wiktorowi" i dzisiaj krzyczałbym to samo.

– Nieźle nas wytresował starszy braciszek – rzucił Patryk, ale Marcin się obruszył:

– On nas nie tresował! On nas kochał! Nigdy nie uderzył ani ciebie, ani mnie. Gdy coś przeskrobaliśmy, wystarczyło, że spojrzał z bezbrzeżnym rozczarowaniem i pytaniem w oczach: „Jak mogłeś?", a człowiek na kolana gotów był paść, przepraszać i przyrzekać, że nigdy więcej. To ty mu doniosłeś, że palę?

– Nigdy niczego nikomu nie donosiłem! – Tym razem Patryk się oburzył. – Nie musiałem. Cuchnąłeś petami na odległość! Zresztą Wiktor zawsze miał szósty zmysł. Choćbyś nie wiem jak się konspirował, on i tak wcześniej czy później wpadłby na trop. Kiedyś… całkiem niedawno… powiedział coś takiego… On chyba sam wszystkiego, co najgorsze, spróbował, żeby wiedzieć, przed czym uchronić nas.

– Całkiem możliwe. Chociaż… Wiktor i narkotyki? Wiktor i wóda? *Come on!*

Patryk zmilczał. Miał w pamięci rozmowę o dziwkach i ostrym rżnięciu. Pamiętał również okoliczności tej rozmowy. Lepiej, żeby Marcin nigdy się o tym nie dowiedział. Lecz on, zamiast dopytać o szczegóły, uniósł się gwałtownie i zaczął kasłać. Na dłoni, którą zasłaniał usta, pojawiła się żywoczerwona krew. Ta rozmowa zbyt wiele sił go kosztowała. Ledwo zagojone płuco zaczęło krwawić.

Dusił się jeszcze przez chwilę, podtrzymywany przez przerażonego brata, po czym opadł bez sił na poduszkę. Pielęgniarka, która natychmiast przybiegła, otarła mu usta wilgotnym kompresem, po czym spojrzała gniewnie na Patryka.

– Oto skutek niekończących się odwiedzin – rzuciła gniewnie. – To sala OIOM-u! Tutaj nikt oprócz personelu szpitalnego nie powinien przebywać!

Nie rozumiała, dlaczego ordynator uczynił wyjątek dla dwojga pacjentów: tego tutaj i wariatki, którą na szczęście już zabrali. Mogła się jedynie domyślać… Nie. Lepiej niczego się nie domyślać.

– Proszę leżeć spokojnie – zwróciła się do Marcina. – A panu, panie Prado, radziłabym oszczędzić bratu wszelkiej konwersacji. W przeciwnym razie on tu poleży, a pan tu posiedzi ładnych parę tygodni. Nie chcemy tego, prawda?

Stanowczo nie.

– Przepraszam – mruknął Patryk, sięgnął po książkę i po chwili udał, że czyta.

ROZDZIAŁ XX

Zbliżała się północ.

Szpital cichł powoli. Nawet oddział ratunkowy był tej nocy wyjątkowo spokojny.

Patryk walczył ze snem, trzymając otwartą książkę na kolanach, gdy ktoś lekko zapukał do drzwi. Po chwili uchyliły się i do środka zajrzała...

– Jula! – krzyknął półgłosem, zdumiony i uradowany zarazem.

Dziewczyna weszła do sali, podbiegła do Patryka i wreszcie mogła się w niego wtulić, zamknięta w silnym uścisku męskich ramion.

– Co ty tu robisz? – usłyszała szept tuż koło ucha i poczuła przemożne pragnienie, by pocałować ukochanego prosto w usta.

Rzuciła okiem na dyżurkę. Była pusta. Pielęgniarka albo wyszła, albo położyła się na kozetce, żeby złapać trochę snu. Julia mogła więc uczynić to, o czym marzyła. Przywarła ustami do jego ust. Oddał pocałunek z nie mniejszą namiętnością. Nie wypuszczając jej z objęć, osunął się na fotel. Stąd byli mniej widoczni. Mogli zatracić się w pieszczotach chociaż na parę chwil... Dziewczyna wsunęła dłonie pod jego bluzę, by poczuć ciepło jego skóry. On objął jej twarz i całował dotąd, aż obojgu zabrakło oddechu. Oderwali się na chwilę od siebie.

– Co ty wyrabiasz? – szepnął, siląc się na surowość, ale w jego błękitnych oczach wyczytała prośbę o więcej.

Zaśmiała się. Dłonie powędrowały tym razem niżej. Spoczęły na nabrzmiałej, spragnionej tego dotyku, i nie tylko dotyku, męskości.

– Stęskniłam się – odrzekła dziewczyna, muskając wargami jego usta. – Miałam nadzieję, że wrócisz na noc i będziemy się kochać... – W tym momencie wsunęła dłoń w jego slipy, a on z całych sił stłumił jęk. – Ale nie doczekałam się, więc przyszłam do ciebie.

– Hania?

– Została z nianią. Wrócę, nim się obudzi. Nie zabierze mi to wiele czasu... – Poruszyła dłonią. On ponownie zacisnął zęby, żeby nie jęknąć. To, co robili... w miejscu, gdzie lada chwila mogli pokazać się pielęgniarka albo lekarz... było niesamowite. Nigdy w życiu nie czuł takiego strachu i podniecenia zarazem. Wystarczy parę ruchów dziewczyny, a dojdzie tu i teraz.

– Zrobić to? – zapytała szeptem, patrząc prosto w jego zogromniałe źrenice.

– Zrobić, zrobić – odparł... Marcin.

Odskoczyli od siebie jak oparzeni. Julia spłonęła rumieńcem wstydu. Patryk nie wiedział, gdzie oczy podziać, i tylko Marcin bawił się na tyle świetnie, na ile pozwalało obolałe płuco.

– Nie krępujcie się, ja popatrzę. Mało mam rozrywek – rzucił z uśmiechem.

– Spadaj! – syknął Patryk.

– To ty spadaj. Ja tu mieszkam. A odezwałem się tylko dlatego, że nieco oderwani od rzeczywistości, nie zauważyliście powrotu pielęgniarki. Patrzy teraz na was z lekkim obrzydzeniem.

Zwrócili spojrzenia ku dyżurce i oboje poderwali się na równe nogi. Rzeczywiście, za szklaną szybą młoda kobieta aż pobladła z oburzenia.

– Proponuję zmienić lokal. – Marcin zdawał się świetnie bawić. – Toaleta nadaje się do takich celów znakomicie. Wierz mi, bracie.

– Spadaj, idioto! – odwarknął Patryk, po czym chwycił Julię za rękę i pociągnął do drzwi.

– Miłej zabawy – dobiegł ich jeszcze kpiący głos Marcina.

Na korytarzu Julia pierwsza parsknęła śmiechem. Patryk próbował utrzymać powagę, bo, doprawdy, zażenowany był do granic, ale nie bardzo mu to wyszło. Przyciągnął dziewczynę do siebie, ukrył twarz w jej włosach i roześmiał się również. Cicho, ale serdecznie. Wsunęła, jak chwilę przedtem, dłonie pod jego bluzę, by raz jeszcze poczuć ciepłą, sprężystą skórę, opinającą wspaniale wyrzeźbione mięśnie.

Przed oczami zamajaczył jej obraz Tomcia Łosko – tłustego, niedomytego, śmierdzącego – i Julia zdumiała się w duchu: jak mogła oddawać się bez obrzydzenia takiemu obleśniakowi?! Miłość czy raczej pragnienie normalności bywają doprawdy przemożne…

Teraz jednak miała przy sobie, tak blisko, że bliżej nie można, kogoś po stokroć wartego miłości.

– To co, skorzystamy z rady Marcina? – wyszeptała, unosząc na Patryka śmiejące się oczy.

Jeszcze niedawno odparłby: „Nie ma mowy!". Jak to tak: on, rozsądny, stateczny prawnik „bez fantazji", jak kiedyś wytknął mu Marcin, nagle uprawia seks w publicznej toalecie?!

Ale dzisiaj, gdy poczuł wspaniały smak życia i zapragnął więcej, uśmiechnął się do Julii szelmowsko i odszepnął:

– Czemu nie – i…

…zadzwonił telefon.

Julia westchnęła tylko. Patryk uniósł oczy do nieba i wyciągnął komórkę z kieszeni. Gabriela.

– Przepraszam, że dzwonię tak późno, minęła północ – zaczęła bez wstępów – ale… jest z tobą Wiktor?

Poczuł, że robi mu się zimno. Nim zdążył odpowiedzieć, kobieta ciągnęła dalej.

– Oczywiście, że jest, bo gdzie mógłby się podziać, tylko wiesz, Patryk, zwykle przed snem wysyłamy sobie wiadomość, rozumiesz, taką… miłą, albo rozmawiamy chwilę przez telefon. To głupie, szczególnie teraz, gdy obaj całe dnie spędzacie w szpitalu, gdzie komórki trzeba wyłączać i... no właśnie... wysłałam do Wiktora kilka esemesów, próbowałam też dzwonić, ale nic z tego. Jeden telefon nie odpowiada zupełnie, drugiego nie odbiera. A przecież ten zastrzeżony zawsze nosi przy sobie. Dlatego dzwonię do ciebie. Mógłbyś przekazać Wiktorowi, że... że chcę po prostu życzyć mu dobrej nocy?

Z każdym słowem Gabrieli Patryk coraz silniej zaciskał dłoń na iPhonie. Strach o brata podszedł mu do gardła.

– Jesteś tam? – zapytała w końcu, słysząc ciszę po drugiej stronie.

– Jestem – wydusił.

– A Wiktor?

Czy mógł jej powiedzieć, że od dobrych czterech godzin Wiktor powinien być u niej, w Leśnej Polanie?

– Poszukam go – odparł.

– Poproś, żeby wysłał mi wiadomość. Martwię się.

– Dobrze, Gabriela, tak zrobię.

Już miała się rozłączyć, gdy zastanowił ją ton głosu młodego mężczyzny.

– U ciebie wszystko w porządku?

– Tak – uciął, by jak najszybciej zakończyć tę rozmowę.

Wreszcie Gabriela pożegnała się. Patrzył chwilę na gasnący wyświetlacz, po czym przeniósł pociemniałe ze zgrozy spojrzenie na Julię.

– Co się stało? – teraz i ona pobladła.

– Wiktor wyszedł ze szpitala zaraz po ósmej. Miał jechać prosto do Gabrieli... – głos mu się załamał.

Wyobraźnia natychmiast podsunęła obraz Wiktora w roztrzaskanym samochodzie... Wiktora leżącego na OIOM-ie po zawale serca... Wiktora przywiązanego do drzewa, gdy obok czterech bandytów, wynajętych jeszcze przez Kuchtę, kopie dla niego grób...

— Patryk, jestem z tobą. — Usłyszał głos Julii i poczuł jej dłoń zaciśniętą na swojej dłoni.

Każda inna rzuciłaby zdawkowym: „Wszystko będzie dobrze, Wiktor pewnie gdzieś imprezuje, znajdziesz go", ale nie Julia. Nie dziewczyna, która swoje w życiu przeszła i wie, jakie potrafi być ono podłe.

— Spróbuj do niego zadzwonić — mówiła dalej, sama czując narastającą grozę. — Jeśli rzeczywiście nie odbierze, zaczniemy szukać go w szpitalach.

Zdobył się jedynie na potaknięcie. Drżącymi rękami wybrał zastrzeżony numer. Wysłuchał kilku długich sygnałów.

— On zawsze odbierał ten telefon. Zawsze!

Wiktor w płonącym samochodzie, rozbitym o drzewo... Wiktor umierający na ulicy, mijany przez obojętny tłum...

— Wrócę po torebkę, pójdziemy do świetlicy i zaczniemy go szukać. Patryk, nie wolno myśleć o najgorszym.

Zmusiła go, by usiadł, sama zawróciła do sali, w której leżał Marcin.

Otworzył oczy, gdy tylko znalazła się przy łóżku.

— I jak tam? — puścił jej oczko.

Uśmiechnęła się z trudem.

— Zabieram Patryka na dobrą kawę. Poleżysz z godzinkę sam? Nie zrobisz nic głupiego? — rzuciła lekkim tonem.

— Nie wiem, co masz na myśli, ale najgłupsza rzecz, jaką mógłbym zrobić, to odgryźć przewód od tego cholerstwa, co wkurzająco pika mi nad głową. I zabierz telefon z szafki. On też mnie wkurza.

Julia posłusznie sięgnęła po komórkę i mimowolnie spojrzała na wyświetlacz: „Gabrysia", „Gabrysia", „Gabrysia", „Patryk".

„To telefon Wiktora! – olśniło ją. „Zostawił go tutaj, w szpitalu, i dlatego nie odbierał!"

Wybiegła z pokoju, podetknęła Patrykowi komórkę pod oczy.

— Zabiję go – warknął jedynie, ale ulga była tylko połowiczna.

Wiktor może zostawił telefon w szpitalu, ale dlaczego wyłączył drugi? I gdzie, do jasnej cholery, się podziewa, zamiast zasypiać u boku Gabrieli?!

— To niczego nie wyjaśnia. Chodźmy stąd.

O tej porze świetlica była pusta.

Mogli rozłożyć na stoliku dwie książki telefoniczne i zacząć po kolei dzwonić do warszawskich szpitali.

Mieli więcej szczęścia niż Gabriela. Zanim doszli do połowy listy, odezwała się komórka Patryka. Na ekranie widniało: „Wiktor".

— Patryk... – zaczął, ale młodszy brat przerwał mu, cedząc słowa:

— No, bracie, albo masz dobre alibi, albo przygotuj się na porządny opierdol...

— Słucham? – Spojrzał na wyświetlacz. Patryk, takie słowa i taki ton?

– Gabriela wydzwania do ciebie od paru godzin. My zaczęliśmy cię szukać po szpitalach. Wiktor, do kurwy nędzy, dlaczego wyłączyłeś telefon i gdzie się szlajasz?! – Patryk naprawdę był doprowadzony do ostateczności. Chciał dodać coś jeszcze, o jego chorym sercu, o zbirach Kuchty, o płonącym samochodzie, ale zamilkł, czując w sercu zimną furię.

– Pat, przepraszam – odezwał się Wiktor ze skruchą. – Rzeczywiście... wyłączyłem telefon. Nie pomyślałem, że możecie się niepokoić, ale gdy wysłuchasz, co mam do powiedzenia, myślę, że mi wybaczysz.

– Słucham więc – syknął przez zaciśnięte zęby.

Niedawne przerażenie powoli zmieniało się w ulgę, że brat jest cały i zdrowy, ale wściekłość nadal płynęła ołowiem w żyłach młodego mężczyzny.

– Nie. – Usłyszał nagle. – Zrobimy inaczej. Przyjedź na Krakowskie. Poznasz kogoś, kto sprawił, że zapomniałem o całym świecie.

– O Gabrieli również?

– Tak. O niej też.

– A jeśli nie mam ochoty nikogo poznawać?

Wiktor zaśmiał się tylko.

– Wierz mi, bracie, ona cię zaskoczy.

– Ona?! Więc jest to kobieta?!

– Tak. Jest to kobieta.

– Spotykasz się za plecami Gabrieli z inną?! – Patryk wybuchnął powtórnie.

Julia, przysłuchująca się rozmowie, przytknęła dłonie do ust. Teraz i ona była wstrząśnięta.

– Wiktor?!

– Przyjedź na Krakowskie, a dowiesz się wszystkiego.

Telefon zgasł. Patryk wcisnął z wściekłością wybieranie numeru, ale Wiktor nie odebrał. Spojrzał na Julię, tak samo nic nie rozumiejąc jak ona.

– Nie dał nam wyboru – odparła zduszonym głosem. – Jedziemy.

Droga, przecież krótka i pusta o tej porze, dłużyła się w nieskończoność. Przez cały ten czas Julia odezwała się tylko raz, drżącym z przerażenia głosem:

– Wiktor ma inną kobietę. A Gabrysia? To ją zabije.

– Nie ma żadnej innej – uciął sucho.

Czy rzeczywiście?

Mógł ręczyć, że brat nigdy nie zakochał się w kimś innym, tylko w Gabrieli? Wiktor miał swoje tajemnice. Bliźniacy niewiele wiedzieli o jego prywatnym życiu. Właściwie tylko to, czym chciał się z nimi podzielić. Może spotkał kogoś, zanim pojawiła się Gabrysia, może po tym, jak się rozstali i… I na pewno nie porzuciłby dla tego kogoś miłości swojego życia!

Czy rzeczywiście?

Julia zacisnęła palce na dłoni Patryka. Drżała lekko.

Pokręcił głową. Brakło słów.

Wreszcie wysiedli z taksówki. Schody na trzecie piętro pokonali biegiem. Patryk nacisnął dzwonek. Drzwi ustąpiły. Stała w nich szczupła kobieta, odziana w staroświecką czarną suknię.

Srebrne włosy miała upięte w ciasny, skromny kok. Spoglądała na Patryka oczami, które wydały mu się dziwnie znajome. Tak. Przypominały kogoś, kogo on dobrze znał. Ten ktoś stał w głębi korytarza i… uśmiechał się.

ROZDZIAŁ XXI

Było wpół do dziewiątej, gdy Wiktor minął wreszcie granice Warszawy. Jezdnia była śliska i niebezpieczna. Stłuczki hamowały ruch. Korki ciągnęły się kilometrami. Na szczęście radzymińska wylotówka była w miarę przejezdna. Teraz dodać gazu i za godzinę będzie w domu.

„W domu" – posmakował tych słów. Uśmiechnął się. Miał dla Gabrysi upominek. Już sobie wyobrażał, jaką sprawi jej tym radość.

Sięgnął do kieszeni po telefon, żeby uprzedzić ją o swoim przyjeździe, ale nie zdążył wybrać numeru. Komórka rozdzwoniła mu się w dłoni. Numer na wyświetlaczu należał do szefa ekipy remontującej willę na placu Lelewela. Nie znosił tego miejsca, nie lubił telefonów stamtąd, ale musiał odebrać. Znał swoich ludzi, a oni znali jego na tyle, by drobnostką głowy mu nie zawracać.

– Szefie, jest problem – usłyszał i westchnął w duchu. Domyślał się, że problem, a nie Boże Narodzenie! – Ktoś chce się z panem widzieć. To pilne. I ważne.

– Jestem w drodze do domu. Powiedz, żeby przyszedł jutro z samego rana.

– Szefie, ta pani...

O, więc była to jakaś kobieta.

– ...ona przyjechała z daleka i chyba nie ma się gdzie podziać. Powinien pan jednak przyjechać.

– Włodek, na miłość boską, pożycz kobiecie trzy stówy na hotel, zwrócę ci jutro, i dajcie mi dzisiaj spokój! Od dwudziestu paru godzin jestem na nogach...

– Szefie, sorry, że się powtarzam, ale musi pan przyjechać. Ta pani... Tak, powinien pan się z nią spotkać. Jeszcze dzisiaj. Ja tam się w wasze sprawy mieszać nie będę – uciął mężczyzna z dziwną stanowczością.

Majster wiedział, gdzie jego miejsce, i nie śmiałby w ten sposób zwracać się do Wiktora, gdyby... no właśnie, gdyby co?

Ciekawość wzięła górę nad zmęczeniem, niepokój wziął górę nad ciekawością. W willi, która wracała do Wiktora w koszmarnych snach, nie mogło nań czekać nic dobrego.

Podjechał pod dom, który z odnowioną, śnieżnobiałą elewacją i piękną czerwoną dachówką wydał mu się mniej odstręczający niż parę miesięcy temu. Zaparkował i wysiadł. Włodek już na niego czekał.

– Dobra robota – odezwał się Wiktor, by mężczyzna wiedział, że go docenia i nie żywi urazy za zawrócenie go z drogi do domu.

– Dzięki, panie Prado. – Podziałało, twarz majstra rozjaśnił uśmiech. – Przepraszam za to wszystko, ale ta pani... ona nawet nie mówi po polsku. Powtarza tylko pana imię. I jeszcze „proszę". To musi być ważne, prawda, szefie?

Wiktor mruknął tylko coś niezrozumiałego. Wbiegł po dwa stopnie i pchnął drzwi wejściowe.

W korytarzu, kilka kroków przed nim stała starsza kobieta. Miała na sobie czarną suknię, trochę nie z tej epoki, i narzucony na ramiona gruby płaszcz. Srebrzyste włosy upięła w ciasny kok, mimo to dwa pasma opadły jej na czoło. Odgarnęła je szczupłą dłonią w koronkowej rękawiczce. Wielkie, czarne oczy w smagłej twarzy spoglądały na Wiktora tak znajomo, że aż zaparło mu dech w piersiach. Znał to spojrzenie. Znał te oczy. Codziennie spoglądały nań z lustra.

Serce zaczęło mu bić jak oszalałe.

Nie. Nie wierzył.

Kobieta patrzyła na niego tak samo uważnie. W jej oczach nagle rozbłysły łzy.

Wyciągnęła do Wiktora ręce i powiedziała słowo, od którego on rozsypał się na kawałki.

– Synku...

Przez chwilę stał nieruchomo. Bał się, że najmniejszy ruch sprawi, że albo jego serce nie wytrzyma, albo ona zniknie. Ale naraz zrobił jeden krok, drugi i już obejmował matkę ramionami. Już czuł jej zapach, który zapamiętał, tak! zapamiętał!, mimo upływu trzydziestu pięciu lat.

– Mamo – wyszeptał – mamusiu… – zabrzmiało jak szloch.

– Już, już syneczku. – Pogładziła go po włosach, przytrzymała za ramiona i długą chwilę patrzyła w oczy dziecka, swego synka.

– Przecież ty nie żyjesz – wydusił z trudem.

– To samo powiedzieli mi o tobie. – Pogładziła go po policzku, ścierając łzy.

Patrzył na matkę i nagle zrozumiał. To był sen. Tylko sen! Nie chciał się budzić…

Ale jej twarz była tak prawdziwa, oczy błyszczały tak niewiarygodnym szczęściem i jeszcze ten zapach, który Wiktorowi zawsze ją przypominał: pomarańcza i róża. Czy mógł wyśnić coś tak realnego?

– Nadal używasz tych samych perfum?

– Sama je wyrabiam. Z płatków róży damasceńskiej i olejku z czerwonej pomarańczy. Pamiętasz?

Zaśmiał się, przytulając ją powtórnie i wdychając zapach, jaki zapamiętał, zapach matki, kojarzący się z odległym dzieciństwem. Nie było w nim Kuchty, nie było bicia. Skończyło się jednak szybko. Za szybko. Spojrzał na matkę ponownie. Pamięć podsunęła mu jej obraz: roztrzaskana jak lalka, nieruchoma, skąpana we krwi…

Widać pomyślała o tym samym, bo czuły uśmiech, jaki miała dla syna, zniknął.

– Musimy porozmawiać. Straciłam tyle lat, nie wiedząc, że moje dziecko żyje…

Zgodził się z nią.

Wstał i przeszedł do kuchni, w której robotnicy, nocujący w willi, jedli kolację.

– Dobrze zrobiłem, szefie, że pana wezwałem? – Włodek nie miał co do tego wątpliwości, domyślał się rozmowy, słowo „mama" brzmi podobnie w wielu językach, zresztą rozjaśnione szczęściem oczy Wiktora mówiły same za siebie.

– Dobrze zrobiłeś. – Wiktor wyjął z portfela plik banknotów, wcisnął je w dłoń oniemiałego z zaskoczenia majstra i rzekł: – Zjecie dzisiaj na mieście, panowie. Znikajcie.

Nie trzeba było im dwa razy powtarzać.

Wiktor w tym czasie zaparzył dwa kubki herbaty i gdy za pracownikami zamknęły się drzwi, wrócił do jadalni. Matka nadal tam była. Prawdziwa. Rzeczywista. Pachnąca różą i pomarańczą. A bał się, że to jednak sen...

– Jesteś głodna, mamo? – Och, jak wspaniale móc wypowiedzieć to słowo! Znów objąć matkę, ucałować w policzek, poczuć jej dłoń, odgarniającą włosy z jego czoła gestem tak bardzo matczynym, bezgranicznie czułym i dobrym...

– Jestem głodna twojej opowieści. – Uśmiechnęła się, usiadła na brzeżku krzesła i zanurzyła usta w gorącym, aromatycznym naparze.

– Najpierw ty – odrzekł stanowczo. – Twoje zmartwychwstanie jest znacznie bardziej nie do uwierzenia. Widziałem, jak cisnął tobą przez pokój. Patrzyłem na twoją śmierć. Wynosili twoje ciało, nakryte białym prześcieradłem. Pamiętam to! Wszystko pamiętam!

– Bo tak było, synku. Kuchta wezwał pogotowie. Sanitariuszom powiedział, że miałam wypadek. Śmiertelny wypadek. Zabrali mnie i wezwali moją matkę. To ona odkryła, że tlą się we mnie resztki życia. Poprosiła o pomoc zaufanego lekarza. Pierwsze, co zrobił, to zmienił mi imię i nazwisko. Kuchcie oddali urnę z czyimiś prochami. Dla niego tej nocy rzeczywiście umarłam. Naprawdę mnie zabił. Przez resztę życia nie miał co do tego wątpliwości...

– A ja, mamo? – W głosie Wiktora zabrzmiały ból i rozgoryczenie. – Co ze mną? To bydlę miało mnie w garści przez następnych jedenaście lat. Cholernie długich jedenaście lat.

– Musisz wiedzieć, synku, że po „wypadku" straciłam pamięć. Również na długie lata. Wspomnienia wracały powoli, fragmentami. Gdy pojawiłeś się w nich ty, moja matka powiedziała, że nie żyjesz. Że Kuchta zabił cię tamtej nocy. Nie wiem, dlaczego kłamała, mogę się tylko domyślać, że próbowała mnie chronić przed tym sadystą, ale wiedz, dziecko, że jej tego nie wybaczyłam.

– Kiedy dowiedziałaś się, że żyję? – zapytał cicho, nadal mając w sercu żal.

– Dwa miesiące temu. Nazajutrz po śmierci Kuchty.

Oniemiał.

– Tak, synku. Przecież odszukałabym cię wcześniej. Jak mogłabym tego nie zrobić? Jednak pełnomocnik matki dostał szczegółowe wskazówki. I zalakowaną kopertę. Oddał mi ją do rąk własnych, tak jak życzyła sobie tego matka, gdy tylko otrzymał wiadomość, że prokurator Kuchciński alias Adolf

Kuchta znalazł się w końcu w piekle – powiedziała to z czystą nienawiścią.

Dokładnie taką, jaką czuł w tej chwili Wiktor, bo nie dość, że bestia odebrała im wiele lat życia, to matce odebrała syna, a synowi matkę.

– Zaczęłam cię szukać. Najpierw jako Wiktora Kuchtę, potem Wiktora Kuchcińskiego. Kilku mężczyzn o takim imieniu i nazwisku żyło w Polsce i poza granicami. Spotkałam się z nimi wszystkimi, ale to była ślepa uliczka... Zaczęłam popadać w rozpacz. Mogłeś przecież zmienić nazwisko! Wtedy przyszło mi do głowy, by szukać Wiktora Prado.

– I znalazłaś.

– Nie tak szybko, Wikuś – uśmiechnęła się.

On poczuł ciepło na sercu, widząc uśmiech matki i słysząc jej głos, miękki, łagodny, którym wypowiadała jego imię tak samo jak wtedy, gdy miał pięć lat i świata poza mamą nie widział.

– W internecie jest wielu Wiktorów Prado, ale ty, synku, występujesz jako Victor. Na to wpadłam trzy tygodnie temu, po wielu spotkaniach zakończonych rozczarowaniem. Wierz mi, że zaczęłam tracić nadzieję... I jeszcze jeden kruczek: firmę Prado Ltc prowadzi trzech braci, a nikt mi nie wspomniał o Patryku i Marcinie. Szukałam jedynaka.

– Miałaś kiepskiego detektywa, mamo. – Pokręcił głową.

– Wikuś... szukałam cię sama jedna. Mnie nie stać na detektywa – odrzekła cicho.

W tej sekundzie dotarło do niego, jak biednie odziana jest jego matka. Czysto, ale biednie. I ta suknia... zupełnie nie z tego świata.

Ona też popatrzyła po sobie jego oczami i poczuła wstyd.

– Trochę nie pasuję do twoich wyobrażeń – zaczęła drżącym głosem. – Tak ubierają się kobiety na prowincji. W Andaluzji. Tam ukryła mnie matka. Tam spędziłam całe życie. Aż do chwili, gdy wyruszyłam na poszukiwania mojego dziecka.

– Jeździłaś po całym świecie sama?

Przytaknęła.

– Nie chciałam, żeby ktoś mnie uprzedził. Chciałam tę cudowną chwilę przeżyć właśnie tak, jak przeżywam: oto stajesz w drzwiach. Wysoki, dorosły, piękny i taki mój. Mój kochany, wspaniały synek.

Znów poczuł, że za chwilę się rozpłacze. Ujął jej dłonie i bez słowa przycisnął do ust.

– Rozczarowanie zmieniało się w nadzieję, że następnym razem to będziesz ty. Sprzedałam dom, niewielki, ale w dobrym miejscu, całe pieniądze, jakie za niego otrzymałam, przeznaczyłam na poszukiwania i oto jesteś. – W jej głosie zabrzmiało niedowierzanie. A potem… po raz pierwszy od ich spotkania… roześmiała się. Miłym, dźwięcznym, serdecznym śmiechem, który zapadł Wiktorowi w pamięć, mimo że w tamtych czasach nieczęsto mieli powody do radości.

– Teraz twoja kolej, Wikuś. Mów. Opowiadaj. Wszystko!

Nie dał się dwa razy prosić.

Tak minęło kilka godzin. Na wspomnieniach łamiących serce, łzach i śmiechu.

Gdy skończył opowiadać o wydarzeniach z ostatnich dni, Maria odetchnęła głęboko.

– Tyle nienawiści i tyle miłości. Rozpaczy i bólu. Szczęścia i nieszczęścia... Los ciebie nie oszczędzał, synku.

– Ale jaką ma na koniec niespodziankę! Marcin z Patrykiem nie uwierzą!

Rzeczywiście. To było niewiarygodne.

Wiktor uśmiechał się do stojącego w drzwiach Patryka. Ten patrzył to na niego, to na odzianą w czerń kobietę. W oczach młodego mężczyzny niedowierzanie zaczęło zmieniać się w szok.

– Tak, bracie – Wiktor zrobił dwa kroki do przodu, stając obok Marii – to moja mama.

Julia krzyknęła cicho. Patryk... też chętnie by krzyknął, ale głos uwiązł mu w gardle.

Nie wierzył, jak kilka godzin wcześniej nie wierzył Wiktor. Patrzył to na brata, to na kobietę i... jednak była to prawda. Matka i syn. Miał przed sobą Marię i Wiktora Prado. Stali przed nim promieniejący szczęściem. Z miłością i dumą w czarnych oczach.

Patryk zrobił dwa kroki w przód niczym lunatyk. Wziął dłonie kobiety w ręce, jeszcze nie do końca ufając swoim zmysłom. Ucałował najpierw jedną, potem drugą, a potem zapytał drżącym ze wzruszenia głosem, pragnąc usłyszeć „tak":

– Czy mogę mówić do pani „mamo"?

Zaśmiała się. Cicho, serdecznie. Przytuliła go do siebie. Teraz on wdychał ten piękny, trochę staromodny, a przecież pasujący do niej zapach: pomarańczy i różanych płatków.

– Przez dwa miesiące żyłam marzeniem, że odnajdę syna. O to, że odnajdę także drugiego, nie śmiałam prosić dobrego Boga.

ROZDZIAŁ XXII

Gdy Wiktor wracał myślami do dnia, w którym pojawiła się jego matka, nie potrafił wyjść ze zdumienia, jak puste było dotychczas jego życie. Skromna, niepozorna kobieta weszła do ich rodziny cicho i łagodnie, a po tygodniu nie wyobrażali sobie bez niej życia.

Wszyscy, cała szóstka – Wiktor, Marcin i Patryk, Gabriela, Julia i Majka – nagle uświadomili sobie, że są sierotami. Tak, właśnie, sierotami. I oto pojawia się Maria Prado z niewyczerpanym zapasem dobroci, czułości i troski, otwiera puste miejsca w ich sercach i wypełnia je miłością... Jak mogli żyć z potrzaskanymi sercami tak długo?

Pierwszą noc spędziła w apartamencie Wiktora, chociaż on wiedział, że czeka nań Gabrysia. Jednak i on, i Maria byli zbyt zmęczeni na jeszcze jeden wysiłek. A może odezwał się w Wiktorze egoista i chciał matkę jeszcze przez kilka godzin mieć wyłącznie dla siebie?

Wiedział, że gdy tylko tę dobrą, kochaną kobietę poznają trzy przyjaciółki, natychmiast ją zawłaszczą. O Marcina i Patryka też był zazdrosny! Trochę, ale był. O, Patryk już mówi do Marii „mateczko", a ona rozpływa się od tego słowa, chociaż mateczką powinna być jedynie dla Wiktora! I była. Niestety krótko. Kilka godzin. Już tego wieczoru musiał się nią dzielić z Patrykiem. Jutro chętnych na taką mamę przybędzie.

– Zadzwoń do Gabrysi – powiedział do Patryka – przeproś ją w moim imieniu. Nie zdradzając niespodzianki, wyjaśnij, co mnie zatrzymało. Ty jesteś bardziej wygadany i umiesz zatajać prawdę...

– Serio?! – wykrzyknął Patryk oburzony.

– ...mnie Gabi rozszyfruje natychmiast.

Ścielił Marii łóżko w jednej z gościnnych sypialni, powlekając kołdrę w najpiękniejszą, najdroższą satynę. Chciał dać matce wszystko, co najlepsze. Chciał obsypać ją podarunkami i pieniędzmi. Ale kobietę, która całe życie spędziła w zapomnianej przez Boga hiszpańskiej wsi, bogactwo przytłoczyło. Już widok pięknego, urządzonego z gustem apartamentu zdawał się jej nierealny. Łazienka w karraryjskim marmurze i białe puszyste ręczniki z haftowanym monogramem po prostu ją onieśmieliły.

Przez dwa miesiące poszukiwań wyobrażała sobie syna nie raz, dając się ponieść marzeniom. Był w nich bogaty i przystojny, miał piękny dom, żonę i gromadę dzieci. Rzeczywistość pod jednym względem rozczarowywała: Wiktor był tylko

zaręczony i nie miał dzieci, za to pod innymi przerosła naj-
śmielsze marzenia. Jako mały chłopiec był uroczy, wyrósł na
pięknego mężczyznę. I bogatego. Bardzo.

Wyszła z łazienki przebrana w starą, powycieraną koszulę
nocną i otulona śnieżnobiałym, miękkim jak gęsi puch szlafrokiem, tak by Wiktor tej koszuli nie widział. Zaczęła się przed
bogatym synem wstydzić swej pospolitości, swego ubóstwa.
Ale przecież to był Wiktor! Dla niego ci, których pokochał,
byli najpiękniejsi!

Na widok matki rozpromienił się. Podszedł do niej, dotknął policzka kobiety, jakby wciąż musiał się upewniać, że
jest, żyje, istnieje. Przytrzymała jego dłoń. Uśmiechnęła się
do syna z głębi serca.

Patryk ułożył na łóżku poduszkę, elegancko zaścielił je kołdrą, niczym w najdroższym hotelu, i przyjrzał się z ukonten-
towaniem swemu dziełu.

– Będzie ci wygodnie, mateczko – stwierdził. – Dosyć tych
czułości. Oboje lecicie z nóg, a ja muszę wracać do szpitala.

– Do szpitala, synku?! – przeraziła się Maria.

– Marcin jest po operacji – wyjaśnił, kierując się do drzwi. –
Ale zdrowieje. Wiktor, zmienisz mnie jutro rano? Spałem może
ze cztery godziny.

– Chciałem wpaść na śniadanie do Gabrieli, pochwalić się
mamą, ale masz rację, obaj musimy oszczędzać siły. Rodzina
się powiększa.

„Gdybyś wiedział, jak szybko!" – Patryk siłą woli powstrzymał uśmiech. „Gabriela zaskoczy cię niespodzianką tak, jak
ty nas".

Maria powiedziała im „dobranoc", poczekała, aż wyjdą, i dopiero wtedy zdjęła szlafrok. W następnej chwili wyciągnęła się na niewiarygodnie miękkim łóżku. Westchnęła tylko, uszczęśliwiona, po czym ledwo zamknęła oczy, już spała.

– Wpadnę z mamą rano do szpitala – mówił Wiktor, odprowadzając brata do drzwi. – Chcę, żeby Marcin ją poznał.

– Nie będzie zachwycony – mruknął Patryk. – Nasza matka żyje.

– Wiem.

Patryk zatrzymał się gwałtownie.

– Wiesz?

– Oczywiście. Co jakiś czas dostaję raport na jej temat.

– Żartujesz. – Patryk nie wiedział, co czuje w tej chwili: wdzięczność za troskę czy gniew, że Wiktor jak zwykle musi mieć wszystko pod kontrolą. Na dodatek słowem nie pisnął, że odszukał Agnieszkę Lisztę!

– Nie pytałeś, to nie mówiłem – odparł Wiktor, doskonale świadom uczuć, jakie targają jego bratem.

– I ostatni raport dostałeś…?

– Pięć miesięcy temu. Z Berlina. Skoro nie pytasz, gdzie możesz matkę znaleźć i co u niej słychać, znaczy, że pytać nie musisz.

Patryk spuścił wzrok i pokręcił głową. Wściekłość zmieniła się w palący wstyd. Wspomnienie megiery, ohydnej, cuchnącej wódą podstarzałej dziwki, sprawiło, że pragnął zapaść się pod ziemię. Gdyby jeszcze nie poznał dzisiaj Marii Prado. Tak pięknej, tak delikatnej i ciepłej... Matki z jego marzeń... Ale nie! Wiktor musiał dostać to, co najlepsze, a oni z Marcinem do końca życia będą się wstydzić tamtej!

– Pat, rodziny sobie nie wybieramy. Nie bierz upadku matki na własne sumienie. Mogła być, kim chciała, miała lepszy start niż my trzej. Jednak postanowiła stoczyć się na samo dno, a ja cieszę się, że nie pociągnęła was za sobą. Nie wiem, kiedy ją poznałeś...

– Wczoraj. Wczoraj w nocy.

Wiktor uniósł brwi w niemym zdziwieniu.

– Po tym jak do Majki przyszła jej matka, prosząc o wybaczenie – jednak nie wszystko masz pod kontrolą i nie wszystko wiesz, dzięki Bogu – poczułem niemal przymus, by zrobić to samo: wybaczyć mojej matce. Cóż... nie dała mi szans.

– Jej strata. Mogła mieć nie jednego fantastycznego syna, a dwóch. Tak. Jej strata. Za to moja mama pokocha was, ciebie zdaje się już pokochała – to wtrącił z pretensją – za siebie i za nią.

– Jest... taka... – Patrykowi zabrakło słów.

Wiktor uśmiechnął się i pokręcił głową.

– Wyobrażasz to sobie? Mam matkę! Patrzyłem na jej śmierć. Tęskniłem ponad trzydzieści lat za jej dotykiem, głosem, zapachem. Miałem nadzieję, że jeśli będę dobrym człowiekiem, spotkamy się po śmierci, i oto mama staje przede mną żywa, wyciąga ręce i mówi „synku".

– Do mnie też mówi „synku" – dodał Patryk nieco złośliwie.

– Podzielę się nią z wami – odrzekł Wiktor wspaniałomyślnie – oboje mamy wielkie serca.

– Skoro tak, weź w końcu ślub z Gabrysią. Zróbcie coś z tą swoją miłością, bo licho nie śpi.

– Prosiłem ją o rękę dwa razy...

– Poproś trzeci. I od razu wyznacz datę ślubu. Los wystarczająco nas wszystkich przeczołgał, byśmy wiedzieli, jak bywa kapryśny.

– Masz rację, Pat. Teraz się położę, od rana posiedzę przy Marcinie, ale wieczorem pojadę do Gabrysi i zrobię tak, jak powiedziałeś.

Nie wiedział, że stanie się to o wiele szybciej i w zupełnie innych okolicznościach, niż sobie umyślił...

Gabriela nie mogła zasnąć.

Najpierw czekała niemal do pierwszej w nocy na wiadomość od Wiktora, coraz bardziej niespokojna i bliska płaczu, a gdy Patryk w końcu zadzwonił, że Wiktor po prostu zasnął w jednym ze szpitalnych pokoi – w piekle się będzie smażył za to kłamstwo! – nieco spokojniejsza położyła się do łóżka. Lecz sen nie nadchodził.

Wreszcie wstała, otuliła się kocem i wyszła na ganek. Przysiadła na schodkach i długą chwilę rozkoszowała się niczym niezmąconą ciszą i spokojem Leśnej Polany. Śnieg, nieskalanie czysty, lśnił w świetle księżyca. Było tak pięknie, że kobiecie łzy nabiegły do oczu. Zapragnęła podzielić się z kimś tym pięknem, lecz ten, który powinien być teraz przy Gabrieli, usiąść z nią na schodkach i wdychać krystalicznie czyste, pachnące zimowym mrozem powietrze, był daleko stąd.

Nie, Gabriela nie miała za złe Wiktorowi, że czuwa przy chorym bracie. Miała za złe sobie, że przez długie miesiące odmawiała ukochanemu mężczyźnie miejsca w ich domu i swoim życiu. Tak bardzo zapragnęła teraz, w tej właśnie chwili, to zmienić...

Drzwi skrzypnęły cicho. Majka usiadła obok przyjaciółki i narzuciła na siebie i na nią ciepłą kołdrę.

– Nie powinnaś wstawać – odezwała się cicho Gabriela.

– Nic mi nie będzie. Płaczesz?

Wzruszyła ramionami.

– To dobre łzy i mam ci zazdrościć czy bolesne i mam cię pocieszać?

Gabrysia uśmiechnęła się mimo wszystko i wtuliła w bok przyjaciółki.

– Chciałabym, żeby Wiktor tu był. To jego dom. Nasz dom. Wydawało mi się, że potrzebuję samotności, ale to była głupia duma. Tak naprawdę chciałam Wiktora ukarać za przeszłość. Chciałam, by teraz on czuł się odrzucony. I cierpiał.

– Myślę, że kto jak kto, ale Wiktor nacierpiał się wystarczająco – odrzekła w zamyśleniu Majka.

– Wiem. Podła jestem, lecz nic na to nie poradzę. Pragnęłam zemsty...

– Która uderzyła przede wszystkim w ciebie.

Gabrysia przytaknęła, kuląc ramiona.

– Nie łam się, laska. – Przyjaciółka szturchnęła ją łokciem w żebra, aż kobieta jęknęła. – Na szczęście Wiktor żyje i jest niespełna sto kilometrów stąd. Na twoim miejscu wsiadłabym w samochód i zrobiła mu niespodziankę.

– Naprawdę? – Gabriela podniosła na Majkę niedowierzające spojrzenie.

– A co w tym trudnego? Jest po pierwszej, przestało sypać, drogi są puste, samochód zacny. Wsiadaj i jedź.

– A ty?

– Ja wrócę do łóżka i po raz pierwszy od tygodni nie będę się zastanawiała, czy to upiór włóczy się po domu w środku nocy, czy nękana wyrzutami sumienia przyjaciółka.

W sercu Gabrieli przez chwilę trwała walka tęsknoty do Wiktora z troską o Majkę.

– Nie mogę zostawić cię samej – odezwała się wreszcie. – Jeśli ten upiór się pojawi, a ty uciekniesz do lasu i zamarzniesz, nigdy w życiu sobie tego nie wybaczę.

Majka wyciągnęła przed siebie szczupłe, długie nogi i oparła się wygodniej o ramię Gabrieli.

– Będę szczera, Gabi, nie było żadnego upiora.

– Słucham?!

– Serio. Wymyśliłam go sobie, żeby wyjść ze szpitala. Nienawidzę tego miejsca.

Gabrielę zatkało.

– Wyrywałaś sobie wenflon i wpełzałaś pod łóżko, żeby szybciej cię wypisali?! Majka, nie rób ze mnie idiotki! Takiego przerażenia nie da się zagrać!

– Jestem dobrą aktorką – odmruknęła, nieco zażenowana.

Wyrywanie wenflonów i chowanie się pod łóżkiem jakoś wyleciały jej z głowy. Prawdę mówiąc, była półprzytomna ze strachu i po prostu tego nie zauważyła.

– Zostanę z tobą – ucięła Gabriela.

– Jedź do Wiktora – odparła Majka.

– Dlaczego chcesz się mnie pozbyć? – kobieta stała się nagle podejrzliwa.

– Jezu, Gabi! – Majka przewróciła oczami. – Mam ochotę na seks z cielakopsem! A jest nieletni!

Gabriela zakrztusiła się śmiechem.

– Maja, jak ty coś palniesz...

– Pojedziesz?

– Żebyś miała chatę wolną? Pojadę. Ale nie znasz dnia ani godziny, kiedy wrócę. Jeśli przydybię was na czymś zdrożnym...

– Cielakopsu obetniesz racje żywnościowe, mnie wyekspediujesz z powrotem do szpitala, tym razem na mniej przyjemny oddział. Wiem, wiem. Jedź już. Miłość czeka...

I niecałą godzinę później Gabriela wchodziła na trzecie piętro pięknej staromiejskiej kamieniczki. Otworzyła drzwi kluczem, który Wiktor dał jej wiele miesięcy temu, wsunęła się cicho do mieszkania, zdjęła buty, kożuszek i spodnie. Pod nimi miała jedynie batystową koszulkę, którą Wiktor uwielbiał.

Nacisnęła klamkę jego sypialni, drzwi ustąpiły bezszelestnie pod naporem dłoni. Weszła do pokoju i uklękła przy łóżku, patrząc z miłością na śpiącego mężczyznę.

Podłożył dłoń pod policzek. Kosmyk czarnych włosów opadł mu na oczy. Powstrzymała się, żeby go nie odgarnąć. Oddychał szybko i płytko. Powieki drżały od przeżywanego właśnie snu. Zapragnęła być jego częścią...

Wsunęła się pod kołdrę, wtuliła w mężczyznę całym spragnionym ciałem. Objął ją odruchowo, jak czynił to wiele razy wcześniej. I to Gabrysi wystarczyło. Wiedziała, jak jest wykończony. Owszem, mogła go rozbudzić i kochałby się z nią tak samo namiętnie jak wtedy, gdy był wypoczęty. Jeśli się jednak kogoś prawdziwie kocha, trzeba umieć nie tylko dawać i brać, ale też rezygnować z własnego „chcę". W miłości liczy się „chcemy".

Gabriela zamknęła powieki i przez chwilę wsłuchiwała się w spokojny, teraz powolny i głęboki oddech ukochanego mężczyzny. Sen spadł na nią tak łagodnie i cicho jak śnieg za oknem.

Przebudzenie było równie piękne. Gdy uniosła powieki, od razu napotkała pełne miłości spojrzenie Wiktora. Pocałował ją lekko w usta. Uśmiechnęła się i wtuliła w jego ciepłe, kochane ciało. Objął ją ciasno ramionami i leżeli tak długie chwile, rozkoszując się bliskością. Ale przestało im to wystarczać. Ona poruszyła się pierwsza, leniwie, zmysłowo. Otarła się o jego lędźwie, zwróciła się w jego stronę i zaczęła całować. Nie pozostał obojętny. Jedną ręką przyciągnął ją do siebie i całując głęboko, namiętnie, drugą zaczął pieścić jej płeć. Jęknęła cicho, naparła na jego palce, zapraszająco rozchyliła uda. Przyjął zaproszenie. Wsunął się w jej wilgotne wnętrze i zatrzymał. Trwali tak złączeni przez chwilę, czując wzajemne pulsowanie krwi, ich usta nie oderwały się od siebie nawet na moment, dłonie szukały miejsc, by dać jeszcze więcej rozkoszy. Zaczął poruszać się powoli, długimi, głębokimi pchnięciami brał ukochaną

Katarzyna Michalak

w posiadanie. Wygięła się w łuk, poddając mu się z uległością i buntem zarazem. Całowała go coraz namiętniej, coraz głębiej, coraz mocniej uderzała pośladkami w jego lędźwie. Nie było już dawczyni i biorcy. Była wspólna pogoń za rozkoszą, bieg po spełnienie.

– Powiedz to – wydusił. – Chcę cię słyszeć!

– Kocham cię, Wiktor, kocham, kocham!

Nagrodził ją porwaniem na szczyt. Zatracili się w ekstazie. Powtarzając słowa miłości, sięgnęli niebios, by wreszcie w ciasnym objęciu, jakby oboje bali się rozłąki, spłynąć na ziemię...

Świt wstawał nad Starym Miastem, gdy Wiktor otworzył oczy po raz drugi. Gabriela, zmęczona, ale szczęśliwa, tuliła jego dłoń do policzka.

– Chcę ci coś powiedzieć – wyszeptała, patrząc prosto w jego czarne źrenice.

– Tylko coś dobrego.

Uśmiechnęła się.

– Myślę, że będziesz szczęśliwy. Podwójnie szczęśliwy. Ale nie wiem, od czego zacząć...

– Na jaką zaczyna się literę?

– Pierwsza wiadomość na D, druga na M.

– Byłoby za proste, gdybym zaczął od pierwszej. Najpierw poproszę drugą.

– Zostaniesz moim mężem?

Roześmiał się.

– Pytam poważnie!

– Gabrysiu droga, ile razy ci się oświadczałem?

– Parę?

– Są to oświadczyny permanentne. Jestem gotów cię poślubić, kiedy tylko zechcesz.

– Dzisiaj? – zażartowała, ale on odparł poważnie:

– Trudne, lecz wykonalne. Sprawdzę loty do Vegas.

– Naprawdę byś to zrobił?

– Oczywiście. Wiesz, co miałem dziś w nocy przywieźć ci z Warszawy?

– Drugiego kota? W biało-czarne łaty?

Ponownie się zaśmiał i wstał. Sięgnął do kieszeni marynarki, wrócił do łóżka i otworzył niewielkie pudełko z granatowego aksamitu. Wewnątrz, na białym atłasie spoczywały dwie obrączki.

Gabriela krzyknęła cicho z zaskoczenia i zachwytu. Były piękne. Proste, lecz eleganckie, z białego, żółtego i różowego złota, z wygrawerowanymi imionami.

– Jak widzisz, ponownie miałem cię zapytać: Gabrielo Leszeńska, uczynisz mi ten zaszczyt i zostaniesz moją żoną?

Odpowiedzią był pocałunek. Potem jeszcze jeden. I następny. I pewnie nie skończyłoby się na tym, gdyby Wiktor nie przypomniał sobie o drugiej wiadomości.

Gabrysia spojrzała nań oczami rozświetlonymi takim szczęściem, aż zaparło mu dech w piersiach. Czarne oczy rozwarły się szeroko. Pokręcił wolno głową.

– Nie mów, że… To niemożliwe…

Skinęła głową, ujmując jego twarz w dłonie, i wyszeptała:

– Jestem w ciąży. Będziemy mieli dziecko.

Przez chwilę patrzył na nią tak, jakby nie zrozumiał.

– Nie cieszysz się? – posmutniała.

Ale on ujął jej dłoń, przycisnął do ust i trwał tak, walcząc ze łzami.

– To najpiękniejszy dzień mojego życia – odezwał się głosem drżącym ze wzruszenia. – Ukochana dziewczyna zgodziła się zostać moją żoną i obdarowała mnie nadzieją. Dziękuję, Gabi...

Położył rękę na płaskim jeszcze brzuchu kobiety.

– Naprawdę? – zapytał, wciąż nie dowierzając.

– Naprawdę. – Uśmiechnęła się tak szczególnie, jak uśmiechać się potrafi tylko szczęśliwa matka. Chyba dopiero w tej chwili uwierzył. Pochylił się i pocałował miejsce, pod którym biło serduszko ich maleństwa.

– Nasze dziecko... Będziemy rodziną... Prawdziwą rodziną! Gabi! Muszę się o was zatroszczyć, nie wolno ci się narażać! Przed chwilą się kochaliśmy, to mogło zaszkodzić dziecku!

– Wiktor, spokojnie... – Przytknęła palec do jego ust. – Jestem dopiero w drugim miesiącu. Czuję się świetnie.

– Tak świetnie, że zemdlałaś przedwczoraj?

– No dobrze, bywam zmęczona, czasami robi mi się słabo, ale to nie powód...

– To wystarczający powód. Wracasz do domu i kładziesz się do łóżka.

– Nie uwięzisz mnie na siedem miesięcy!

– Ja? Nie. Zrobi to doktor Braniewski. Jego posłuchasz.

Spuściła wzrok. Po prawdzie doktor zalecił jej to samo. Odpoczywać, nie przemęczać się i nie stresować. Nie narażać ani siebie, ani dziecka.

– Oho, coś mi się wydaje, że trafiłem w dziesiątkę. – Głos Wiktora brzmiał surowo, ale był to udawany gniew. – Janek to właśnie ci zalecił, moja śliczna?

– Oszczędzający tryb życia, ale nie areszt domowy.

– Gabi, nie śmiałbym cię zmuszać do leżenia przez ponad pół roku, ale wiesz, jakie to ważne. Jedno dziecko straciłaś... straciliśmy... A przecież pragniemy tego maleństwa. – Ponownie położył dłoń na jej brzuchu. W jego głosie nie było już rozkazujących nut, tylko błaganie.

Bardzo pragnął zostać ojcem i z trudem pogodził się z myślą, że Gabrysia nie da mu ani córki, ani syna. Lecz raz na całe życie przydarza się dzień cudów. Tej nocy wydarzyły się dwa. Pierwszym była jego matka, drugim dziecko.

Nagle zaniepokoił się. Do tej pory Gabriela była kobietą jego życia i wiedziała o tym. Jak zniesie – szczególnie teraz – pojawienie się teściowej?

– Gabi, ja też mam dla ciebie wiadomość. Pragnąłbym powiedzieć: niespodziankę, ale nie wiem, czy będziesz nią uszczęśliwiona.

– Skoro ty jesteś, to ja również.

– Wczoraj wieczorem byłem w drodze do ciebie, gdy coś mnie zawróciło – zaczął mocno niepewnym tonem. – Nie wiem, jak ci to powiedzieć... Nie uwierzysz...

– Najlepiej prosto i bez owijania w bawełnę – odparła Gabriela, czując narastający niepokój.

Wiktor nie poznał chyba innej kobiety? Patrzyła nań w napięciu, nagle niepewna, zagubiona.

– Mam matkę, Gabi. Odnalazła mnie moja mama.

Gabriela... oniemiała.

– Ale przecież...

– Tak, mówiłem, że zamordował ją Kuchta, i byłem o tym przekonany aż do wczoraj. Przeżyła jednak atak bestii. Ledwo ją odratowano. Potem ukryto na głębokiej prowincji, gdzieś w Andaluzji. Na długie lata straciła pamięć. Gdy zaczęła odzyskiwać wspomnienia, powiedziano jej, że nie żyję. Że Kuchta mnie zabił. Dopiero po jego śmierci poznała prawdę. Szukała mnie dwa miesiące i wczoraj... wczoraj odnalazła.

– Och, Wiktor... – Gabriela objęła go z całych sił. – Boże drogi, co za niesamowita historia...! Kiedy mogę poznać twoją mamę? Bo jest w Warszawie? Nie wyjechała?

– Prawdę mówiąc, kochana moja, jest tuż obok. W gościnnej sypialni. Rozmawialiśmy do późnej nocy. Nie chciałem, żeby tułała się po hotelach...

– Wiktor, na litość boską, to twoja matka! Cudem odnaleziona po trzydziestu latach! Zrozumiałe, że chcesz się nią nacieszyć, że chcecie nacieszyć się sobą nawzajem. Nie musisz mi się tłumaczyć!

– Jeżeli zechce z nami zostać, a ty mnie poślubisz, będziesz miała teściową.

– Mamę. Może znów będę miała mamę. Nie boję się. Jesteś jej synem, a drugiej tak dobrej i szlachetnej osoby jak ty nie spotkałam. Tylko mój tata mógł się z tobą równać. Twoja mama nie może być złym człowiekiem, skoro urodziła właśnie ciebie. I odnalazła cię po tylu latach. Niesamowite!

Wstała, pobiegła do łazienki i wzięła szybki prysznic. Wyszła odświeżona, z wilgotnymi włosami okalającymi szczupłą, miłą twarz. Narzuciła koszulkę, którą Wiktor ściągnął z niej w chwili namiętności, owinęła się szlafrokiem i rzekła stanowczo do wspartego na łokciu mężczyzny, który pożerał ją wzrokiem.

– Jestem gotowa na spotkanie z twoją mamą.

– Przejdźmy więc do kuchni. Przed chwilą zajrzała tu i zapytała, co zjemy na śniadanie.

– My?

– Tak. My. Słyszała nasze głosy i domyśliła się, że jesteś Gabrielą, moją narzeczoną. Z nowinami, że bierzemy ślub, a ty spodziewasz się dziecka, czekałem na ciebie.

Gabriela posłała mu piękny uśmiech. Nikt na całym świecie nie rozumiał jej tak jak Wiktor. Nikt nie był tak uważny, nikt jak on nie dbał o uczucia tych, których kochał. I za to był przez nich kochany.

Wyciągnęła ku niemu dłoń. Zacisnął na niej palce.

– Chodź, moja kochana dziewczynko. Ktoś bardzo chce cię poznać.

Jeśli Gabriela obawiała się tego spotkania, pierwsze słowa Marii, jej pierwszy gest rozwiały wszystkie obawy.

Starsza kobieta podeszła do niej, gdy tylko stanęli na progu kuchni, i po prostu ją przytuliła. Mocno, serdecznie, tak jak matka powinna tulić ukochane dziecko.

ROZDZIAŁ XXIII

– I co, Majeczka? Przeżyłaś noc? Martwiłam się o ciebie. – Gabrysia zadzwoniła do domu, zanim usiedli do śniadania. Powinna to zrobić wcześniej, ale prawdę mówiąc, zapomniała o całym świecie. Tak działał na nią Wiktor i nic nie mogła na to poradzić.

– Spoko – odparła krótko Majka. Jej radosny głos nie wzbudzał wątpliwości. – Cielakopies dzielnie przy mnie trwał. Z nim nie boję się niczego.

– Za godzinkę, może półtorej będę w domu. Nie wstawaj, proszę. Zrobię ci śniadanie.

– Nie ma sprawy. Lubię, jak się o mnie troszczysz.

Posłała Gabrysi całusa i rozłączyła się.

– Co, Kingu? – rzekła czule do wielkiego łaciatego szczeniaka. – Wychodzimy z tej szafy?

Pies przeciągnął się, liznął dziewczynę po policzku i drapnął łapą w drzwi. Podniosła się z wyścielonego dwiema kołdrami legowiska i jęknęła, odruchowo dotykając brzucha.

Nie skarżyła się Gabrieli – byłaby chyba głupia, gdyby pisnęła choć słowo – ale rana pooperacyjna mocno dokuczała. Oczywiście łykała ibuprofen, lecz lek nie do końca radził sobie z takim bólem. Szczególnie po tym jak w nocy, zaraz po wyjeździe Gabrieli, narastająca panika kazała Majce zwlec się z łóżka i umościć sobie zaciszny kącik w wielkiej rozsuwanej szafie. Nadźwigała się kołder i poduszek, potem jeszcze przyniosła ciężkie krzesło, żeby – jak na filmach – zastawić drzwi od środka. Nie przewidziała jedynie – strach przyćmił nieco inteligencję – że szafa nie ma klamki. Ale co tam, w zamkniętym, ciemnym choć oko wykol pomieszczeniu, z wiernym Kingiem u boku zdołała dotrwać do rana. Teraz wystarczy poczekać na Gabrysię i wszystko będzie dobrze.

Do następnego ataku...

Majka radziła sobie, naprawdę sobie radziła przez pierwsze dwa tygodnie po wyjściu ze szpitala. Piła melisę, brała łagodne leki uspokajające, które przepisał jej doktor Braniewski, i nie bała się. Aż do dnia, gdy upiór uderzył. Tutaj, w Leśnej Polanie.

Czekał na chwilę, gdy Gabriela z Wiktorem pojadą do Warszawy, upewniając się, że Majka zostanie sama i...

Właśnie czytała pasjonującą powieść fantasy, gdy zadzwonił wideofon umieszczony przy bramie. Dziewczyna nie zamierzała otwierać. Nawet nie spojrzała na ekran. Przynajmniej w tej chwili jeszcze nie.

– Nikogo nie ma w domu – mruknęła. – Spadówka, kimkolwiek jesteś.

Ale ten ktoś nie dawał za wygraną. Zadzwonił po raz drugi... trzeci...

Majka wstała, podeszła do urządzenia, chcąc je wyciszyć, spojrzała mimowolnie na ekran i... poczuła, że robi się jej słabo. Był tu. Czarno odziany upiór, dokładnie taki jak w szpitalu, stał pod bramą i naciskał guzik wideofonu. Musiał wiedzieć, że ona, Majka, jest w domu. Sama. Lada chwila po prostu przejdzie przez bramę, potem przez drzwi i dostanie się do domu. Co to dla upiora płotek i ściana...

Dziewczyna rozejrzała się w panice. Wzrok jej padł na wysoki gdański kredens stojący na ganku. Jego sekret odkryła całkiem niedawno, goniąc wielkiego włochatego pająka, który skrył się właśnie za kredensem. Uzbrojona w packę na muchy, chwyciła wtedy stołek, przystawiła do mebla, wspięła się na palce i... oniemiała. Pod ścianą, niewidoczny z podłogi nawet dla wysokiego mężczyzny, co dopiero dla kobiety, leżał... pistolet. Czarny, lśniący, całkiem ładny. Obok niego magazynek, nawet stąd, stojąc na stołku, widziała, że jest pełen nabojów. No, no, Gabrysia, cicha woda, a broń w domu trzyma.

Majka wzięła waltera – tak przeczytała na rękojeści – ostrożnie, wiadomo: broń to broń, jest po to, by zabijać, i przyjrzała mu się.

Swego czasu chodziła na strzelnicę, umiała obchodzić się z glockami i sig sauerami. Ten był nieco starszy, ale zasadę działania miał taką samą. Wsunęła magazynek w rękojeść, aż szczęknął cicho. Zważyła pistolet w dłoni. Zaciążył przyjemnie. Dawał poczucie bezpieczeństwa.

W tym momencie usłyszała wołającą ją Gabrysię. Odłożyła broń pospiesznie, ale ostrożnie na miejsce, pacnęła pająka, odstawiła stołek pod ścianę i jak gdyby nigdy nic wróciła do domu.

Teraz, czując narastającą panikę – upiór właśnie przeskakiwał bramę, lada chwila wejdzie do domu! – przystawiała ten sam stołek do tej samej szafy i oglądając się przez ramię raz po raz, sięgała po broń. Waler leżał w tym samym miejscu, w którym go zostawiła.

Zeskoczyła na podłogę w momencie, w którym upiór stanął przed domem.

Nie pozwoli mu przekroczyć progu!

Pchnęła drzwi, wyszła na ganek, przeładowała broń i wymierzyła prosto w głowę upiora.

Podniósł ręce w geście poddania.

– Pani Trojanowska, proszę to opuścić, jestem nieuzbrojony – odezwał się.

Znała ten głos. To on szeptał jej do ucha, co zrobi Marcinowi, gdy ona, Majka, piśnie choć słowo.

– Ani kroku więcej – syknęła, schodząc po stopniach na podjazd. – Wynoś się, bo odstrzelę ci łeb!

Czy kula w łeb coś da, jeśli ma się do czynienia z upiorem? Wątpliwe, jednak trzymała broń pewnie, mierzyła mu między oczy.

– Majka, nie rób głupstw – zaczął spokojnym, przyciszonym, hipnotyzującym głosem. – Odłóż broń, a nikomu nie stanie się krzywda.

– Już się stała, bydlaku, załatwiłeś mnie na amen. Marcina prawie na amen. Nie ma znaczenia, czy pociągnę za spust czy nie, bo i tak będziesz mnie prześladował.

– Gdy pociągniesz za spust, będzie cię prześladował prokurator, nie ja – odparł. – Nie rób tego, dziewczyno, nie niszcz sobie życia. Za parę tygodni czy miesięcy zapomnisz, co się wydarzyło na Złotej, wyjdziesz za Marcina Prado, urodzisz mu następne dzieci, całe stado dzieci…

– Marcin już mnie nie chce, gnido, i to przez ciebie! A bez Marcina moje życie jest nic niewarte. Chyba że uwolnię świat od ciebie, bydlaku, wtedy będzie miało jakiś sens.

Pistolet ani drgnął w jej rękach. Nadal mierzyła Brackiemu między oczy i powoli przestawało mu się to podobać. Ona rzeczywiście mogła pociągnąć za spust. Była na tyle szalona, że mogła.

– Przyjechałem w pokojowych zamiarach – znów odezwał się tym samym pościelowym tonem, przeznaczonym dla samobójców i ofiar przestępstw. – Mam wiadomość o twoich rodzicach, ale nie wyjawię jej, dopóki mierzysz we mnie z pistoletu.

– Mam gdzieś moich rodziców, tak jak oni mają mnie.

– Mieli, Majka, mieli. O ile w ogóle. Nie żyją.

Pistolet zadrżał lekko.

– Ich też zaciukałeś? – W głosie dziewczyny zabrzmiała czysta nienawiść.

– Nie ja. Byli na tyle głupi, że uciekli do Singapuru, a tam, jak wiesz, czy może nie wiesz, za posiadanie narkotyków, nie mówiąc już o handlu tym szajsem, jest jedna kara, kara śmierci. Twoja matka po odwiedzinach u ciebie doprowadziła Interpol wprost do Leona, czy też Leonarda, jak kazał się ostatnio nazywać. Sprawę przejęła, mimo naszych sprzeciwów, policja singapurska i, cóż, zakończyła po swojemu. Oni nie cackają się z dilerami. Strzelają tak, żeby zabić.

Niespodziewanie błyskawicznym kopnięciem wytrącił jej broń z rąk. Pistolet upadł w śnieg. Majka krzyknęła i skoczyła na ganek. Oparła się plecami o drzwi. King, dzielny, niezgrabny King, stanął przed nią, zjeżył sierść i zaczął warczeć. Po policzkach dziewczyny spłynęły łzy. Zaczęła szlochać bezgłośnie.

– Przepraszam, że cię wystraszyłem – odezwał się komisarz, podnosząc broń. – Zabiorę to. Domyślam się, że jest nierejestrowany. Miałybyście tylko kłopoty…

Dziewczyna nie odpowiedziała. Wpatrywała się w mężczyznę wielkimi, przerażonymi oczami, a on znów czuł się jak ostatnie bydlę.

– Furtka była otwarta, chciałem porozmawiać z tobą sam na sam, przekazać ci smutną wiadomość o twoich rodzicach. Jeżeli mogę jakoś pomóc…

„Możesz! Idź stąd!" – zawyła w duchu.

– Pójdę już – rzekł, zupełnie jakby usłyszał. – Mam nadzieję, że dasz sobie radę. – Spojrzał jeszcze na Kinga. – Broń swojej pani, psiaku.

Odwrócił się i ruszył do bramy, odprowadzany spojrzeniem dziewczyny i psa. Gdy zniknął, osunęła się na kolana, wtuliła twarz w biało-czarną sierść i płakała dotąd, aż zabrakło jej łez.

Tej nocy po raz pierwszy spała w szafie.

O wizycie Brackiego w Leśnej Polanie nie powiedziała nikomu.

ROZDZIAŁ XXIV

– Nie mów tak do niej! – syknął Marcin do bliźniaka, gdy tylko za Wiktorem i Marią Prado zamknęły się drzwi pokoju. W pierwszej chwili był zaskoczony i uradowany niespodziewanym pojawieniem się kobiety w ich życiu, ale z każdym „mateczko" Patryka czuł narastające rozdrażnienie. Wreszcie wybuchnął:

– Nasza matka żyje!

– Wiem – uciął Patryk, zupełnie jak Wiktor kilka godzin temu.

Marcin wyprostował się na łóżku. Oczy mu pociemniały.

– Niedawno się z nią widziałem – dodał Patryk. – I... to wystarczy.

– Niby co?

– Że ja się z nią widziałem.

– Może tobie, bo na pewno nie mnie. Dlaczego nic nie powiedziałeś? Mam chyba prawo wiedzieć, że spotykasz się z naszą matką?

– Nie „spotykasz się", tylko pojechałem do niej, zamieniłem z nią kilka słów i to by było na tyle. Więcej widzieć jej nie zamierzam, a i tobie odradzam.

– Możesz sobie odradzać – prychnął Marcin. – Gdy tylko wyjdę ze szpitala...

– Będziesz leżał jeszcze jakiś czas u mnie albo u Wiktora. Zapomnij o odwiedzinach u kogoś, kto nie jest ich wart.

– To twoje zdanie! Nagle znalazłeś sobie „mateczkę" i nasza, jakakolwiek by była, poszła w kąt!

– A od kiedy się nią tak interesujesz? – w głosie Patryka zabrzmiał gniew.

Naprawdę chciał oszczędzić Marcinowi bolesnego rozczarowania. Skoro jednak ten głupek będzie się upierał, nikt mu nie przeszkodzi spotkać się z tamtą megierą. I poczuje to samo co Patryk w owej chwili: niesmak, gniew i straszne rozczarowanie.

Sięgnął do portfela. Wyjął wizytówkę, na której spisał berliński adres, i cisnął ją na kołdrę.

– Proszę bardzo. Nie musisz nawet zlecać poszukiwań. Chcesz cierpieć – cierp, ale Marii nie podskakuj. To dobra kobieta. Zasłużyła na odrobinę szczęścia. Na nasz szacunek również. Nie zmuszę cię, żebyś ją polubił, ale pamiętaj: twoja niechęć do matki Wiktora uderzy w Wiktora. To jego zranisz, odrzucając Marię.

– Kto mówi o odrzuceniu?! Polubiłem ją, serio, ale to nie znaczy, że mam się jej podlizywać i nazywać „mateczką"!

– Podlizywać? Twoim zdaniem tak to wygląda?

– Gdy obcą kobietę stawiasz ponad matkę? Owszem, Pat, tak to wygląda.

Patryk patrzył chwilę na brata z mieszaniną wściekłości i żalu, wreszcie odrzekł powoli:

– Agnieszka Liszta urodziła ciebie i mnie, porzuciła na pastwę bydlaka, gdy mieliśmy po pięć lat, i nigdy nie próbowała nas odnaleźć, ani razu nie zainteresowała się, czy przeżyliśmy katownię na placu Lelewela, czy mamy co jeść, gdzie mieszkać i w co się ubrać. Pamiętasz, kto nas ocalił, a potem troszczył się o dwójkę obcych smarkaczy, czy mam ci przypomnieć?

Marcin spuścił wzrok.

– Matka Wiktora nigdy o nim nie zapomniała – ciągnął Patryk. Wściekłość ustąpiła. Pozostał tylko żal. – Przez całe życie opłakiwała synka, a gdy tylko dowiedziała się, że on żyje, po prostu go odnalazła. Nie, niezupełnie „po prostu", najpierw sprzedała dom, żeby mieć na to pieniądze. A ona, Marcinku, to nie ja czy ty. Dla kobiety, której mężuś rozwalił głowę o parapet i która przez ponad trzydzieści lat przed tym mężusiem się ukrywała, ta chałupa, bo z tego, co się zorientowałem, nie była to willa nad Adriatykiem, była całym światem. Ostoją bezpieczeństwa. Porzuciła ten azyl, by odnaleźć dziecko. Czy naszą matkę stać by było na taki gest? Pojedź do Berlina i zapytaj.

– Pojadę – mruknął Marcin, ale bez przekonania.

– Zanim jednak poznasz naszą matkę, będziesz grzeczny i uprzejmy dla matki Wiktora.

– Byłem uprzejmy!

– Byłeś lodowato uprzejmy.

– Pat, nie zmusisz mnie do rzucenia się na szyję komuś, kogo po prostu nie lubię.

– Nie dałeś szansy ani jej, ani sobie, bracie. Lecz spokojnie, masz czas, a Maria wygląda na cierpliwą.

Marcin nic nie odpowiedział. Gdy kobieta wróciła, zmusił się do uśmiechu. Odpowiedziała tym samym, ale jej uśmiech nie był wymuszony.

ROZDZIAŁ XXV

Tak się jakoś ułożyło, że Marcin po wypisie ze szpitala zamieszkał w apartamencie Wiktora, trafiając wprost pod opiekuńcze skrzydła Marii.

Kobietę nadal przytłaczały przepych tego mieszkania i bogactwo jej syna, którym on wprawdzie nie epatował, ale też się z nim nie krył. Wyrobił dla matki kartę kredytową, żeby nie krępowała się prośbami o pieniądze. Wydzielił część mieszkania, by miała własny kąt, przy czym ów kąt to było spore niedomówienie: salon z kuchnią, sypialnia i łazienka miały dwa razy większą powierzchnię niż jej domek w Andaluzji. Nie potrafiła przywyknąć do takich luksusów...

O dziwo przyszedł jej z pomocą właśnie Marcin.

Na początku traktował kobietę grzecznie, ale z rezerwą. Nawet jeśli Wiktor to zauważył, czy raczej c h o c i a ż to zauważył, nie dał po sobie poznać, jak boli go chłód okazywany matce przez młodszego brata. Nie wyrzucał mu tego, ani razu nie dał odczuć, że Marcin po prostu go rozczarowuje. Zaufał matce. Jej dobroci i łagodności, ale też nieśmiałości i zagubieniu, które rozczulały. Domagały się otoczenia tej kobiety opieką, wzięcia jej pod swoje skrzydła, tak jak ona pragnęła przygarnąć do serca każdego, kto drogi był Wiktorowi.

Czy Marcin mógł zbyt długo opierać się tej cichej, nienarzucającej się serdeczności?

Próbował. Aż do dnia, czy raczej nocy, gdy obudził się nękany koszmarami, z rozpalonym czołem i łzami na policzkach. Próbował wstać, ale dopadł go suchy, rwący bólem kaszel. Zgiął wpół. Wstrząsał plecami. Rozrywał płuca.

Między kolejnymi atakami Marcin chciwie łapał powietrze, próbując po omacku odnaleźć inhalator, ale jedynie strącił lampkę nocną. Pokój utonął w ciemności. Ból ponownie wgryzł się w pierś mężczyzny. I wtedy… gdy przerażony pomyślał, że to się nigdy nie skończy, umrze tutaj, w samotności i rozpaczy, nawet nie pożegnawszy się z braćmi… wtedy poczuł na czole i potylicy chłodne dłonie Marii. Pomogła mu przejść przez atak, podetknęła pod usta kubek z wodą. Podziękował jej słabym głosem, wiedząc, że za chwilę katorga się powtórzy, a on znów poczuje się, jakby tonął.

Maria wstała.

– P-proszę… proszę nie odchodzić – wyszeptał.

– Zaraz wrócę, synku, przygotuję coś, co ci pomoże. Na razie weź to i oddychaj głęboko – podała mu inhalator.

Aż jęknął z ulgi, opadł na poduszkę, blady jak śmierć, i z zaciśniętymi powiekami próbował oddychać spokojnie, nie poddawać się panice.

Wróciła parę minut później.

Podała mu gorzki napar.

– To zioła na płuca. Pij małymi łykami, płyn jest gorący, ale to dobrze. Gdy tylko cię zobaczyłam, synku, jeszcze w szpitalu, wiedziałam, że to ci się właśnie przyda. Trochę się naszukałam po zielarniach, ale w końcu znalazłam wszystko, co potrzebne. Jeszcze trochę, Marcinku, jeszcze parę łyków...

Słuchał jej, czując narastający spokój. I senność. Kaszel nie wracał.

– Zrobiłaś go dla mnie? – zapytał jeszcze.

– Dla ciebie, synku.

Z tymi trzema prostymi słowami, które zapadały w serce, zasnął jak dziecko. Koszmary już więcej go nie nękały. Kaszel również nie.

Życie w Leśnej Polanie wpłynęło na łagodnie rozkołysane wody codzienności. Bez burz, sztormów i zawirowań.

Rano śniadanie, po śniadaniu powrót do kosztorysowania dla Gabrysi, czytanie książek dla Majki, zajmowanie się domem i zwierzętami dla Wiktora. Obiad również on przygotowywał i wcale nie ujmowało mu to męskości! Nie nakładał kretyńskiego fartuszka w kratkę, potrafił przyrządzić trzydaniowy posiłek, nie rujnując kuchni, nie paląc domu i nie tytłając się od stóp do głów w wiktuałach. Na dodatek, co Gabriela przyznawała ze smutkiem, a Majka ze zdumieniem, gotował lepiej niż one dwie razem wzięte.

Gdy po raz pierwszy usłyszał:

– Rany, Wiktor, to jest pyszne! Myślałam, że nakarmię tymi gołąbkami cielakopsa, bo on jest wszystkożerny, ale, sorry, Kinguś, zjem wszystko do ostatniej okruszynki! I jeszcze dokładkę poproszę. Prawdziwe domowe gołąbki... Kto cię tego nauczył? I dlaczego ja takich nie potrafię zrobić?

Wiktor uśmiechnął się do Majki z wyższością:

– Gotowanie, moja droga, trzeba mieć we krwi. Ewentualnie być do niego zmuszonym przez dwóch stale głodnych młodszych braci.

– Znalazłeś czas na karmienie bliźniaków? Z tego, co pamiętam, harowałeś całe dnie.

– Tak było, lecz gdy zaczęli rosnąć i posiłki przygotowywane przez Patryka po prostu przestały wystarczać, poszliśmy wszyscy trzej, solidarnie, na przyspieszony weekendowy kurs zdrowej, smacznej i pożywnej kuchni. Polskiej kuchni dodam. Prowadziła go zwykła gospodyni domowa, nie żaden guru, co to ułoży na talerzu kilka patyków, podleje sosem i zbiera nagrody. Może pani Jadwiga erudycją nie grzeszyła, szkół nie kończyła, ale jak gotowała...! Dziewczyny...! – Rozmarzył się, aż Gabriela musiała szturchnąć go łokciem pod żebra.

– Na moją kuchnię nigdy nie narzekałeś – odezwała się z udanym oburzeniem.

– Jeśli chce się zdobyć miłość dziewczyny, należy chwalić wszystko, co wyjdzie spod jej ręki – wyjaśnił. W jego czarnych oczach lśniło rozbawienie.

Gabriela prychnęła jak rozzłoszczona kotka i odrzekła wyniośle:

– Wracam do pracy, bo ktoś musi zarabiać na twoje kulinarne eksperymenty. Ciekawe, czy zmywać potrafisz tak dobrze, jak gotować. Ta zastawa kosztowała krocie!

Cóż. Potrafił. Czego Majka nie omieszkała zauważyć następnego dnia. Ku rozpaczy Gabrieli, oczywiście...

Po obiedzie kobiety wracały do swoich zajęć: Majka odkryła na nowo książki, Gabrysia tabelki, a Wiktor... on z kolei odkrył jazdę konną. I po prostu przepadł.

Drops, zwany złośliwie przez Majkę cielakoniem, był wierzchowcem idealnym. Towarzyszem długich samotnych wędrówek przez ośnieżony las również. Wiktor żałował, że nie przemierza bezdroży z Gabrielą u boku, ale była przecież w ciąży. Dla dobra maleństwa miała pozostawać w łóżku.

Majka również nie doszła całkowicie do siebie. Była chorobliwie blada i chuda, tak chuda, aż Wiktor zaczął podejrzewać u niej bulimię. Nie śmiał jednak śledzić dziewczyny, by potwierdzić swoje domysły. Jeszcze nie. Lecz przyglądał się Majce uważnie.

Wieczorami, które zimą zapadały wcześnie, Wiktor zajmował się firmą. Właśnie wtedy niemal codziennie przyjeżdżali w odwiedziny Julia, Hania i Patryk, kobiety przejmowały kuchnię, a panowie zaszywali się w gabinecie na piętrze. Nie przeszkadzano im. Prado Ltd musiała prosperować. Kiedyś stanie się dziedzictwem ich córek i synów. Chcieli przekazać dzieciom klejnot, a nie garb długów.

Gdy Hania zaczynała grymasić, a Julii, która wstawała najwcześniej z nich wszystkich, kleiły się oczy, Patryk zgarniał swoje kobiety i wracali do Warszawy. Nad Leśną Polaną zapadała cisza.

Gabriela buntowała się przeciw ustalonemu porządkowi – litości! tak nudne i przewidywalne było niemal całe jej życie! – ale doktor Jerzy Masłowski był stanowczy:

– Wszystkim wam przyda się porządek po chaosie.

Odwiedzili doktora zaraz po wypisie Marcina ze szpitala. To Wiktor nalegał na wizytę u psychoterapeuty, a że Gabriela nie chciała słyszeć o nikim innym, tylko o Masłowskim, pewnego popołudnia – właśnie wtedy, gdy Leśną Polanę nawiedził komisarz Bracki – pojechali oboje do „Ukojenia".

Na początku Wiktor podziękował Masłowskiemu za uratowanie Gabrysi, ale ten odrzekł tylko:

– Nie potrafiłbym postąpić inaczej.

O zapłacie nie chciał słyszeć:

– To był gest dobrej woli.

Wiktor z niezwykłą jak na niego niechęcią, której źródła jeszcze nie odkrył, musiał zgodzić się z Gabrielą: doktor był niezwykłym człowiekiem. Czasem to, co robimy, wiele nie kosztuje, ale wartość ma bezcenną...

Masłowski zaprosił ich do gabinetu, tego samego, z którego wyprawił Gabrielę do Stanów, o czym oboje nie omieszkali wspomnieć. Wiktor słuchał ich śmiechu, patrzył na drobne gesty wzajemnej sympatii i nagle ujrzał w oczach Gabrysi coś, co mu się nie podobało, a w oczach Masłowskiego coś, co mu się bardzo nie podobało. W tym momencie już wiedział, skąd ta niechęć do wspaniałego przecież lekarza.

Masłowski ułożył dla nich plan dnia, którego od dzisiaj wszyscy domownicy i goście mieli przestrzegać. Nadszedł koniec wizyty. Gabrysia ucałowała doktora w policzek, on przytulił ją krótko, ale z prawdziwą serdecznością, za co Wiktor omal nie zmiażdżył mu ręki, gdy się żegnali.

I po raz pierwszy, gdy tylko wsiedli do samochodu, urządził Gabrieli scenę zazdrości.

– Musiałaś się z nim tak obściskiwać? – warknął, ruszając z piskiem opon.

Kobieta spojrzała nań ze zdumieniem.

– Z kim? Z Jurkiem?

– Z Jurkiem? Jesteście w tak zażyłych stosunkach?!

– Uratował mi życie, o ile pamiętasz...

– To nie znaczy, że jesteś własnością tego typa!

– Nie jestem jego własnością i nie obściskiwałam się z nim!

– Masz rację. Nie. To on rozbierał cię wzrokiem przez całą wizytę, a na koniec niemal posiadł...

– Wiktor, co ty bredzisz?! – Gabriela spojrzała na mężczyznę z niebotycznym zdumieniem. – Doktor Masłowski jest moim terapeutą! Nigdy nie dał odczuć, że jest inaczej! Po prostu mnie lubi! Co się z tobą dzieje? Wiktor? Możesz zjechać na pobocze i porozmawiać ze mną? Proszę...

Strach i błaganie w jej głosie sprawiły, że poczuł się jak ostatni drań.

Zatrzymał volvo w zatoczce i spojrzał na ukochaną kobietę wzrokiem zbitego psa.

– Nie wiem, co mi odbiło – odezwał się. – Nie jesteś dla Masłowskiego zwykłą pacjentką. On się w tobie kocha.

Gabriela patrzyła w czarne oczy mężczyzny, który był dla niej całym światem.

– Jesteś moją jedyną miłością – odrzekła, biorąc jego twarz w dłonie. – Nigdy w to nie zwątp. – Pocałowała lekko jego usta. – Jeśli Jerzy czuje do mnie coś więcej niż sympatię, nigdy już się z nim nie spotkam, by niepotrzebnie nie ranić ani jego, ani ciebie. Przede wszystkim ciebie. Ja kocham tylko jednego mężczyznę i nie jest nim doktor Masłowski...

Następny pocałunek był nie tylko czuły, ale też namiętny. Zapragnęła udowodnić Wiktorowi tu i teraz prawdziwość swoich słów.

– Włącz awaryjne – szepnęła, patrząc prosto w zogromniałe źrenice mężczyzny.

– Po co...? Co chcesz zrobić...?

– Po prostu włącz – powtórzyła i sięgnęła po suwak jego spodni.

Czując palącą dłoń, obejmującą jego męskość, wstrzymał oddech. Pstryknął włącznik świateł. Ona pochyliła się i wzięła go do ust. Odgiął głowę do tyłu, zaciskając zęby, żeby nie jęknąć. To było... to było niesamowite... Pieściła go językiem, dłonią i ustami tak delikatnie i silnie zarazem, z miłością i desperacją, jakby chciała mu udowodnić... wszystko.

Czuła, jak bardzo i on pragnie dać jej rozkosz. Nakierowała jego dłoń w miejsce, które pragnęło go równie mocno.

Zaczął poruszać ręką w takim samym rytmie, jak ona pieściła go ustami. Coraz szybciej i mocniej. Jak udało się im zespolić w jedną całość w ciasnym wnętrzu samochodu? Nie wiedzieli, nie zastanawiali się nad tym. Po prostu stali się jednością. Jednym wspólnym biciem serc. Jednym pragnieniem spełnienia... Ani on, ani ona nie potrafili już powstrzymać jęków. Coraz szybciej, coraz głębiej... I jeszcze głębiej, mocniej, aż do końca... Orgazm szarpnął nim tak niespodziewanie i z taką siłą, że wycisnął łzy z oczu. Ona poczuła rozkosz tak obłędną, że niemal zmiażdżyła między udami jego dłoń. Trwali chwilę nieruchomo, zatraceni w tym obłędzie. Wreszcie opadli bez sił. Ona na jego kolana, on na oparcie fotela.

Długo gładził splątane włosy ukochanej kobiety. Długo uspokajała oddech, nadal obejmując dłonią jego prącie.

– Boże, jak bardzo cię kocham – rzekł cicho z głębi duszy. – Gdybym znów cię stracił... Gdyby on...

– Nie ma żadnego „on". Jesteś i byłeś tylko ty – wyszeptała, nie otwierając oczu. Prawdę mówiąc, miała ochotę tak pozostać. – Jeżeli masz jeszcze jakieś wątpliwości, mogę to powtórzyć.

Zaśmiał się gardłowo. Głosem nabrzmiałym niedawną rozkoszą.

– Wlepią nam mandat.

– Stać cię.

– Gabi...

– Jeszcze coś na temat obściskiwania się z kimś innym niż ty?

– Gabi!

Za późno. Ponownie wzięła jego członek do ust, przygryzła lekko, karcąco i… cóż… udowodniła. Tym razem Wiktor nie potrafił powstrzymać krzyku rozkoszy. I chociaż nigdy więcej nie zwątpił w jej miłość, czasami pozwalał sobie na zazdrość, najczęściej podczas jazdy samochodem, a Gabriela chętnie, bardzo chętnie karała go za tę zazdrość ustami, językiem i dłońmi dotąd, aż prosił o zmiłowanie…

Temat doktora Masłowskiego miał jednak powrócić, i to całkiem niedługo.

ROZDZIAŁ XXVI

– Chciałbym częściej cię widywać, mamo – mówił Wiktor w piękny grudniowy poranek do siedzącej obok niego na kanapie kobiety.

Przyjechał do Warszawy, by sfinalizować kupno pałacu na Miodowej. Za dwie godziny miał się stawić w urzędzie miasta i podpisać akt notarialny. Wcześniej jednak pragnął odwiedzić matkę i brata, których nie widział od kilku tygodni.

Marcin, jeszcze niedawno ciężko ranny, całkowicie doszedł do formy. Fizycznej. To Wiktor mógł potwierdzić. Negocjacje też przeprowadził po mistrzowsku. Pałac niedługo zmieni właścicieli, a oni przywrócą mu dawną świetność, pieczołowicie wyremontują i przekształcą w pięciogwiazdkowy hotel. To również było zadanie Marcina, o ile nie potwierdzi wiadomości o wyjeździe. Wiktor musiał poważnie z nim porozmawiać...

Teraz jednak usiadł z Marią przy stole zastawionym pysznościami, które upiekła dla syna, i zaczął właśnie tak:

– Chciałbym cię częściej widywać.

– Ja też, syneczku, ja też – odparła Maria całkiem przyzwoitą polszczyzną.

Nie mówiła w tym języku od dziesięcioleci, tam, gdzie kryła się przed Kuchtą, używała tylko hiszpańskiego i opiekując się dziećmi przyjezdnych, łamanej angielszczyzny, jednak tu, w Polsce, mając codzienny kontakt z językiem dzieciństwa i młodości, przypominała sobie coraz więcej słów i zwrotów.

– Tylko widzisz, Wikuś, jestem potrzebna tutaj, w Warszawie. Pomagam Julii w opiece nad Hanią, prowadzę dom Marcinowi. Szczególnie jemu jestem potrzebna. On nadal cierpi.

– Rana mu dokucza?

Pokręciła głową.

– Nie potrafi wybaczyć sobie i Mai straty dziecka. Tłumaczyłam mu wiele razy, że ani to jej wina, ani jego, po prostu oboje znaleźli się w niewłaściwym miejscu o niewłaściwej porze, ale słowa nie pomagają. On jest już spakowany. I na to słowa też nie pomagają.

Wiktor zmarszczył brwi.

– Patryk mówił więc prawdę – mruknął. – Marcin wraca na Florydę.

– Tak, syneczku. Tam właśnie się wybiera. Wiele razy prosiłam, żeby zabrał ze sobą Maję, by razem przeszli przez tę stratę, ale nie chce o tym słyszeć. Pragnie być sam.

– Nie może być sam – Wiktor podniósł głos, wyczuwając szóstym zmysłem, że młodszy brat go słucha. – Miesiąc temu został ciężko ranny, mało nie oszalałem ze strachu o niego, nie puszczę go w podróż na drugą półkulę tylko dlatego, że nie może patrzeć na swoją niedoszłą żonę!

– I co? Zwiążesz mnie? – Marcin wyszedł z pokoju, stanął przed Wiktorem i splótł ręce na piersiach, patrząc na brata wyzywająco. – Dobrze wiesz, że polecę, gdzie będę chciał, i ani ty, ani nikt inny mnie nie zatrzyma.

– Zarzekałeś się, że kochasz Majkę...

– Bo ją kocham!

– ...żyć bez niej nie możesz. Twoja miłość, cudna i rozkoszna, trwała krótko. Wystarczyło, żeby pojawiły się kłopoty, i prysła. Zamiast się z nimi zmierzyć, uciekasz jak szczeniak, a nie dorosły facet. Wstyd mi za ciebie, Marcin.

– Pieprzę to, co o mnie myślisz – wycedził młodszy z mężczyzn, wbijając palce w przedramiona. Dużo kosztowało go zachowanie spokoju. – Kocham Majkę, ale nie mogę na nią patrzeć. Przypomina mi o stracie dziecka.

– Nie było w tym jej winy!

– To niczego nie zmienia.

Wiktor przymknął na chwilę powieki, odetchnął głęboko, po czym powoli otworzył oczy i spojrzał w okno ponad ramieniem brata.

Mógł – może powinien był w końcu – zdradzić Marcinowi pewien szczegół, którego on nie znał. Nie, to nie był sekret Majki. Wiktor nie zamierzał zdradzać tajemnicy ojcostwa jej dziecka, to jedynie pogorszyłoby sprawę. Wiedział jednak coś, co oczyściłoby dziewczynę z wszelkich zarzutów. Majka nie była winna tej śmierci.

— Kiedy jej o tym powiesz? — zapytał cicho, z bólem.

Szkoda mu było dziewczyny. Szczególnie w ostatnich dniach…

— Rozumiesz, że muszę wyjechać? — w głosie Marcina zabrzmiała nadzieja. Strasznie się bał rozczarować Wiktora. Jego odrzucenia chybaby nie zniósł.

— Nie, Marcin, nie rozumiem, ale przyjmuję to do wiadomości. Nie mogę cię zatrzymać, ale nie mogę też przestać cię kochać. Jesteś moim bratem. Razem przeszliśmy niejedno i drugie tyle przed nami. Leć, jeśli czujesz taką potrzebę, choćby na Antarktydę, ale wracaj jak najszybciej. Majka obwinia siebie bardziej niż ty ją.

Marcin opuścił wzrok. Skinął głową. Czuł, że zadaje ukochanej dziewczynie nieznośny ból, ale najpierw musi poskładać w całość własne życie. Gdy tego dokona, spróbują odbudować z Majką ich wspólne.

— Pożegnasz ją ode mnie? — zapytał cicho Wiktora.

— Nie za wiele wymagasz?

— Zrobiłem, co miałem do zrobienia. Nic tu po mnie. Jeszcze dzisiaj złapię samolot.

— Marcin, synku… — Maria spojrzała nań z bólem. — To za szybko, za szybko…

Pokręcił tylko bezradnie głową i wrócił do sypialni skończyć pakowanie. Jego rzeczy zmieściły się w podręcznej torbie. W mieszkaniu została reszta, ale od wyjścia ze szpitala nie przestąpił jego progu. Za wiele bolesnych wspomnień, za dużo smutku.

Otworzył portfel. Wyjął zdjęcie Majki, swojej ślicznej, roześmianej narzeczonej, i wyszeptał łamiącym się głosem:
– Przepraszam, kochana. Żegnaj…

– Czytałeś wypis Majki? – tymi oto zaskakującymi słowami powitał Wiktor Patryka, gdy ten przekroczył próg apartamentu.
Akt notarialny mieli podpisać za półtorej godziny, ale czas na rozmowę musiał się znaleźć. Dopóki Marcin nie wsiadł do samolotu, jeszcze była szansa na powstrzymanie go.
– Czytałem. Oczywiście, że czytałem. Dlaczego pytasz? – Patryk spojrzał na brata uważnie.
– Pamiętasz, co mówili lekarze? Majka wykrwawiła się niemal na śmierć. „Poronienie", to powtarzano i jej, i nam.
– Nie ulega wątpliwości, że poroniła.
– Zgoda, ale… czy mówi ci coś medyczny termin: *haemorrhagia interna*?
– Krwotok wewnętrzny?
– Dokładnie.
– Podczas poronienia dochodzi do krwotoku, zawsze.
– Wewnętrznego? Trochę poczytałem i wiem jedno: żaden lekarz o zdrowych zmysłach nie nazwie krwawienia poronnego wewnętrznym!
– Coś sugerujesz? – W głosie Patryka dało się wyczuć narastające napięcie. Chyba nie chciał znać odpowiedzi. Cała ta rozmowa mu się nie podobała. Jeśli zaraz usłyszy to, czego się spodziewał, on, tak, właśnie, on sam, będzie się musiał ostro tłumaczyć.

– Nie sugeruję, Pat, ja mam pewność. Któryś z ludzi twojego przyjaciela, komisarza Brackiego, załatwił Majkę, a przede wszystkim jej dziecko, kopniakiem w brzuch albo ciosem kolby. Bracki go kryje, lecz to byłbym w stanie zrozumieć i wybaczyć. Podczas takich akcji nie ma czasu na myślenie, działa się odruchowo. Podejrzewam jednak, że komisarz posunął się do czegoś więcej: zastraszył jedynego świadka, który dokładnie wie, co się wydarzyło. Jak było naprawdę.

– Majkę?

– Majkę.

Zapadło ciężkie milczenie. To, czego Patryk się obawiał, właśnie wychodziło na jaw.

– Dlaczego mu odpuściłeś? – odezwał się Wiktor.

– Przekonał mnie, że sprawa jest nie do wygrania.

„I szantażował aresztowaniem Majki razem z Marcinem" – dodał w duchu. Gdyby powiedział to na głos, Wiktor wstałby, wyszedł, odnalazł Brackiego i cóż… wrócił z jego skalpem.

– A ty mu uwierzyłeś na słowo?

Pozostało tylko przytaknąć.

– Dlaczego? Gdybyś był kobietą, jeszcze rozumiem…

– Daj spokój, Wiktor. Po prostu wytłumaczył mi, że będzie walczył o swoich ludzi do końca, wszelkimi metodami. To nie przyniosłoby nic dobrego ani Majce, ani Marcinowi, wierz mi. Żadne pieniądze nie zwrócą im dziecka i zdrowia.

Wiktor słuchał go uważnie, nie potakując ani nie zaprzeczając. Czekał, aż będzie mógł zadać bratu ostateczny cios. Patryk musiał się tylko na ten cios wystawić.

I właśnie to zrobił:

– Poza tym… w ramach zadośćuczynienia coś mi przyrzekł.

– Tak?

– Pomoże odnaleźć matkę Hani.

– Jowitę Smyk? Bo to ją zapewne masz na myśli…

Patryk aż się cofnął, totalnie zaskoczony. Wiktor uśmiechnął się tylko.

– Skąd wiesz…?

– Pat – spojrzał na młodszego brata z lekkim politowaniem – odnalezienie tej dziewczyny było zbyt poważną sprawą, biorąc pod uwagę, że pośrednio dotyczy mojego brata i przyszłej bratowej, bym mógł zawierzyć to gliniarzowi o niezbyt czystym sumieniu i takichż intencjach. Masz pieniądze, masz wiedzę, nie muszę ci tego mówić. Twój przyjaciel…

– Nie jest moim przyjacielem.

– Więc twój były przyjaciel odnalazł Jowitę Smyk…

– Powiedział mi o tym!

– Naprawdę? A to, że się spotyka z tą dziewczyną, również ci wyznał?

Jeśli przed chwilą udało się Wiktorowi Patryka zaskoczyć, tą rewelacją niemal zbił go z nóg.

– Żartujesz… – wykrztusił. – Komisarz spotyka się z matką Hani?!

– Trudno żartować w takiej sytuacji – odrzekł Wiktor. – Rozumiem, że tego ci nie zdradził, więc zrobię to za niego: matka Hani, a siostra Julii, Jowita Smyk…

– Gdzie ona jest? – Patryk wpadł mu w słowo, wzburzony do granic.

– W hospicjum. Umiera na białaczkę – dokończył Wiktor.

Zapadła cisza. Długa cisza. Ta wiadomość powoli torowała sobie drogę do umysłu Patryka.

– Jeśli umrze, Hania pozostanie z nieuregulowanym prawem do opieki...

– Tak, Patryk. Długo będziecie musieli się o nią starać.

A można było to załatwić szybko i bez niepotrzebnych stresów. Gdyby tylko ten, który obiecał pomoc w zamian za milczenie, dotrzymał słowa.

– Mówiłeś, że się z nią spotyka. Po co?

Wiktor wzruszył ramionami.

– Nie mam pojęcia. Mój informator nie zakładał u niej podsłuchu. Jeszcze nie. Może Bracki ma miękkie serce? Krzywdzi takie Majki, a Jowitami opiekuje się do ostatniego oddechu? Powtarzam: nie wiem. Twoja głowa w tym, żebym się dowiedział. I to szybko, Pat, albo ja zacznę zadawać niewygodne pytania – w jego głosie zabrzmiała groźba. I nie rzucał jej na wiatr.

Parę godzin później odprowadzał Marcina do bramki.

Młodszy brat był przygaszony, ale w oczach płonęła mu determinacja. Wiktor, przyglądając mu się ukradkiem, nabrał pewności, że zatrzymywanie Marcina byłoby błędem. Czas i odległość zdziałają więcej niż rozmowy, perswazje i granie na poczuciu winy. Marcin zatęskni. I wróci. Potrzebował jedynie samotności, żeby poradzić sobie z żałobą i bólem.

– Wracaj, gdy będziesz gotów – to były ostatnie słowa Wiktora przed rozstaniem. – Czekamy na ciebie.

Skinął głową.

– Wytłumacz Majce… przeproś ją w moim imieniu… może zrozumie…

Wiktor uścisnął go tylko.

– Cześć, siostrzyczko, jak się miewasz? – Cmoknął Majkę, pochyloną nad książką, w policzek i potargał jej włosy, jak to zwykle starsi bracia czynią.

– U mnie jak na Zachodzie, bez zmian – odparła z uśmiechem. – Ale ty, Wikuś, wyglądasz na wykończonego.

– Przesada. Zwykłe zmęczenie długim dniem w nudnym mieście.

– Jak tam serce? Bierzesz leki? – zapytała złośliwie, wiedząc, jaka będzie reakcja.

– Powiedziała ci?! Wleję jej, jak Boga kocham, narzeczona, nie narzeczona, po prostu jej wleję.

Majka zaśmiała się. Strzał był celny.

– Uważaj, Gabriela niby takie niewiniątko, cicha woda, ale potrafi oddać. I ze ślubu nici. A właśnie: wyznaczyliście już datę?

Wiktor zawahał się. Rozmowa o ślubie nie była najlepszym pomysłem, bo Majka swojego nieprędko się doczeka.

Niedługo będzie musiał powiedzieć dziewczynie, że Marcin wyleciał do Stanów, zostawił ją i nie wiadomo, kiedy wróci. O ile w ogóle wróci.

Chociaż mieszkanie we trójkę pod jednym dachem bywało krępujące – Wiktor z Gabrielą spragnieni byli pieszczot, seksu,

Błękitne Sny

bliskości, lecz w niewielkim domu nie było gdzie się ukryć – polubił Majkę serdecznie i nie chciał dodawać jej cierpienia. Dzień po dniu wypatrywała Marcina z coraz większą tęsknotą, coraz trudniej było jej ukryć pod uśmiechem rozpacz, gdy nadchodziła noc, a on znów nie przyjechał. Telefon również milczał. Wiadomość o wyjeździe Marcina załamie tę dziewczynę. Dlaczego, na miłość boską, to jego, Wiktora, młodszy brat obarczył owym niewdzięcznym zadaniem?

Powinien mieć to za sobą. Zmienić temat – o ślubie porozmawiają później – i powiedzieć Majce teraz. W tej chwili.

Najpierw jednak musiał porozmawiać z Gabrielą.

– Jeszcze nie – skłamał.

Dokumenty w urzędzie stanu cywilnego złożyli parę tygodni temu. W Boże Narodzenie wezmą ślub cywilny. Julia z Patrykiem również, ale o tym też nikt nie pisnął ani słowa. Wszyscy martwili się o Majkę, ot co.

– Chcę zabrać Gabrysię na spacer – odezwał się. – Zostaniesz na godzinkę sama?

– Zostanę, jeśli podczas tego spaceru nie będziecie się zastanawiać, jak delikatnie dać mi do zrozumienia, że siedzę wam na głowie ciut za długo.

– Maja, należysz do rodziny. Nasz dom jest twoim domem i spędzisz tu tyle czasu, ile będzie ci potrzebne.

Rozbroiły ją słowa mężczyzny. Wzruszyły.

– Dziękuję, Wiktor – odrzekła łamiącym się głosem. – Doceniam twoją dobroć. Wiem, że przeze mnie nie czujecie się swobodnie we własnym domu i gdy tylko... gdy tylko znajdę w sobie odwagę...

– Odwagi nigdy ci nie brakowało – uciął stanowczo. – Ale nikt nie jest przygotowany na to, co ty przeżyłaś. Nie wiem, jak ja bym zareagował, gdyby spotkało to Gabrielę.

– Ty byś jej nie opuścił – wyszeptała przez łzy.

Nie znalazł odpowiedzi na te słowa. Mógł tylko przytulić dziewczynę. Marcin nie wróci, a przynajmniej nie tak szybko, jak by tego pragnęła. Wszystko inne byłoby kłamstwem.

Jego zatroskany wzrok napotkał spojrzenie Gabrieli. Od jakiegoś czasu stała w drzwiach kuchni i przysłuchiwała się tej rozmowie. Miała w oczach to samo pytanie co Majka przed chwilą.

Ledwo zauważalnie pokręcił głową.

Posmutniała.

Wypuścił dziewczynę z ramion. Szybko otarła łzy, uśmiechnęła się, jak to ona, i rzuciła:

– Toś mnie, człowieku, wzruszył. Idziecie na ten spacer? Ja będę czekać na pana domu z kolacją. I kapciami.

Żachnął się odruchowo. Majka posłała mu złośliwy uśmiech.

– Tylko cielakopsa mi zostawcie. Nie lubi takiej pogody.

„Raczej ty, Majeczko, nie cierpisz zostawać sama" – pomyślał, podając Gabrysi ciepły kożuszek.

– Nazywaj go tak dalej – odezwała się Gabriela ponuro – a biedak popadnie w depresję. Wystarczy, że ludzie ze wsi go wyśmiewają.

– Olać ludzi ze wsi. Kinguś wie, że kocham go takiego, jaki jest, łaciatego. – Przytuliła głowę zwierzaka do piersi. Pies jak zwykle próbował polizać ją po policzku.

Gdy za Gabrielą i Wiktorem zamknęły się drzwi, uśmiech z twarzy Majki zniknął. Rozejrzała się po domu, czując narastający strach.

Od akcji z pistoletem upiór nie pojawił się, przynajmniej nie w zasięgu wzroku, Majka była jednak pewna, na sto procent pewna, że był tutaj. Czaił się w cieniu drzwi, za firanką, pod łóżkiem. Pytaniem nie było: czy ją dopadnie, ale kiedy. Czekanie na ten moment doprowadzało do obłędu. Zatkała dłonią usta, by nie krzyczeć. Wiktor z Gabrielą byli za blisko! Ale ciche łkanie i tak wydarło się z jej ust.

Pobiegła do swojej sypialni. Z książki, jednej z wielu stojących na regaliku pod oknem, wyjęła żyletkę. Strach zaraz minie, przegnany przez ból. Gdy tamtych dwoje wróci do domu, po tym, co za chwilę zrobi, nie będzie śladu...

Mężczyzna obejrzał się na dom. Taki jak teraz, otulony śnieżnym puchem, skrzący się w blasku światła padającego z okien, wyglądał jak przeniesiony z baśni Andersena. A jednak pod jego dachem rozgrywał się dramat młodej kobiety. Jeśli natychmiast czegoś we dwoje nie postanowią, może się on tragicznie skończyć.

– Wiesz o tym, że Majka śpi w szafie? – odezwał się nagle.

Gabrysia, rozkoszująca się ciszą, pięknem i mroźnym powietrzem, stanęła jak wryta.

– Jak to w szafie? – wykrztusiła.

– Co noc czeka, aż zaśniemy, zabiera kołdrę, psa i zaszywa się w szafie – wyjaśnił, jakby to była oczywista oczywistość, że goście w ich domu sypiają w szafach.

Gabrysia tak to w pierwszej chwili zrozumiała: jak żart, ale on pozostał poważny.

– Dlaczego?!

– Myślę, że nic się nie zmieniło po wyjściu ze szpitala. Ona nadal panicznie się boi. Nadal ma te omamy, które miała. Teraz jedynie lepiej się maskuje.

– To niemożliwe! – Gabriela była bliska łez. – Przebywam z nią całymi dniami, jest szczęśliwa i spokojna. Niczego się nie boi!

– Udaje szczęście i spokój, Gabi. Całkiem nieźle jej to wychodzi, muszę przyznać. Ale podkrążone oczy, niemal lunatyczny sposób poruszania się i chorobliwa chudość świadczą o czym innym: Majka jest chora. Bardzo chora. Nie chcę cię przerażać, ale wczoraj odkryłem coś jeszcze: prawdopodobnie dokonuje samookaleczeń. Tnie się.

Rzeczywiście! Wiktor rozgryzł Majkę idealnie. Jakiś czas temu, podejrzewając u niej bulimię, zaczął zwracać baczniejszą uwagę na to, co je, ile je i co robi po posiłkach.

Majka pod tym względem nie miała sobie nic do zarzucenia. Jadła niewiele, bo żołądek kurczył się jej ze strachu, gdy tylko zostawała sama. Parę razy z przerażenia zwymiotowała, żeby więc Wiktor nie miał powodów do podejrzeń, po prostu jadła mało. Coraz mniej.

I owszem, sypiała w szafie. Właściwie dlaczego nie? Nikogo tym nie krzywdziła! Pogrążony w obłędzie mózg dziewczyny znajdował usprawiedliwienie na wszystko.

Wiktorowi weszło w zwyczaj, by przed udaniem się na spoczynek obejść dom, sprawdzić, czy drzwi i okna są zamknięte, a na koniec zajrzeć do Majki, upewnić się, że śpi spokojnie. Majce weszło w zwyczaj czekać, aż on dokona kontroli, położy się i zaśnie, jak zwykle skonany. Wtedy wstawała po cichu, ściągała z łóżka kołdrę, zgarniała książkę z ukrytą żyletką, tak na wszelki wypadek, po czym zamykała się w szafie – z Kingiem oczywiście – i czekała, nieraz do rana, na pierwszy znak, że Gabriela albo Wiktor się budzą. W cichym domu słychać było każdy szmer. Wtedy równie cicho wypełzała z szafy, ledwo żywa po kolejnej nieprzespanej nocy, wracała do łóżka, nakrywała się kołdrą i próbowała złapać choć parę godzin snu. Na śniadaniu musiała się przecież pojawić promieniejąca zdrowiem i radością.

Ta zabawa w ciuciubabkę trwałaby nie wiadomo jak długo, gdyby Wiktor nie okazał się cwańszy: którejś nocy po prostu nie pozwolił sobie na sen. Czekał, wpatrując się w sufit, aż Majka wstanie z łóżka, nasłuchiwał jej kroków – stanowczo kierowała się do wielkiej szafy, stojącej przy przeciwległej ścianie. Skrzypnęły ciężkie dębowe drzwi. Pazury Kinga zastukały o dno. Podejrzenia mężczyzny zmieniły się w pewność.

Wczoraj rano zaś ujrzał na dłoni dziewczyny cienką czerwoną kreskę. Podchwyciła jego spojrzenie.

– Łobuz kot – rzuciła z beztroskim uśmiechem. Wtedy uwierzył, bo chciał uwierzyć, ale gdy na podłodze za szafą znalazł zakrwawioną żyletkę... po prostu się przeraził.

– Przykro mi Gabrysiu – dokończył opowieść i objął zdruzgotaną kobietę.

– Nie wiedziałam... nie domyśliłam się niczego!

– Nie jesteś tak podejrzliwa jak ja.

– Musimy jej pomóc! Biedna Majka... Bała się cały czas. I wtedy, gdy pojechałam do ciebie w środku nocy, i za każdym razem, gdy szłam do sklepu albo na spacer. Zostawała sama i umierała ze strachu. – Nagle Gabriela zbladła. – Majka teraz, w tej chwili jest sama! Musimy wracać!

W pierwszej chwili Wiktor chciał ją powstrzymać – przyłapanie dziewczyny na gorącym uczynku tylko pogorszyłoby sprawę – w następnej zgodził się, gorzej być już nie mogło.

– Gabi – przytrzymał ją na moment za rękę – musisz nakłonić Majkę do wyjazdu.

– Nigdzie nie wyjedzie!! Nie pozbędziesz się jej!!

– Źle mnie zrozumiałaś: jest miejsce, gdzie otrzyma pomoc. Najlepszą z najlepszych.

– Co to za miejsce? – w głosie kobiety brzmiała rozpacz. I bezradność.

– „Ukojenie", Gabrysiu. „Ukojenie"...

Zwykle po zakupie co ważniejszej dla firmy nieruchomości bracia Prado szli do pubu albo dobrej restauracji zabalować. Raz na pół roku można było sobie pozwolić na odrobinę zapomnienia, prawda?

Lecz nie tym razem.

Po znalezieniu żyletki i rozmowie z Patrykiem Wiktor zyskał pewność, że z Majką jest bardzo źle i trzeba ratować ją natychmiast. Marcin, na którego pomoc liczył, był właśnie w drodze do USA. Wiktor nie miał wyjścia: sam musiał porozmawiać z mężczyzną, z którym rozmawiać nie miał ochoty.

Doktor Masłowski odebrał po pierwszym sygnale. Widocznie miał przerwę w przyjmowaniu pacjentów. Gdy usłyszał, kto do niego dzwoni, ucieszył się.

– Wiktor Prado! Oczywiście, że pana pamiętam. Co słychać u Gabrysi?

Wiktor zmusił się do uprzejmej odpowiedzi. Czy naprawdę potrzebował tego właśnie terapeuty? Książka telefoniczna pełna była dobrych psychologów. Jednak Gabriela, gdyby zapytał ją o zdanie, nie zastanawiałaby się ani chwili: tylko doktor Masłowski. Jemu ufała bezgranicznie. On ją uratował. Bezinteresownie. Odruchowo. Lepszej rekomendacji być nie mogło.

– Gabriela ma się świetnie. Odpoczywa, pracuje, posila się zgodnie z pana rozpiską, co do minuty – nie mógł odmówić sobie drobnej złośliwości. – Ale jej przyjaciółka, nasza przyjaciółka, Majka, jest w bardzo złej kondycji psychicznej. Możemy się spotkać? To nie jest rozmowa na telefon…

– Oczywiście. Jutro będę wolny od dwudziestej.

– Doktorze, nie mogę czekać do jutra. W pokoju Majki znalazłem zakrwawioną żyletkę.

– Proszę przyjechać natychmiast – padła krótka odpowiedź.

Wiktor pomyślał, że lubi tego faceta. Mimo wszystko.

Gdy Masłowski wysłuchał wszystkiego, co powinien o Majce wiedzieć, również długo się nie zastanawiał.

– Dziewczyna musi trafić na oddział zamknięty.

– Nie ma takiej opcji – uciął Wiktor.

– Trzeba jej pilnować dwadzieścia cztery godziny na dobę. Proszę zrozumieć powagę sytuacji...

– Rozumiem, doktorze. To ja znalazłem żyletkę. Boję się o Majkę, jestem przerażony, lecz mimo to nie oddam jej do szpitala. Miesiąc temu wypisaliśmy ją na żądanie, bo oszalałaby, nie zamkniemy jej powtórnie.

– Wiktor, jeśli mogę zwracać się do ciebie po imieniu, w tym przypadku nie wystarczy jedynie przypilnować Majki, by nie zrobiła sobie krzywdy. Ją trzeba leczyć. Obserwować, podawać leki, dostosowywać dawkę. I to jeszcze nie wszystko: Majka potrzebuje psychoterapii. Dobrej, ukierunkowanej psychoterapii.

– Dlatego tu jestem. Pomóż jej – w głosie tego dumnego mężczyzny zabrzmiało błaganie.

Doktor spojrzał nań w zamyśleniu.

– Rozumiem, że pieniądze nie stanowią dla ciebie problemu? – odezwał się wreszcie.

– Żadnego.

– Mam pewien pomysł, skoro tak wzbraniasz się przed szpitalem, choćby najlepszym. Prowadzę tutaj, u siebie, niewielki oddział stacjonarny dla pacjentów, którzy dojeżdżają z daleka. Płacą jedynie za wyżywienie i wizyty. Nie doliczam im noclegu.

– Nie musisz się tłumaczyć. Wiem, że jesteś uczciwy i wspaniałomyślny, i nie ma w tym za grosz sarkazmu. Pytałeś o pieniądze: zapłacę każdą kwotę, byle Majka miała dobrą opiekę i wyszła z tego.

– Widzisz, Wiktor, mój oddział jest oddziałem otwartym. Pacjenci mogą wchodzić i wychodzić o każdej porze. Oczywiście poza godzinami ciszy nocnej. Muszą się również meldować pielęgniarce. Jeśli Majka ma tu zostać, trzeba opłacić całodobową opiekę tylko dla niej.

– Zorganizujesz to?

– Kiedy możesz ją przywieźć?

– Jeszcze dzisiaj. Nie wiem, co wymyśli do jutra. Natnie sobie jedynie nadgarstek czy pociągnie głębiej.

Masłowski powoli skinął głową.

– Masz rację. Chciałem się dzisiaj urwać wcześniej, mój kumpel z liceum urządza wieczór kawalerski, ale istnieją poważniejsze sprawy. Czekam na Majkę. Tutaj. W tym gabinecie.

Wiktor wstał.

– Dziękuję. I przepraszam. – Wyciągnął do Masłowskiego rękę.

– Podziękujesz mi, gdy Majka wróci do siebie. A te przeprosiny... Za co?

Wiktor zmieszał się, ale doktorowi należało się wyjaśnienie:

– Byłem zazdrosny o Gabrielę. Odsądziłem cię od czci i wiary, sugerując, że się w niej kochasz.

Doktor parsknął śmiechem.

– Wiktor, ty? Zazdrosny o jakiegoś doktorka?! Pochlebiasz mi, stary! Owszem, Gabrysia wzbudziła we mnie pewne uczucia, o których zdążyłem zapomnieć po ostatnim miłosnym zawodzie, ale nie mam złudzeń: dla niej istniejesz tylko ty. Możesz spać spokojnie. Jeśli nie przyjedzie z tobą, pozdrów ją od wujcia Masłowskiego, bo tak mniej więcej o mnie myśli.

Wiktor, któremu słowa doktora mimo wszystko pochlebiły, w tym momencie pokręcił głową:

– Przesadzasz, człowieku. Jestem pewien, że połowa pacjentek do ciebie wzdycha.

Doktor roześmiał się.

– Nie potwierdzam, ale i nie zaprzeczam.

Uścisnęli sobie dłonie. Masłowski usiadł za biurkiem i sięgnął po telefon, by natychmiast rozpocząć poszukiwania co najmniej dwóch pielęgniarek, Wiktor wsiadł w volvo i ruszył do Leśnej Polany.

Teraz wywabił Gabrielę na spacer i opowiedział o swoich podejrzeniach.

– Doktor już na Majkę czeka. Będzie miała wspaniałą opiekę – dokończył.

W następnym momencie kobieta szła w stronę domu szybkim krokiem, niemal biegła.

– Nie podoba mi się to… bardzo nie podoba… – powtarzała z coraz większym niepokojem, który zaczął udzielać się Wiktorowi.

Wreszcie dotarli do domu, ruszyli po schodach na poddasze. Wiktor nacisnął klamkę sypialni, którą zajmowała Majka. Pokój był pusty. Mężczyzna podbiegł do szafy, szarpnął drzwi do siebie i… krzyknął ze zgrozą.

Majka siedziała oparta o ścianę, patrząc na Wiktora szeroko otwartymi, szklistymi oczami. Kołdra wokół niej, piżama, nawet pies, były szkarłatne od krwi.

– Przepraszam – wyszeptała i straciła przytomność.

ROZDZIAŁ XXVII

W pierwszy cieplejszy dzień przedwiośnia, a była to połowa lutego, Majka wróciła do domu. Wciąż szczupła i blada, owszem, ale na pewno zdrowsza. Nie tylko dzięki doktorowi Masłowskiemu, który raz na zawsze przepędził demony z jej duszy i umysłu, lecz także dzięki opiece i obecności przyjaciół. Gabriela, Wiktor, Julia i Patryk odwiedzali ją codziennie.

– Mój biedny więźniu – tak mówił o Majce doktor Masłowski, nieodmiennie wywołując tym u dziewczyny szczery śmiech.

Zdawała sobie oczywiście sprawę z tego, jak bardzo chora trafiła do „Ukojenia", bądź co bądź Wiktor z Gabrielą znaleźli ją we krwi!, mimo to nie poddała się rozpaczy, humorem potrafiła zarazić pozostałych pacjentów. Jej śmiech często rozbrzmiewał na korytarzach niewielkiej kliniki.

Gasł tylko wtedy, gdy pojawiały się upiory z przeszłości. Ale Jerzy Masłowski był świetnym terapeutą i lekarzem. Znał najnowocześniejsze metody walki z chorobami duszy. Z policjantami, którzy wpędzają ranne kobiety w stan bliski obłędu, radził sobie również.

W pierwszej kolejności zadzwonił do komisarza Brackiego i rzekł po prostu:

– Zapraszam do mnie, klinika „Ukojenie", adres... O której może się pan pojawić? ... Z całym szacunkiem, ale nie może pan odmówić. Proszę mnie nie zmuszać do drastyczniejszych metod. Pana przełożony nie chciałby wiedzieć, w jaki sposób wymusił pan milczenie na Majce Trojanowskiej.

Nie było „przeproś".

Komisarz spotkał się z doktorem i w cztery oczy wyznał wszystko jak na spowiedzi. Sprawy zaszły zbyt daleko, by mógł iść w zaparte. Młoda kobieta próbowała popełnić samobójstwo. „Dzięki" Brackiemu.

– Proszę mi wierzyć, doktorze, nie chciałem Majki skrzywdzić. Próbowałem chronić podkomendnych.

– To nie ma teraz znaczenia – odparł łagodnie Masłowski. – Nie interesuje mnie, dlaczego zrobił pan to, co zrobił, a jak wykorzystać pana w cyklu terapeutycznym mojej pacjentki. Jeśli sumienie pozwala komuś spać spokojnie po tym, jak dziewczyna próbuje się z jego powodu zabić, cóż... to nie mój problem. To, czy jej rodzina pociągnie pana do odpowiedzialności, również znajduje się poza obszarem moich zainteresowań. Obowiązuje mnie tajemnica lekarska. Wszystko, co pan mówił, pozostanie w tym pokoju. Ja chcę mieć pewność co do jednego: mogę na pana liczyć, gdy będę potrzebował pomocy?

– Oczywiście, doktorze.

– To mi wystarczy. Wezwę pana w stosownym momencie. Majka musi się skonfrontować ze swoim prześladowcą na bezpiecznym gruncie.

Zabrzmiało to przerażająco, bo do jednej konfrontacji już przecież doszło. Bracki po raz nie wiadomo który szczerze żałował, iż wplątał się w to wszystko – od nieudanej interwencji antyterrorystycznej począwszy, na spotkaniu z Masłowskim i zgodzie na współpracę skończywszy.

– Spokojnie, komisarzu – uśmiechnął się doktor. – Nie tak szybko. Oboje, i pan, i ona, dostaniecie czas, by przygotować się do tej konfrontacji. Zresztą nie opuszczę Majki ani na chwilę. Nie zostanie z panem sam na sam. Będzie pan całkowicie bezpieczny.

– Nie obawiam się tej dziewczyny!

– Szkoda. Gdyby się pan czegoś jednak bał, nie krzywdziłby pan tak beztrosko ludzi.

Majka zdała egzamin z życia śpiewająco. Przeszła wszystko: trudną psychoanalizę, sięgającą czasów dzieciństwa, o których wolała zapomnieć, i rozdrapywanie starych ran, tych świeżych, sprzed paru miesięcy również. Zaliczyła terapię grupową i indywidualną, na koniec zaś to, czego obawiała się najbardziej: wizytę komisarza Brackiego.

Przyszedł, tak jak polecił mu doktor Masłowski: w czarnym mundurze, z bronią. Oczywiście nienabitą. Miał wyglądać przerażająco, ale… Majka była dobrze przygotowana.

Wielokrotnie przerabiała to spotkanie z doktorem Masłowskim. Pod hipnozą także.

Komisarz wreszcie przed nią stanął. Żywy, realny, na wyciągnięcie ręki. Światło zostało przyciemnione i pokój, zazwyczaj słoneczny, zaczął przypominać katakumby. Mimo to dziewczyna nie poddała się panice. Wprawdzie nogi się pod nią uginały, gdy szła w stronę Brackiego i zaciskała palce na dłoni doktora tak silnie, że niemal ją zmiażdżyła, lecz – alleluja! – dokonała tego! Stanęła przed największym ze swych koszmarów, podała mu dłoń, wymienili uprzejmości, wszystko ślicznie-pięknie, tylko trochę nieszczerze...

I nagle doktor rozsunął ciężkie story, blask słońca zalał cichy, przytulny pokój. Komisarz uśmiechnął się nieśmiało, prosząco. Majka powiedziała, że nie ma sprawy, wybacza mu, a wtedy poczuła ulgę tak ogromną, że nogi się pod nią ugięły i gdyby nie jej osobisty upiór, który chwycił ją pod ramię i doprowadził do fotela, pewnie upadłaby pośrodku pokoju i została tam na wieki.

Dziś siedziała na ganku Leśnej Polany, rozkoszując się niezwykłą atmosferą tego miejsca. King, który tak tęsknił za swą panią, że niemal się pochorował, nie chciał odstąpić jej na krok. Znów spał w pokoju Majki. Ale tym razem nie była to sypialnia na poddaszu, a na parterze. Gabriela chciała mieć Majkę pod ręką. Na wszelki wypadek.

Właśnie stanęła w drzwiach, śliczna, okrąglutka, promieniejąca blaskiem, jakim tylko przyszłe szczęśliwe matki potrafią świecić.

– To co, Majeczka, uczymy się?

– Daj mi jeszcze chwilkę! – jęknęła dziewczyna. – Zdążę posiąść wiedzę tajemną na temat kabli dwu- i trójżyłowych iluś tam calowych za piętnaście minut!

Gabrysia pokręciła głową, przybierając surową minę.

– Za piętnaście minut wprowadzenie do gniazdek elektrycznych.

Majka jęknęła powtórnie.

Podczas terapii przyjaciele oszczędzali jej zmartwień, takich choćby jak wiadomość o blokadzie konta bankowego. Nie było jej zresztą potrzebne, bo z korporacji w końcu ją wyrzucono, a wspomaganie rodziców wraz z ich śmiercią ustało. Majka została bez pieniędzy i bez pracy, co specjalnie jej nie zmartwiło. Była młoda, lubiła się uczyć, a Gabrysia chętnie przyjęła ją do terminu.

Zlecenia na kosztorysy nadal spływały, Majka, która przejmie klientów, gdy przyjdzie czas rozwiązania, spadła kobiecie jak z nieba. Miały jeszcze cztery miesiące na naukę zawodu, zanim maleńka dziewczynka, córeczka Gabrieli i Wiktora, przyjdzie na świat.

Teraz pracowały nad wyjątkowym zleceniem: Wiktor wdrożył plan remontu pałacu na Miodowej. Któregoś dnia, po swojej zwykłej codziennej przejażdżce, zeskoczył z końskiego grzbietu tuż przed gankiem, gdzie czekała nań Gabriela, podał jej gałązkę jodły, obezwładniająco pachnącą żywicą, i rzekł:

– Potrzebuję dobrej kosztorysantki. Cena nie gra roli.

Czas zatoczył krąg.

Gabrysia wstała, ujęła gałązkę w palce, ale Wiktor jej nie puścił. Przyciągnął kobietę do siebie i zaczął całować.

– Tak się to wtedy nie skończyło – wyszeptała, gdy pozwolił jej zaczerpnąć oddechu.

– Wtedy jeszcze nie – odparł. – Lecz nazajutrz... – Wsunął dłoń między jej uda.

– Nazajutrz też się tak nie skończyło! – trzepnęła go po ręce ze śmiechem.

– Wiem, pamiętam, zabiegałem o ciebie długie miesiące, byś wreszcie mi zaufała i wpuściła do dziewiczego wnętrza.

– Wiktor!

– To słyszałem wiele razy podczas pierwszej wspólnej nocy. Było nieco bardziej namiętne... zachęcające...

– Jesteśmy na dworze! Sąsiedzi mogą patrzeć. – Rozejrzała się, zarumieniona, dookoła.

– To też kiedyś przerabialiśmy, gdy zapomnieliśmy się na polanie niedaleko stąd. Co ty ze mną wtedy wyrabiałaś...

– No co? Przypomnij mi!

Pochylił się i wyszeptał parę słów, od których Gabriela spłonęła rumieńcem. A potem zrobiła to, co na polanie, czy sąsiedzi podglądali czy nie.

Siedząc dziś z Majką na ganku, przypomniała sobie ten dzień i parsknęła cichym śmiechem. Wiktor był niesamowity. Im dłużej odkrywała tego mężczyznę, tym bardziej go kochała. Tak bardzo czekał, aż staną wreszcie na ślubnym kobiercu i będzie mógł nazwać Gabrielę swoją żoną... Jednak bez słowa protestu zgodził się przełożyć ślub do czasu wyjścia Majki ze szpitala.

W cichości ducha Gabrysia liczyła, że Marcin przez te kilka miesięcy otrząśnie się, wróci do Polski i do Majki, i tego samego dnia ślub wezmą trzy pary, a nie dwie, lecz Marcin nie wracał...

Pisał czasem listy – nie maile, lecz listy właśnie – które Majka czytała ze łzami w oczach. Po każdym smutniała, jej uśmiech, którym zarażała innych, gasł. Ale Gabrysia z Julią były przy niej. Zawsze, gdy ich potrzebowała. Dla nich chciała żyć i być szczęśliwa, skoro nie mogła być szczęśliwa dla siebie.

Teraz spojrzała na Gabrielę tak błagalnie, że ta ulitowała się w końcu. Odłożyła laptop, zwróciła twarz ku słońcu, przymknęła powieki.

– Pomyśleć, że to dopiero luty... – szepnęła z rozkoszą. – Czuję się, jakby minęła cała epoka. Tyle się wydarzyło. Dobrego i złego.

– Wolę myśleć o tych dobrych momentach. Jak tam Tosia, moja chrzestna córeczka? – Położyła dłoń na brzuchu Gabrieli i czekała, aż maleństwo się poruszy. – Boże, co za niesamowite uczucie – westchnęła, gdy delikatnie kopnęło w jej dłoń. – Ciekawe, czy ty kiedyś przyłożysz rękę do mojego brzucha i to mój synek albo moja córeczka będą dawały znać, że są. „Tutaj! tu!, mateczko chrzestna!, jeszcze parę miesięcy i weźmiesz mnie w ramiona!" Chciałabym doczekać w końcu tej chwili...

– Doczekasz – zapewniła ją Gabriela z głębi duszy. – Marcin wróci. Musi wrócić. Daj mu jeszcze trochę czasu. Jeśli nadal będzie się bawił twoimi uczuciami...

– Nie bawi się. Po prostu nie wspomina ani o moich uczuciach, ani o swoich. O powrocie również nie.

– Porozmawiam z Wiktorem. – Gabriela uniosła się gniewem. – Nie pozwolę, by jego brat cię dręczył!

– Dzięki, Gabi, ale nie te czasy, by zmuszać kogoś do małżeństwa. No i Marcin mnie nie dręczy. Myślę, że znalazł sobie inną kobietę i nie bardzo wie, jak mi to przekazać.

– Majka, co ty opowiadasz?! – tym razem Gabriela się przeraziła. Tych dwoje, Majka i Marcin, było dla siebie stworzonych! Tak jak ona i Wiktor, Patryk i Julia! – Napisał o tym w liście?

– Nie wprost. Ale między wierszami owszem. – Majce łzy nabiegły do oczu. Ten pierwszy dzień na wolności miał być wspaniały. Słońce dopisało, humor też. Aż do teraz. – E tam, nie smućmy się – rzekła, stanowczym gestem ocierając oczy. – Jak nie on, to inny...

– O nie, nie, ponownie w seksoholizm wpaść ci nie pozwolę. Napisz do Marcina...

– Piszę do niego systematycznie.

– Napisz stanowczo, nie systematycznie. Niech się zdeklaruje, zamiast trzymać cię w niepewności.

– Tego, kochana Gabrysiu, nie zrobię. Nie będę się narzucała facetowi. Ty coś o tym wiesz. Wiktor wspomina jeszcze o ślubie czy jemu też chęci przeszły?

Gabriela nie mogła Majce powiedzieć, że to z jej winy nie są jeszcze małżeństwem. Odparła więc dyplomatycznie: „Wszystko w swoim czasie", i zadysponowała powrót do nauki.

Ale nauka tabelek, kosztorysów i rodzajów gniazdek elektrycznych musiała poczekać, bowiem przed bramą rozległ się dźwięk klaksonu i po chwili na podjazd wjeżdżał solidny rodzinny van Patryka.

Gdy tylko Hania wysiadła z samochodu, w te pędy pobiegła ku Gabrysi i Majce. Szczególnie za tą drugą się stęskniła. Majka potrafiła owijać sobie wokół palca nie tylko mężczyzn, ale również dzieci i zwierzęta. King świata poza nią nie widział, Hania kochała ją bardzo.

Matka Wiktora, która wysiadła za dziewczynką, podeszła do Majki, przytuliła ją, ucałowała serdecznie i rzekła:

– Dobrze, że jesteś w domu, dziecinko. Z Julią upiekłyśmy coś, co lubisz.

Majce rozbłysły oczy. Maria wielokrotnie odwiedzała ją w klinice doktora Masłowskiego, za każdym razem przywożąc pyszności. Nadal mieszkała w apartamencie Wiktora, po sąsiedzku zajmując się małą Hanią. Julia dostała angaż do filmu fabularnego i wreszcie spełniała się w wymarzonym zawodzie. Na szczęście córeczka, w czasie gdy ona grała na planie, miała opiekę najlepszą z najlepszych. Dziś też była zajęta, o czym wspomniała Maria.

– A Patryk? – Majka spojrzała na samochód.

– Przyznam, że nie wiem – odparła Maria. – Miał razem z Wiktorem dołączyć do nas, a potem przyjechać tutaj, ale zadzwonił, że coś ich zatrzymało i nie wiadomo, kiedy będą wolni. Mamy zacząć imprezę powitalną bez nich.

– Bez głównych bohaterów to żadna impreza – Majka z niezadowoleniem pokręciła głową, ale czując łapki dziewczynki obejmujące ją wpół, musiała się uśmiechnąć. Mniejsza o dorosłych, liczą się tylko dzieci.

Właśnie. Patryk z Wiktorem, jadąc na umówione spotkanie, podpisaliby się pod tymi słowami krwią serdeczną.

– To tutaj – mruknął ten pierwszy, skręcając w ulicę, na której końcu stał okazały budynek dawnego klasztoru, teraz przemieniony w hospicjum dla najuboższych.

Zostawili volvo na parkingu dla odwiedzających i weszli przez ciężkie wierzeje do chłodnego wnętrza. Siostra zakonna podniosła głowę znad czytanej książki. Wiktor mimowolnie zerknął na tytuł, będąc pewien, że to Biblia. Zdziwił się. Kobieta czytała powieść w barwnej okładce.

– Panowie do…? – odezwała się przyciszonym głosem.

– Jowity Smyk.

– Och… – Zakonnica spojrzała na nich zaskoczona. – Jowitka w piątek odeszła.

– Jak to odeszła? Dokąd? – zdenerwował się Patryk. – Zostawiła nowy adres?

Siostra uśmiechnęła się smutno.

– Jowita jest teraz w domu Boga. Zmarła nad ranem.

Patryk cofnął się, jakby dostał w twarz. Żadna wiadomość nie mogła zdruzgotać go bardziej niż ta. Byli umówieni na podpisanie aktu notarialnego! Jowita miała zrzec się praw do Hani i wskazać Patryka z Julią jako rodziców adopcyjnych! Rozmawiali o tym z Brackim setki razy. Patryk nie nachodził dziewczyny osobiście tylko dlatego, t y l k o   d l a t e g o, że komisarz dał słowo: załatwi szybką, bezproblemową adopcję. Julia się załamie, gdy będą musieli oddać Hanię choć na krótki czas do sierocińca! Hania zaś… nie chciał nawet myśleć o cierpieniu, strachu i rozpaczy tego dziecka.

– Mogę zapytać o pana nazwisko? – odezwała się zakonnica.

– Prado. Patryk Prado – odparł Wiktor, bo jego brat nie był w stanie wykrztusić ani słowa. Z trudem powstrzymywał się od wybuchnięcia gniewem. Na Brackiego, bo przecież nie na nieszczęsną dziewczynę.

– Jest dla pana koperta. Zapieczętowana. Muszę mieć jedynie pewność, że oddaję ją w ręce Patryka Prado.

Bez słowa wyciągnął dowód osobisty.

Zakonnica przestudiowała go powoli i uważnie, po czym oddała Patrykowi razem z białą kopertą.

– Pan Bracki, bo to od niego te dokumenty, radził, żeby zapoznał się pan z nimi w odosobnionym miejscu – rzekła, wskazując świetlicę, ale Wiktor podziękował jej za pomoc i wyprowadził brata na zewnątrz, na czyste lutowe powietrze.

– Odetchnij, Patryk, bo wyglądasz, jakbyś miał zemdleć – rzekł półgłosem.

– Jak on mógł nam to zrobić? – wydusił młodszy z mężczyzn. – Mniejsza o mnie, ja przeżyłem tyle, że zniosę jeszcze więcej, ale Hania? Julia? Za co na nich ten bydlak się mści?

– Wyjaśnienie jest pewnie w środku. Nie dowiesz się, jeśli jej nie otworzysz – podał bratu kopertę. – Usiądźmy w samochodzie. Odosobnienie to odosobnienie.

Gdy Patryk nie zareagował, oszołomiony porażką, Wiktor wziął go za ramię i wepchnął do środka. W następnej chwili siadał obok i rozrywał ze zniecierpliwieniem biały papier.

Rzucił okiem na zawartość koperty i… gwizdnął cicho.

– Nie docenialiśmy naszego komisarza, bracie. Właśnie podarował ci dziecko – rzekł ze zdumieniem, po czym uśmiechnął się i wręczył bratu coś najcenniejszego na świecie: akt urodzenia Hanny Raszyńskiej, córki Julii i Patryka Prado.

Komisarz Bracki obserwował srebrne volvo z okien pokoiku, w którym jeszcze dziś przed świtem leżała Jowita. Cicha, spokojna, pogodzona ze światem Jowita. Gasnąca z dnia na dzień. Trzymała się życia do ostatniej chwili. Do momentu, w którym Mariusz – od dłuższego czasu zwracała się do mężczyzny po imieniu – przyszedł i oznajmił z triumfem:

– Mam to, Jowitko, mam!

Była już tak słaba, że odpowiedziała jedynie uśmiechem. Nie wykrzesała z siebie nawet tyle siły, by ująć upragniony dokument w dłonie i unieść do oczu. Zrobił to za nią.

„Hanna Raszyńska. Matka: Julia Raszyńska. Ojciec: Patyk Prado. Urodzona…"

Po zapadniętych policzkach dziewczyny spłynęły łzy. Dzięki dobremu Bogu i mężczyźnie, którego zesłał, jej córeczka – dziecko, jak jeszcze niedawno o Hani mówiła – była bezpieczna. Miała mamę i tatę. Kochających rodziców. Dobrych ludzi. O tym zapewnił Jowitę komisarz Bracki, a jemu wierzyła bez zastrzeżeń. Został przecież w tym celu przysłany przez Boga, prawda?

– Dziękuję – szepnęła ledwo słyszalnie.

Uniósł jej przezroczystą, nic nieważącą dłoń do ust i ucałował.

Pokochał tę umierającą dziewczynę. Nie zastanawiał się, czy kocha ją jak córkę, czy jak kobietę. Nie miało to żadnego sensu.

Ona i tak odejdzie, cud się nie zdarzy, umrze bez względu na to, czy ktoś będzie ją opłakiwał czy też nie. Ani on, ani jego miłość nie zatrzymają jej na tym świecie.

Jedyne, co mógł zrobić dla tej młodej kobiety, która za życia przeszła piekło na ziemi, to być przy niej do końca. Do ostatniego oddechu.

I był.

Cały dzień, całą noc...

Trzymając tę drobną, lekką jak skrzydło gołębia dłoń przy ustach i modląc się bezgłośnie.

Nad ranem uniosła powieki, uśmiechnęła się do niego i z tym uśmiechem zgasła.

*

Nawet najczarniejsza noc kiedyś się kończy, trzeba tylko doczekać świtu. Czas rozpaczy ustępuje przed chwilą szczęścia. Burza odchodzi, by mogło wstać słońce.

Trzy przyjaciółki i trzej bracia... trzy historie, które pisało życie. Każde z nich los traktował bezlitośnie. Nie, nie los, ludzie. To ludzie ludziom gotują piekło na ziemi, los, Bóg, przeznaczenie nie mają tu nic do rzeczy. To bestie w ludzkich skórach pastwią się nad niewinnymi, lecz anioły, których na co dzień nie zauważamy, biorą krzywdzonych pod swoje skrzydła. Życie byłoby nie do wytrzymania, gdyby nie nadzieja, że los się kiedyś odmieni. Po nocy nadejdzie dzień.

Ten dzień, najjaśniejszy, najpiękniejszy, najszczęśliwszy przyszedł także do Gabrysi i Julii. Majka musiała jeszcze trochę poczekać, aż i do niej uśmiechnie się słońce. Tymczasem pomagała szczęśliwym bez granic przyjaciółkom w przygotowaniach do ślubu.

Obie miały już pięknie upięte włosy, w nich diademy z białego złota i maleńkich brylancików. Makijażystki przed chwilą skończyły swą pracę. Teraz Majka dopinała haftki gorsetu Gabrysi. Następnie zaciągnęła tasiemkę. Julia, już odziana w suknię ślubną, przyglądała się temu w zachwycie.

– Boże mój, ależ ty jesteś śliczna, Gabrina! – wykrzyknęła Majka, gdy kobieta obróciła się wdzięcznie. – Wiktor nie doczeka się nocy poślubnej! No nie czerwień mi się tutaj, nie czerwień. Myślałby kto, dziewica. Już ja wiem, co wyprawiacie w nocy. Słyszę każdy jęk i krzyk.

– Niczego nie słyszysz! – oburzyła się Gabriela. – Od kiedy z nami mieszkasz, nie robimy t e g o w domu!

Majka zaśmiała się szydercze, jak to ona.

– I tak ci nikt nie uwierzy.

– Nakładaj swoją suknię, kłamczucho!

– Nie chcę jej. Jest taka jak wasze.

Rzeczywiście, zapewne z powodu pomyłki wszystkie trzy suknie miały ten sam odcień jasnego jak słoneczny dzień błękitu. Julia, blondynka z niebieskimi oczami, wyglądała w nim przepięknie. Gabrysia, chociaż urodę miała jesienną, również. Majka, brunetka, bez wątpienia olśni gości urodą, o ile uda się ją namówić do włożenia sukni.

– Moja miała być nie dość, że szkarłatna, to jeszcze przed kolana! Jestem tylko druhną! Nie mogę włożyć tej sukni! Dzwonię do salonu, żeby ją odnaleźli i przysłali. W try miga!

– Salon jest zamknięty, złośnico, suknia piękna. Zakładaj, bo spóźnimy się na ślub.

– Nie mogę wyglądać jak panny młode! To głupie! Nie jestem jedną z was. – Majka poczuła, że za chwilę się rozpłacze. Nie z powodu sukni, a dlatego, że na nią nie czekał żaden pan młody. Prawdę mówiąc, nikt na nią nie czekał.

– Maja, nie dramatyzuj. – Gabrysia objęła przyjaciółkę. – To jedynie ślub cywilny. Za rok, gdy staniemy przed ołtarzem w kościele, dołączysz do nas. Jestem tego pewna. Niby dlaczego dziś jedynie podpisujemy papierek?

– No dlaczego? – Majka chciała to usłyszeć.

– Bo ze ślubem kościelnym czekamy na ciebie – dokończyła Julia. – Wskakuj w suknię. Makijaż masz nieskazitelny, tylko nie zacznij płakać. Hanusiu – zwróciła się do córeczki, która jak zaczarowana przyglądała się całej tej krzątaninie – masz koszyczek z kwiatkami?

Dziewczynka, ubrana w tak samo śliczną, błękitną sukienkę, skinęła z powagą główką. Włoski miała zaplecione w piękny warkocz, między nie wpięte spinki z małymi brylancikami. Wyglądała tak samo zachwycająco jak jej mama i obie ciocie.

– Chodźmy, dziewczyny, bo panowie się rozmyślą…

Z apartamentu Wiktora do Pałacu Ślubów miały dosłownie kilka kroków. Czekała na nie przystrojona wstążkami i kwiatami dorożka, ale postanowiły przejść się piechotą. Mijani po drodze ludzie przystawali i spontanicznie bili brawo trzem pięknym, roześmianym kobietom i małej ślicznej dziewczyneczce.

Wreszcie minęły Zamek Królewski. Jeszcze chwila i staną przed otwartymi zapraszająco drzwiami Pałacu. Tam już czekają na nie Wiktor z Patrykiem i goście. Maria Prado, doktorostwo Braniewscy, Jerzy Masłowski. Lecz jest wśród nich ktoś jeszcze…

Majka staje jak wryta i wydaje z siebie zduszony okrzyk. Przykłada dłonie do ust i kręci głową, nie wierząc, jeszcze nie wierząc w to, co widzi. W tego, którego widzi.

On rusza w jej stronę, odziany we wspaniale skrojony biały garnitur. Przyspiesza kroku.

Ona zaczyna biec, nie bacząc na plączącą się u kolan błękitną jak skrawek nieba suknię, nie bacząc na zdumione okrzyki gości i na śmiech, szczęśliwy śmiech przyjaciółek, które doskonale wiedziały, jaka niespodzianka ją czeka.

On wreszcie jest. Tak blisko. Zatrzymuje się krok przed Majką. Patrzy na nią pytająco, z prośbą o przebaczenie w niebieskich oczach.

Ona z trudem łapie oddech. Słowa nie chcą przejść przez spazmatycznie zaciśnięte gardło. Wreszcie podnosi na niego piękne, fiołkowe, błyszczące od łez oczy.

– Wróciłeś do mnie?

Marcin bierze w dłonie twarz ukochanej.

– Wróciłem.

KONIEC

1 lipca 2017

E-book dostępny na
woblink.com